Michael Albus | Ludwig Brüggemann (Hg.)

Hände weg!

Michael Albus |
Ludwig Brüggemann (Hg.)

Hände weg!

Sexuelle Gewalt in der Kirche

Butzon & Bercker

„Orientierung durch Diskurs"

Die Sachbuchsparte bei Butzon & Bercker, in der dieser Band erscheint, wird beratend begleitet von Tobias Licht, Susanne Sand-
herr, Johannes Bernhard Uphus und Marc Witzenbacher.

Bibliografische Information der Deutschen Nationalbibliothek

Die Deutsche Nationalbibliothek verzeichnet diese Publikation
in der Deutschen Nationalbibliografie; detaillierte bibliografische
Daten sind im Internet über http://dnb.d-nb.de abrufbar.

 Das Gesamtprogramm
von Butzon & Bercker
finden Sie im Internet
unter www.bube.de

ISBN 978-3-7666-1482-7
E-BOOK ISBN 978-3-7666-4137-3
EPUB ISBN 978-3-7666-4138-0

© 2011 Butzon & Bercker GmbH, 47623 Kevelaer, Deutschland,
www.bube.de
www.religioeses-sachbuch.de
Alle Rechte vorbehalten.
Umschlagmotiv: „Ehrenmänner". Werk des Künstlers ARANDUS.
2004. Originalgröße 180 × 150 cm.
Copyright für das Foto: European Art Company, Badenweiler
Umschlaggestaltung: Christoph Kemkes, Geldern
Satz: Schröder Media GbR, Dernbach
Printed in Germany

Inhalt

Anleitung zur Heilung
Ludwig Brüggemann 230

ANHANG

Hinführung

Hütet euch davor, einen von diesen Kleinen zu verachten!

In jener Stunde kamen die Jünger zu Jesus und fragten: Wer ist im Himmelreich der Größte? Da rief er ein Kind herbei, stellte es in ihre Mitte und sagte: Amen, ich sage euch: Wenn ihr nicht umkehrt und wie die Kinder werdet, könnt ihr nicht in das Himmelreich kommen. Wer so klein wie dieses Kind sein kann, der ist im Himmelreich der Größte. Und wer ein solches Kind um meinetwillen aufnimmt, der nimmt mich auf.

Wer einen von diesen Kleinen, die an mich glauben, zum Bösen verleitet, für den wäre es besser, wenn man ihn mit einem Mühlstein um den Hals im tiefen Meer versenken würde. Wehe der Welt, denn in ihr herrscht Verführung! Es muss zwar Verführung geben; doch wehe dem Menschen, der sie verschuldet.

Wenn dich deine Hand oder dein Fuß zum Bösen verleitet, hau sie ab und wirf sie weg! Es ist besser für dich, verstümmelt oder lahm das Leben zu erlangen, als mit zwei Händen und zwei Füßen ins ewige Feuer geworfen zu werden. Und wenn dich dein Auge zum Bösen verleitet, reiß es aus und wirf es weg! Es ist besser für dich, einäugig das Leben zu erlangen, als mit zwei Augen in das Feuer der Hölle geworfen zu werden.

Hütet euch davor, einen von diesen Kleinen zu verachten! Denn ich sage euch: Ihre Engel im Himmel sehen stets das Angesicht meines himmlischen Vaters.

(Mt 18,1–10)

Redet Wahrheit!

Warum dieses Buch über sexuelle Gewalt in der katholischen Kirche?

Michael Albus

Der Tsunami rollt. Er reißt und spült vieles mit sich fort. Die einen bedauern das, beschimpfen die „bösen" Medien, die „alles" angezettelt haben. Die andern freuen sich darüber, dass diese Sturmflut endlich einmal gekommen ist. Das Thema ist ja beileibe nicht neu. Es hat Tradition inner- und außerhalb der katholischen Kirche. Und dann gibt es noch diejenigen, die sagen: „Lasst uns warten, bis alles über uns hinweggerollt ist, bis die Flut sich wieder verlaufen hat, das faule Wasser wieder versickert ist, dann können wir so weitermachen" – mit ein wenig Oberflächenkosmetik vielleicht, mit ein paar schnellen Entschuldigungen, mit ein paar hektisch angeordneten Maßnahmen oder Hotlines. Vor allem diesen Menschen gilt es, sich in den Weg zu stellen. Jetzt ist die Zeit, Klartext zu sprechen und zu schreiben. Es ist die Zeit des wachsamen Zornes. Die Zeit wachsamen Friedens muss ihr folgen. Nicht eine Zeit der Friedhofsruhe.

Das System ist der Fehler

Im Klartext also: Bei der Frage der sexuellen und anderen Gewalt in der katholischen Kirche handelt es sich nicht nur um bedauernswerte Vergehen von Einzelnen. Es handelt sich vielmehr um einen Systemfehler. Zugespitzt gesagt: Das System ist der Fehler. Die Kirche, die einen besonderen Anspruch erhebt, muss sich auch an ihm messen lassen. Wie sonst? Und gemessen an dem Anspruch, den sie erhebt, hat sich das System – nicht nur in diesem Sünden-Fall – als unmenschlich erwiesen.

Wer sich an Kindern vergeht, schlägt dem ins Gesicht, der auf die Frage nach dem Himmelreich ein Kind in die Mitte stellte. Wer in der Kirche Kinder misshandelt, verletzt und traumatisiert Gott selbst. Kindesmisshandlung ist Gottesverletzung. Da gibt es nichts schönzureden oder gesundzubeten. Es ist eine Katastrophe. Und es gibt Wunden, die die Zeit nicht heilt. Wir haben uns entschieden, von *Kindesmisshandlung* zu reden und nicht von Missbrauch. Weil man Kinder – Menschen überhaupt – weder gebrauchen noch missbrauchen kann und darf.

Im Anfang war ein Brief

Am Berliner Canisius-Kolleg haben in den 1970er- und 80er-Jahren Lehrer viele Schüler sexuell missbraucht. Der derzeitige Rektor des Jesuiten-Gymnasiums, Pater Klaus Mertes, wandte sich deshalb im Januar 2010 mit einem Brief an rund 600 Schüler der betroffenen Jahrgänge. Hier der Brief – leicht gekürzt – im Wortlaut:

Liebe ehemalige Schülerinnen und Schüler,

in den vergangenen Jahren haben sich mehrere von Ihnen bei mir gemeldet, um sich mir gegenüber als Opfer von sexuellem Missbrauch durch einzelne Jesuiten am Canisius-Kolleg zu erkennen zu geben. Die Spur der Missbräuche zieht sich durch die 70er-Jahre hindurch bis in die 80er-

Michael Albus

Jahre hinein. Mit tiefer Erschütterung und Scham habe ich diese entsetzlichen, nicht nur vereinzelten, sondern systematischen und jahrelangen Übergriffe zur Kenntnis genommen. Es gehört auch zur Erfahrung der Opfer, dass es im Canisius-Kolleg und im Orden bei solchen, die eigentlich eine Schutzpflicht gegenüber den betroffenen Opfern gehabt hätten, ein Wegschauen gab. Allein schon deswegen gehen die Missbräuche nicht nur Täter und Opfer an, sondern das ganze Kolleg, sowohl die Schule als auch die verbandliche Jugendarbeit. Aus demselben Grund bitte ich hiermit zunächst alle betroffenen ehemaligen Canisianerinnen und Canisianer stellvertretend für das Kolleg um Entschuldigung für das, was ihnen am Kolleg angetan wurde.

In den Gesprächen mit einigen der Opfer habe ich besser verstanden, welche tiefen Wunden sexueller Missbrauch im Leben junger Menschen hinterlässt und wie die ganze Biografie eines Menschen dadurch jahrzehntelang verdunkelt und beschädigt werden kann. Zugleich konnte ich in den Gesprächen von den Opfern hören, wie befreiend es ist, wenn man beginnt, über die Erfahrungen zu sprechen, auch dann, wenn sie zeitlich weit zurückliegen. Es gibt nämlich Wunden, welche die Zeit nicht heilt ...

Neben der Scham und der Erschütterung über das Ausmaß des Missbrauchs in jedem einzelnen Fall und in der – bisher sichtbaren – Anhäufung müssen wir uns seitens des Kollegs die Aufgabe stellen, wie wir es verhindern können, heute durch Wegschauen wieder mitschuldig zu werden. Wegschauen geschieht ja oft schon in dem Moment, wo man sich entscheidet, nicht wissen zu wollen, obwohl man spürt, dass man eigentlich genauer hinschauen sollte. Das ist eine Herausforderung für die persönliche Zivilcourage jedes Einzelnen wie auch für die Überprüfung der Strukturen. Denn es drängt sich zugleich auch die Frage auf, welche Strukturen an Schulen, in der verbandlichen Jugendarbeit und auch in der katholischen Kirche es begünstigen, dass Missbräuche geschehen und de facto auch gedeckt werden können. Hier stoßen wir auf Probleme wie fehlende Beschwerdestrukturen, mangelnden Vertrauensschutz, übergriffige Pädagogik, übergriffige Seelsorge, Unfähigkeit zur Selbstkritik, Tabuisierungen und Obsessionen in der kirchlichen Sexualpädagogik, unangemessenen Umgang mit Macht, Abhängigkeitsbeziehungen. An diesen Themen haben wir in den letzten Jahren sowohl im Orden als auch am Kolleg gearbeitet und werden es auch weiterhin tun. In diesem Sinne danke ich den Opfern, die durch ihren Mut zu sprechen auch dem Kolleg und dem Orden einen Dienst erweisen, indem sie diese Themen anstoßen.

Seitens des Kollegs möchte ich durch diesen Brief dazu beitragen, dass das Schweigen gebrochen wird, damit die betroffenen Einzelnen und die betroffenen Jahrgänge miteinander sprechen können. In tiefer Erschütterung und Scham wiederhole ich zugleich meine Entschuldigung gegenüber allen Opfern von Missbräuchen durch Jesuiten am Canisius-Kolleg.

Da hat einer endlich einmal nicht weggeschaut, den Finger in die Wunde gelegt und etwas angestoßen, was überfällig war.

Die Medien – nicht alles Gold, was glänzt

Natürlich gab und gibt es in der Berichterstattung der Medien, die danach in Gang kam, auch Erscheinungen, die der Aufklärung wenig dienten, sondern allenfalls der Befriedigung der Voyeurinnen und Voyeure der Schlüssellochgesellschaft. Es ist die Gesellschaft, die einen Kitzel dabei empfindet, wenn man „es" sehen, hören, lesen kann. Dann werden „Exklusiv"-Berichte über Misshandlungsfälle zur Unterhaltung, die Täter und Opfer auf eine andere Art nochmals misshandelt. Da ist auch allzu viel nicht gut gelaufen. Aber

Michael Albus

entscheidend ist, dass es in der Mehrzahl Journalistinnen und Journalisten gab und gibt, die sensibel und unerschrocken handelten und handeln. Es ist zu hoffen, dass sie den Mut nicht verlieren, unter so vielen Wegschauerinnen und Wegschauern hinzuschauen.

Nun gilt es, genauer hinzusehen

Die Herausgeber dieses Buches haben sich auf die katholische Kirche beschränkt. Das heißt nicht, dass andere Kirchen oder Glaubensgemeinschaften, auch nicht bestimmte gesellschaftliche Gruppen, freizusprechen wären.

Es geht uns nicht um Beschämung und Aburteilung, sondern um Aufklärung und Benennung von verachtendem und verbrecherischem Handeln Einzelner, die im zu reformierenden System gefangen sind.

Außerdem haben wir den Blick über den Tellerrand der eigenen Ortskirche in Deutschland hinaus gerichtet. Auch bei diesem Thema, schrecklich genug, gibt es eine „Weltkirche". Wir haben eine Autorin und mehrere Autoren aus anderen Ländern (Irland, Australien, El Salvador) herangezogen und auf Arbeiten von ihnen zum Thema zurückgegriffen. Einige Aufsätze sind eigens für dieses Buch geschrieben worden. Dabei haben wir festgestellt, dass es manche kirchliche und gesellschaftliche Ungleichzeitigkeiten im Versuch der Aufarbeitung des Themas gibt.

Die beiden Herausgeber sind sich sicher, dass Jesus eine andere Kirche gewollt hat als die, in der Gewaltausübung an Kindern vor allem in solch einem, man muss schon sagen, massenhaften, Umfang möglich geworden und möglich ist. Da wurden das Vertrauen Gottes und das Vertrauen der Menschen missbraucht. Dass Gott wieder Vertrauen zu den Menschen seiner Kirche haben kann, dazu wollen wir beitragen. Offen, klar und redlich.

„Was ist das Größte am Menschen?"

Gewalt sät Gewalt

Ludwig Brüggemann

> *Wer einen von diesen Kleinen, die an mich glauben, zur Sünde verführt, für den wäre es besser, wenn ihm ein Mühlstein um den Hals gehängt und er in der Tiefe des Meeres versenkt würde.*
> *(Mt 18,6)*
> *Wer von euch ohne Sünde ist, werfe als Erster einen Stein auf sie.*
> *(Joh 8,7)*

Diese bekannten Worte Jesu erscheinen mir sehr widersprüchlich: einen Mühlstein um den Hals des Verführers hängen und das indirekte Gebot, keinen Stein auf „Verurteilte" zu werfen. Sie zeigen, in welch revolutionärer Weise Jesus die Würde von Kindern und ebenso die Würde von Frauen anmahnt. Nietzsche sagt es mit andern Worten: „Was ist das Größte am Menschen? Dass er einen andern nicht beschämt." Das heißt, das Niedrigste am Menschen ist, den andern zu beschämen, und das passiert immer dann, wenn statt Achtung und Wertschätzung Missachtung, Verachtung, Kränkung, Verletzung Platz greifen.

Die beiden Bibelzitate zeigen aber auch die Problematik der Beurteilung und Verflechtung von Tätern und Opfern, von Leidtragenden und Leidbringenden. Darum geht es in diesem Buch.

Einem Tsunami gleich rollt eine Welle von Aufdeckung kinderverachtender Gewalttaten in der römisch-katholischen Kirche seit Jahren über den Globus von Irland, über Australien, die USA, Deutschland und so weiter. Sprachlos, entsetzt, empört sind viele; andere erleben niederschmetternde Ohnmachtsgefühle, denn sie sind in unterschiedlicher Weise Betroffene. Letztlich erlitt jeder von uns selbst im Laufe seines Lebens Gewalt, kennt die kränkende, beschämende Wirkung und bleibt deshalb nicht unbeteiligt und kalt bei der Nachricht über seelische wie körperliche Beschädigung. „Welches Kind hätte nicht Grund, über seine Eltern zu weinen!" (Friedrich Nietzsche)

Was geschieht da? Wie geschieht es? Warum geschieht es? Welche Folgen gibt es? Können die Wunden heilen? Und wie? Gibt es Wege, die dieses verbrecherische Tun, diese Sünden – nach christlichem Moralverständnis – verhindern?

Diesen Fragen stellen sich die Autoren dieses Buches. Behutsam, mit dem Wissen um die heikle Seite vor allem der sexuellen Gewalt, hüten wir uns, Bedürfnisse nach detaillierten Beschreibungen zu befriedigen. Wir kämen schnell in Gefahr, unter dem „Deckmantel der Offenheit" und der schonungslosen Aufklärung Nachahmung zu produzieren und in der Folge Menschen statt ihre Handlungen zu verurteilen. Sicher hat dieses Argument die Verschleierungstaktiken von führenden Kirchenvertretern und – in geringerem Maß – die Verleugnungsversuche von Tätern begründet. Dennoch besteht die Gefahr, sowohl die unsägliche, heimlich-unheimliche Freude an Katastrophen als auch die voyeuristische Lust zu befördern. Es geht Herausgebern und Autoren um die Erforschung der Ursachen, um Klärung, Beurteilung, Therapie und Perspektiven von Vorbeugung mit individuellen, auf den Einzelnen bezogenen und gesellschaftlichen, systemischen und institutionellen Aspekten.

Opfer-Täter-Einstellungen – „mit Psychologie kann man doch alles rechtfertigen"

Aus meiner eigenen psychotherapeutischen Erfahrung auf dem Hintergrund der psychoanalytischen Theorie und Praxis nach Freud und anderen werde ich in diesem Kapitel Opfer- und Tätereinstellungen darstellen, also mehr auf die individuellen Aspekte eingehen.

Neben den juristischen, soziologischen, moralischen, historischen, theologischen und vielen weiteren Sichtweisen und Erklärungsmodellen von Erleben und Verhalten will ich die psychologische und psychoanalytische aufzeigen. Wir neigen im alltäglichen Umgang schnell dazu, moralisch-ethisch zu denken und zu reden. Das bietet uns Schutz vor tiefergehenden, oft verunsichernden Einsichten und trägt zu vorschnellem Verurteilen bei: zu Vor-urteilen. Auflösung durch Zergliederung eines Ganzen in seine Einzelteile braucht Raum und Zeit, kostet Mühe, oft auch Geduld und wachsamen Geist. Das bedeutet der Begriff Analyse. Wenn es dabei auch noch in tiefere, sogar unbewusste Schichten des Erlebens und Handelns von Opfer und Täter reichen soll, wird gern der Vorwurf laut: „Das ewige Psychologisieren, damit kann man ja alles rechtfertigen, selbst die größten Verbrechen!" Dieses Argument zeigt die verengte und verengende, einseitig moralische Betrachtungsweise. Viele Patienten, die meine Hilfe suchen, kommen mit der Befürchtung, dass sie einen Staatsanwalt oder einen Richter statt einen Arzt oder Psychoanalytiker aufsuchen. Manchmal braucht es lange Zeit, bis sie erleben, dass ich beurteile, nicht verurteile, wenn es um Fehlverhalten, Schuld, theologisch gesprochen um Sünde geht. Sie können meist Sünde nicht erklären und finden es hilfreich, wenn sie hören, dass schuldig wird oder eine Sünde begeht, wer anderen absichtlich seelischen und körperlichen Schaden zufügt. Auch, wer sich selbst beschädigt, versündigt sich, weil er auch damit

Ludwig Brüggemann

„göttliche Ordnung" zerstört. Es dauert oft lange, bis Patienten spüren, dass sie sich meist selbst beschimpfen, entwerten, verurteilen, weil sie häufig unter unsäglichen bewussten und chronischen unbewussten Schuldgefühlen leiden, die aus psychologischer Sicht von wirklicher Schuld weit entfernt sind. Ebenso erfahre ich von Menschen, die mit Absicht und mit krimineller Energie anderen Schaden zugefügt haben, dass sie kein Schuldgefühl empfinden. Sie fühlen sich oft im Recht, da sie ja ebenso von anderen geschädigt worden sind.

Noch schwieriger wird die psychotherapeutische Arbeit mit Menschen, die mit und in fundamentalistischen oder unfehlbar dogmatischen Überzeugungen leben. Jegliches Infragestellen ihres Wissens, ihres Glaubens stärkt sie in der Gewissheit, dass nur sie allein die Wahrheit kennen und konsequent danach handeln. Die Beispiele der Selbstmordattentäter zeigen es. Sie zu verurteilen fällt leicht, lässt aber die Problematik ungelöst. Probleme zu haben und sie zu lösen ist ein Zeichen lebendigen Lebens. Probleme, die ungelöst sind oder bleiben, belasten uns und machen krank, wobei wir wissen, dass manche existenzielle Fragen unbeantwortet bleiben. Die offenen Fragen weisen darauf hin, dass wir Menschen mehr sind, als wir von uns wissen. Sie sind Hinweis auf das Wunder, das Geheimnis unserer Existenz, unseres Anfangs und unseres Endes. Der Anfang unseres Lebens bleibt ein Geheimnis. Karl Rahner glaubt: „Erst, wenn wir angekommen sind, werden wir sicher wissen, woher wir kamen." Dazwischen leben wir mit der Chance eines gelingenden Lebens und der Gefahr seines Scheiterns.

Wege zum Gelingen und Scheitern will ich mit Begriffspaaren, die wie zwei Pole oder wie zwei Seiten eines lebendigen Blattes zu verstehen sind, beschreiben.

Die frühe Prägung zu Unterwerfung und Widerstand

Machtgefühl – Ohnmachtsgefühl

„Siehst du, ich hab's dir ja gesagt, dass du das nicht kannst!" Wer diesen Spruch oft genug in seiner Entwicklung hört, wird ihn sich zu Herzen nehmen und dadurch in seiner Aktivität gebremst. Meist beginnt diese Blockade in der Zeit, in der wir lernen, auf den eigenen Beinen zu stehen und zu gehen. Das geschieht am Ende des ersten Lebensjahres. Was bis dahin erlebt wurde, zeigt sich auch schon in der Art, wie ein Kind den aufrechten Gang entdeckt und mit Freuden pflegt – oder mit Zaghaftigkeit, Ängstlichkeit bis zu Verweigerung im wahrsten Sinn des Wortes an-geht. Wenn ich gewollt, erwünscht und freudig begrüßt in meine Existenz hineinwachsen darf, werde ich vieles fühlen, hören, riechen, schmecken, sehen, was meine Lebenslust und Lebensfreude weckt und trägt. Ebenso erlebe ich den Mangel an Wärme, den Hunger und Durst, den Frust des Verlassenseins, den Schmerz und die Lust, die der Säugling unmittelbar leiblich erfährt und mit Jauchzen und Weinen, mehr laut als leise, von sich gibt. Wenn Mutter, Vater, Bruder, Schwester, Großeltern oder Pflegeeltern darauf antworten, erlebt das Kind Machtgefühle: Ich habe Wirkung. Ich habe Einfluss. Ich werde beachtet, geachtet, geliebt. Wenn das Kind umsonst schreit, weint, jammert, strampelt, erlebt es Ohnmachtsgefühle: Ich bin wirkungslos. Ich werde missachtet, verachtet, gehasst. Zudem werden solche Ohnmachtserfahrungen meist mit Häme, Spott, mit Ausgelachtwerden vermittelt und beschämen das Kind. Es wird sich – meist ein Leben lang – vor solchen Erfahrungen schützen. Es wird Ohnmachtsgefühle mit Scham verbinden und alles daransetzen, dies zu vermeiden. Ein Weg dazu führt über Größenfantasien bis zur Erklärung von Unfehlbarkeit, ein anderer über

20

den Versuch, alles perfekt zu machen. Dann kann mich niemand mehr beschämen.

Lust – Schmerz

Machtgefühle, die Gefühle von Stolz, Sicherheit und Selbstvertrauen vermitteln, bestätigen und verstärken die von Geburt – wohl schon während der Schwangerschaft – angelegte Lust am Leben, am Lernen und Wachsen. Es sind die natürlichen Fähigkeiten, die jedem Lebewesen innewohnen. Auch das Schmerzerleben gehört dazu. Hätten wir keine schmerzleitenden Nervenbahnen, würden wir die Hand auf die heiße Herdplatte legen und nur sehen, hören und riechen, wie sie verbrennt. Wie zwei Seiten eines Blattes paaren sich Lust und Schmerz. Ein einseitig beschriebenes Blatt unseres Gefühlserlebens wünschen wir uns oft. Es wäre schön, ohne Schmerzen zu leben, und mit Narkose- oder Schmerzmitteln kann das heute auch glücklicherweise oft erreicht werden. Eine seelische Dauernarkose aber halbiert unser Erleben. Wie früh Kinder eine solche Narkose zu ihrem Schutz erfinden, habe ich oft in Therapien zu erkunden geholfen. Während meiner Tätigkeit in einer Klinik für psychosomatische Medizin habe ich mit einem vierjährigen Jungen, ich nenne ihn Paul, gearbeitet. Er nannte mich seinen „Tierapeut". Er kam aus einer traditionell bäuerlichen Familie und wurde zu stationärer Psychotherapie geschickt, weil er viele unerträgliche Symptome hatte: Er nässte ein, pinkelte, wo es ging, erbrach häufig sein Essen, war gehemmt und schüchtern. Eines Tages holte er mich, wie inzwischen gewohnt, an meinem Dienstzimmer ab, um in den Kindertherapieraum zu gehen. Dabei stolperte er an der Treppe und fiel zu Boden. Ich konnte sehen, wie sein linker Knöchel dick wurde, und habe ihn in den Behandlungsraum getragen und auf die Trage gelegt. Ich suchte schmerzstillende Salbe und Verband, er war verschwunden. Er hatte weder geweint noch geschrien noch irgendetwas gesagt. Er war nur blass und schaute zu Boden. Ohne mich eines Blickes zu würdigen, saß er dann vor dem Therapieraum. Er befahl mir, unter dem Tisch zu sitzen. Ich legte mich darunter. Nach einiger Zeit rannte er um den Tisch, bekam einen Wutanfall, tobte und schrie laut und lange: „Ihr angstelt mich, ihr angstelt mich!" Er wischte alle Spielsachen vom Tisch und verschwand erneut. Er holte mich nicht zur nächsten Sitzung, wartete aber an der Tür, und ich musste wieder unter den Tisch. Nach einiger Zeit kam er zu mir, verband meinen Knöchel mit einer imaginären Binde und ließ mich aufstehen. Von seiner Mutter, die gleichzeitig in der Klinik betreut wurde, habe ich später gehört, dass Paul seine Symptome verloren hatte. Er hatte gelernt, seine Schmerzen und seine lustvollen Erfahrungen und damit auch seine riesige Wut zu narkotisieren, die er dann in dem heftigen Wutausbruch wieder erlebte, aus sich herausschrie und sich endlich davon befreien konnte. Es herrschte in seiner Familie „Krieg" zwischen den Generationen, die ihn ängstigten – „ihr angstelt mich" –, hemmten, einschränkten und in seinem Gefühlserleben narkotisierten. Seine Symptome verstand ich als Ausdruck seiner verdrängten, destruktiven und konstruktiven Regungen und als unbewussten Widerstand gegen die Unterdrückung. Zwei Jahre nach der erfreulichen Therapie besuchte er die Klinik noch einmal mit seinen Eltern, die inzwischen aus dem elterlichen Hof gezogen waren. Er konnte sich nicht an die Zeit erinnern, war aber ein aufgeweckter Junge mit dankbaren Eltern. Was wäre aus seinem Leben ohne Psychotherapie geworden?

Angewiesenheit – Abhängigkeit

Wir sind soziale Wesen und von der ersten Sekunde unseres Lebens an angewiesen auf andere. Meist wird dies als Abhän-

Ludwig Brüggemann

gigkeit bezeichnet. Ich empfehle, nur dann von Abhängigkeit zu reden, wenn sich entweder Sucht oder Unterordnung ausgebreitet haben. Ein Mensch, der süchtig nach Arbeit, Fett, Alkohol u. a. geworden ist, wird heute als krank verstanden und ist abhängig geworden.

Ich vermeide auch den Begriff „Kindesmissbrauch". Als ob es einen „guten Gebrauch" von Kindern gäbe! Macht oder Sexualität brauchen oder missbrauchen wir. Kinderarbeit, die lange Zeit ungefragt üblich war und in vielen Regionen der Welt immer noch herrscht, ist von der UNO verboten. Kinder werden dennoch abhängig gehalten und damit ihrer Rechte beraubt. Sie haben es dann schwer, nein zu sagen, wenn ihnen Gewalt angetan wird.

Gleichwohl weiß ich, dass es kein Lebewesen gibt, das nicht auf Kosten von andern lebt. Wie viele Kosten wir verursachen oder tragen, haben wir täglich zu bedenken. Sonst machen wir abhängig und missbrauchen unsere Macht oder werden selbst abhängig und bringen und erleiden Schaden.

Schuldgefühl – Schadensgefühl

Wenn die „Kosten", die wir verursachen, anderen oder auch uns selbst schaden, machen wir uns schuldig und haben, hoffentlich als Kinder, gelernt, dass wir dann nagende Schuldgefühle erleben. Die lassen uns nicht ruhig schlafen. Erst wenn wir den Schaden eingesehen, anerkannt und wiedergutgemacht haben, gibt unser Gewissen Ruhe. Ich halte es für ethisch erforderlich, „Schadensgefühle" zu pflegen statt der oberflächlichen Schuldgefühle, die mit einer schnell dahergesagten „Entschuldigung" entschärft und verharmlost werden.

Schaden ist relativ leicht zu reparieren, wenn er „nur" materiell ist. Meist ist er auch immateriell, das heißt: Die Seele erleidet Schaden, und dieser Mangel, diese Kränkungen verursachen Wunden, die immer mit Narben verheilen, wenn Heilung gelingt.

Wenn wir andern schaden, bekommen wir das schnell mitgeteilt, wenn der Geschädigte genug Selbstsicherheit hat und sich wehren, Widerstand leisten kann. Allzu oft ist diese Fähigkeit durch Abhängigkeit eingeschränkt oder verloren gegangen.

Wieder will ich von einem Beispiel berichten, das mir in bedrückender und brutaler Art deutlich gemacht hat, wie früh Widerstandskräfte blockiert werden.

Eine junge Familie, Vater, Mutter, ein vierjähriges Mädchen und ein zweijähriger Junge, setzten sich zu uns an den Tisch in einem Restaurant. Kaum saß die Familie, stand die Tochter wieder auf und ging zum Fenster. Der Bub, der neben mir saß, lief seiner Schwester nach, hinter seinem Vater vorbei. Der packte ihn an beiden Armen, hob ihn über den Tisch und donnerte ihn mit Wucht auf seinen Stuhl zurück. Wieder kein Weinen, Schreien – wie bei Paul. Der Vater hatte seine Hände auf den Tisch gelegt, und der Junge fing nach kurzer Zeit an, die Hände des Vaters zu streicheln. Es fiel mir schwer, ruhig zu bleiben und mein Erschrecken und Mitgefühl auszudrücken. Identifikation mit dem Aggressor wird dieser Vorgang genannt, und so drastisch hatte ich es noch nicht gesehen. Schon der Zweijährige „wusste“, wie er sich vor weiterem Schaden schützen kann: wenn er sich dem Vater unterwirft und ihn streichelnd um Verzeihung bittet für die böse Tat, die er selbst begangen hat. Er hat ja schon gelernt, dass er nur das tun darf, was der Vater will. Der hat wohl Ähnliches erfahren, und ohne Bedenken gibt er es weiter. Er merkt weder den Schaden, den er seinem Sohn, noch den, den er sich selbst zufügt. Er verliert auf lange Sicht gesehen trotz Vergebungsgeste seines Kindes dessen Achtung.

Wenn ich mir selbst schade, meldet sich mein Gewissen, wenn ich – wieder von Anfang an – meine Lebenslust und

Selbstachtung behalten durfte. Sonst merke ich gar nicht, dass ich mir selbst schade. Viel zu häufig werden wir offen und heimlich gezwungen, die Selbstschädigung als heroischen Akt zu sehen. Es ist gottgewollt, sein Leben für den Terror in die Luft zu sprengen. Die christliche „Tugend der Selbstverleugnung" führte auch dazu, dass viele so lange heimlich leidend schweigen mussten über ihre erlittenen Beschädigungen und blockierenden Lähmungen. Wem hätten sie denn ihre Not sagen können und von wem Trost erbitten? Den Eltern, die, selbst ungetröstet, Krieg, Gewalt, Entrechtung u. a. ertragen haben? Den Priestern? Den Lehrern, die bis in die 70er-Jahre ungestraft prügeln durften? Sie und die Leidtragenden haben es hingenommen.

Wut im Rückwärtsgang

Oft höre ich, dass Ohrfeigen doch nicht geschadet haben. Warum haben Schüler oder Ministranten die Gewalt, die ihnen angetan wurde, nicht den Eltern berichtet? Sie hätten es nicht geglaubt, ja, sie hätten auch noch eins draufgegeben. Oft höre ich, dass Ohrfeigen doch nicht geschadet hätten. Dabei wird spürbar, dass die Misshandelten sehr wohl wussten, dass es ungerecht war, dass die „Watsch'n" nicht vergessen wurden, dass es bei der Erinnerung daran wieder geschmerzt hat, dass Wunden entstanden sind, dass es wirklich geschadet hat. Wohin ging dann die erlittene Gewalt? Zwei Wege gibt es dafür: einen nach außen, einen nach innen. Der Weg nach außen: destruktives oder konstruktives Handeln in unterschiedlichsten Formen – von angemessenem Widerstand, von Beschädigungen bis zum Amoklauf. Der Weg nach innen – meist destruktiv –, den ich „Wut im Rückwärtsgang" nenne und als Folge der Identifikation mit dem Aggressor verstehe: destruktives Handeln von Selbstbeschädigung bis zum Selbstmord.

Gewalt sät Gewalt! Deshalb halte ich es für heilsam, dass über erlittene Gewalt geredet statt geschwiegen wird. Den Leidtragenden hilft es zur Heilung, den Leidbringenden auch. Denn sie haben durch den Missbrauch ihrer Macht ihre eigene Würde, ihre Glaubwürdigkeit, ihre Vertrauenswürdigkeit eingebüßt. Sie werden oft in ihren Träumen geplagt und werden wohl erst dann ihren Frieden mit sich selbst finden, wenn sie den Schaden, den sie verursacht haben, anerkennen, bedauern und wiedergutmachen.

Ursachen erforschen

Eine klare Sprache sprechen

Der französische Schriftsteller, Philosoph und Literaturnobelpreisträger Albert Camus (1913–1960) war 1948 zu einem Vortrag in ein Dominikanerkloster in Frankreich eingeladen. Die Frage, auf die man von ihm eine Antwort erwartete, hieß: Was erwartet die Welt von den Christen? Seine Antwort ist auch im Kontext der Erfahrungen des Zweiten Weltkrieges (1939–1945) zu lesen.

> Die Welt erwartet von den Christen, dass sie den Mund auftun, laut und deutlich, und ihre Verdammung ganz unmissverständlich aussprechen, damit nie auch nur der geringste Zweifel im Herzen des einfachsten Mannes zu keimen vermag; dass sie sich aus der Abstraktion befreien und dem blutüberströmten Gesicht gegenübertreten, das die Geschichte in unseren Tagen angenommen hat.
> Die Vereinigung, die uns nottut, ist eine Vereinigung von Menschen, die gewillt sind, eine klare Sprache zu sprechen und sich mit ihrer Person einzusetzen. Wenn ein spanischer Bischof politische Hinrichtungen segnet, ist er kein Bischof mehr und kein Christ ... genauso gut wie jener, der von der hohen Warte einer Ideologie aus die Hinrichtung befiehlt, ohne die Arbeit selbst zu verrichten.

Eine Ursache sexueller Gewalt: unsere schlechte Theologie

Seán Fagan

Im Oktober 2005 wurde Irland durch die Veröffentlichung eines Berichtes über klerikalen sexuellen Missbrauch in der Diözese Ferns geschockt, aber dieser Schock verblasste zur Bedeutungslosigkeit, als im Mai 2009 jahrelange Untersuchungen und Nachforschungen ihren Höhepunkt in der Veröffentlichung des Ryan-Reports fanden. Er enthüllte einen Sumpf von körperlichem und sexuellem Missbrauch, den Kirche und Staat in Irland über einen Zeitraum von mehr als vierzig Jahren toleriert haben. Er nannte die Namen von 800 Tätern, Klerikern und Laien in sechsundzwanzig Institutionen. Der Report machte auf der ganzen Welt Schlagzeilen, aber in Australien, Neuseeland und Kanada hatte es schon vorher ähnliche Skandale gegeben. Im Jahr 2002 untersuchte der *National Review Board* der amerikanischen Bischöfe ein Jahr lang sexuellen Missbrauch durch Kleriker und fand heraus, dass seit 1950 exakt 4 392 Priester des sexuellen Missbrauchs eines Minderjährigen beschuldigt worden waren, was vier Prozent der aktiven Priesterschaft des Landes entsprach. In diesem Zeitraum gab es annähernd 10 667 gemeldete Opfer von sexuellem Missbrauch durch Kleriker. Es ist schockierend zu sehen, dass nur in wenigen Fällen die Diözese oder der Orden diese Anschuldigungen an zivile Stellen weiterleiteten, was bedeutete, dass weniger als 200 von 4 392 Priestern ins Gefängnis kamen. Wenn auch die Zahlen variieren können, so ist doch klar, dass dieses Phänomen nicht auf einen Teil der Welt beschränkt ist. Es ist auch klar, dass dieser Skandal nicht auf die Angehörigen einer (spezifischen) Kirche beschränkt ist. Tatsächlich sind schreckliche Fälle in England aufgedeckt worden, deren Täter keiner Kirche angehörten. Es handelt sich um ein allgemein menschliches Problem, aber seine Abscheulichkeit wird noch krasser, wenn es unter Christen erscheint, die glauben, dass unser Gott ein Gott der unendlichen Liebe ist, der die Menschen nach seinem Bild und ihm ähnlich geschaffen hat. Der Skandal ist umso größer, wenn in ihn ordinierte Priester und Ordensleute, die ein Gelübde abgelegt haben, verwickelt sind.

In Büchern, Artikeln und Zeitschriften sind die Ursachen für dieses Phänomen auf der ganzen Welt diskutiert worden, aber es gibt keine einzige klare Erklärung für all diese Fälle. Seriöse Studien zu Vergewaltigung von Männern in US-Gefängnissen zeigen, dass es sich hier nicht um eine Frage von Sexualität, sondern um die Frage von Macht und Kontrolle handelt. Das scheint in der Tat in den meisten Fällen von körperlichem und sexuellem Missbrauch vorzuliegen, aber es kommen auch andere Faktoren zur Wirkung. So tragen auch der Perfektionismus und die Enge des irischen Katholizismus eine Schuld. Die Bildungsprogramme von Priestern und Ordensleuten lassen viel zu wünschen übrig. In der Praxis haben der absolute Gehorsam gegenüber Regel und Institution oft die Leute schwer geschädigt. Sie wurden ermutigt, unbändige Leidenschaften des Körpers durch Kasteiungen, die oft auch Selbstgeißelungen einschlossen, zu bekämpfen. Die Unterdrückung von sexuellen Wünschen und Haltungen in jungen Jahren führte im späteren Leben oft zu pervertierten und ungesunden Ausdrucksformen und Verhaltensweisen. Die jungen Katholiken von heute haben keine Vorstellung davon, was frühere Generationen als „Lehre der Kirche" auf dem Ge-

Seán Fagan

biet der Sexualität gezwungenermaßen akzeptieren mussten. So kann man sagen, dass es die schlechte Theologie
der Kirche selbst war, die zu einem großen Teil für das
verantwortlich war, was jetzt ans Licht der Öffentlichkeit
kommt.

Negatives Verständnis von Sexualität – kulturell bedingt

Die offizielle kirchliche Lehre erkennt nur selten den Schaden an, der über Jahrhunderte durch ihr negatives Verständnis von Sexualität entstanden ist. Sie verlässt sich auf Reform
durch Amnesie, stillschweigendes und durchaus genehmes
Vergessen der schrecklichen Ansichten und Einstellungen,
die sich so oft in ihrer offiziellen Lehre und Praxis gezeigt
haben. Die Erinnerung an einige Details dieser Geschichte
kann uns in Bezug auf unsere Geschichte und Tradition
helfen, einige unserer falschen absoluten Gewissheiten zu
relativieren. Wir vergessen allzu leicht, dass jegliche Religion
historisch und kulturell bedingt ist. Es gibt kein Wort Gottes
in reiner, unverfälschter Form, a-zeitlich und a-kulturell.
Jedes Bibelwort kommt zu uns in menschlichen Wörtern,
und jedes Wort ist – vom Augenblick seiner ersten Ausspra-
che an – kulturell bedingt und gibt die Erfahrung und die
Kultur seiner Sprecher wieder. Das hilft uns zu verstehen,
dass die biblischen Darstellungen von der Erschaffung der
Welt und der Entstehung des Menschen keine historischen
Tatsachen, im Wortsinne wahr sind, sondern Geschichten,
die profunde religiöse Wahrheiten in den einfachen Gedan-
kenmustern primitiver Völker lehren. Aber die metaphori-
sche Wahrheit ist genauso wichtig wie die historische und
physikalische Wahrheit. Die wunderschöne Wahrheit der
Genesis ist, dass Gott die Menschen nach seinem Bilde geschaffen hat, dass er sie als männlich und weiblich geschaf-

fen hat, dass sie nackt waren und sich dessen nicht schämten und dass er an seiner Schöpfung Gefallen fand.

Das israelitische Verständnis von Sünde entstand und entwickelte sich aus einer primitiven Gottesvorstellung. Das jüdische Volk hatte eine besondere Erfahrung von Gott als einem personalen Wesen, der es als sein auserwähltes Volk heiligte: „Ich bin Gott, der Allmächtige. Geh deinen Weg vor mir, und sei rechtschaffen ... Ich will dein Gott sein" (Gen 17). Aber genau wie jeder Erwachsene noch das Kind und den Jugendlichen, der er einmal war, in sich trägt, so blieben die Israeliten über Jahrhunderte unter dem Einfluss der primitiveren Vorstellungen von einem autokratischen, sich Gehorsam erzwingenden Gott, einem belohnenden und einem strafenden Gott, einem Gott, der mehr an seinen eigenen Gesetzen und Anordnungen als an den Menschen interessiert ist. Trotz der Evangelien und der Lehre Jesu hat sich viel von dieser Einstellung in der christlichen Spiritualität und im kirchlichen Leben erhalten. Noch heute sind Beratern und spirituellen Leitern Ängste und Skrupel im Leben von Katholiken, die auf diese Einstellung zurückgehen, nur allzu sehr vertraut.

Die Geschichte zeigt, wie sehr sich die Lehre der Kirche im Lauf der Jahrhunderte geändert hat. Eine begrenzte Sicht der kirchlichen Lehre vermittelt den Eindruck, dass die Veränderungen nur unbedeutendere Details betreffen und dass die großen entscheidenden Punkte in einer ungebrochenen Tradition bis auf die Bibel selbst oder auf die frühesten christlichen Gemeinschaften zurückgehen. Das ist aber einfach nicht wahr, nicht der Fall. Vieles, was die Kirche lehrt, hat nur wenig oder gar nichts mit göttlicher Offenbarung zu tun. Man vergisst leicht, dass es über Jahrhunderte kirchliche Lehre war, dass Geschlechtsverkehr nur dann frei von Sünde sei, wenn er der Fortpflanzung diene, dass Geschlechtsverkehr während der Menstruation oder der Schwangerschaft eine Todsünde sei und dass Stellungen, von der sog.

„natürlichen" (Ehemann oben) abgesehen, zumindest eine schwere Sünde bedeuteten. Der heilige Augustinus lehrte, dass Geschlechtsverkehr während der Schwangerschaft eine schwere Sünde und auch eine schwerere Sünde als Unzucht, Ehebruch oder sogar Inzest sei, wenn diese mit der Absicht einer Zeugung geschähen. Er setzte damit Standards für sexuelles Verhalten, denen wohl niemand entsprechen kann, ohne schweren emotionalen Schaden zu nehmen und Gefühle von Fehlverhalten, Scham und Schuld zu erzeugen. Aber er stand mit seinen Ansichten nicht allein da. Sie waren bei christlichen Theologen über Jahrhunderte weit verbreitet. Die christliche Spiritualität wurde bis vor Kurzem stark von Augustinus' abwertender Einstellung zur Sexualität und seiner Verherrlichung des zölibatären Standes beeinflusst. Obwohl er bekannte, dass er über Jahre hinweg nicht eine einzige Nacht ohne die Gesellschaft einer Frau verbringen konnte, stellt er in seinem Buch über die Ehe die rhetorische Frage: Welche christlichen Männer, die frei von ehelicher Bindung sind und die Kraft haben, sich des Geschlechtsverkehrs zu enthalten, würden nicht lieber jungfräulich oder im Witwerstand bleiben als die Leiden des Fleisches zu ertragen, die der Ehestand mit sich bringt? Zur Zeit des Augustinus wurde die intellektuelle Freundschaft so idealisiert, dass er sich frei fühlte, auf eine Art Männer zu lieben und von Männern geliebt zu werden, die ihm mit Frauen unmöglich war. Augustinus hätte jede Art von zärtlichem Gefühl für Frauen als sexuell motiviert abgelehnt.

Negative Einstellung zu Frauen

Durch die Jahrhunderte der Tradition, zurückgehend bis auf die Bibel und noch darüber hinaus, gibt es eine negative Einstellung zu Frauen und allen Dingen, die mit Frauen zu tun haben. In den ersten Jahrhunderten wurden die physischen sexuellen Prozesse der Frauen mit Korruption/Verderbtheit verbunden. Die Defloration war der Anfang der Verderbtheit, und die Geburt eines Kindes war der nächste, noch bedeutendere Schritt. Religiöse Zeremonien wie die Aussegnung von Frauen nach der Geburt eines Kindes dienten nicht der Heiligung der Geburten, sondern der Reinigung von der mit den Geburten verbundenen Beschmutzung. Die weiblichen Geschlechtsorgane wurden als schmutzig und die Menstruation nicht nur als rituell unrein, sondern auch als mit magischen Eigenschaften verbunden angesehen. Obwohl die Genesis vom komplementären Charakter der Geschlechter spricht und obwohl im Alten Testament viele Frauen eine individuelle Rolle spielen, wurden Frauen als persönliches Eigentum von Männern und mit Nutzwert für Männer angesehen. In seinem ursprünglichen Kontext betraf das sechste Gebot des Dekalogs nicht so sehr sexuelle Moral als vielmehr die Ungerechtigkeit, die der Ehemann oder der Vater durch den Mann erfuhren, der die ungesetzliche Beziehung zu einer Frau aufnahm. Jüdische Rabbiner und Gelehrte fürchteten Frauen als Ablenkung und Versuchung. Sie wurden generell als habgierig, neugierig, faul und eifersüchtig angesehen. Christliche Schriftsteller übernahmen die aristotelische Vorstellung von der Frau als unfertigem Mann. Fast ein Jahrtausend später gab es auch für Thomas von Aquin (1225–1274) keinen Grund, von dieser Sicht abzuweichen oder sie gar zu hinterfragen. Er akzeptierte sie als Naturgesetz. Mit der Arroganz eines Mannes diskutierte er die Frage, ob Frauen hätten überhaupt geschaffen werden sollen, und mit kolossaler Ignoranz verkündete er, dass Frauen fehlerhaft und unvollständig seien. Von kirchlichen Autoritäten gerne als Orakel zum Naturgesetz zitiert, behauptete er, dass sogar schon vor der Erbsünde Frauen zu ihrem eigenen Wohl von Männern beherrscht worden seien, weil die Fähigkeit zu rationalem Urteilsvermögen bei Männern von Natur aus stärker ausgebildet sei.

Seán Fagan

Durchgehend pessimistische Sichtweise von Sexualität

Paulus konnte die Ehe mit dem Bund zwischen Jesus und der Kirche und umgekehrt vergleichen. Aber wie sehr auch die großen Kirchenlehrer das Hohe Lied der christlichen Ehe sangen, ihr Pessimismus schien immer durch. Laut Augustinus waren Ehe, Sex und sogar Frauen nur als Mittel der Fortpflanzung zu rechtfertigen. Papst Gregor der Große (540–604) bestätigte, dass Geschlechtsverkehr ohne Sünde unmöglich sei, da dies einem Fall ins Feuer ohne Verbrennung gleichkäme. Clemens von Alexandrien († 215) verglich ehelichen Geschlechtsverkehr mit einer unheilbaren Krankheit, einer schwachen Epilepsie. Hieronymus der Große (345–420) hielt Jungfräulichkeit für die paradiesische Norm, die Ehe für das Ergebnis einer Sünde und sah das einzig Gute einer Ehe darin, dass sie Jungfrauen hervorbringen kann. Der heilige Bernhardin von Siena (1380–1444) behauptete, dass von 1000 Ehen 999 das Werk des Teufels seien. Man fragt sich, wie er an diese Zahlen kam. Das geschah im „Zeitalter des Glaubens", als der größte Teil der bekannten Welt christlich war. Derselbe Heilige, zu seiner Zeit der bedeutendste Prediger in Europa, behauptete, dass es schweinische Ehrlosigkeit und Todsünde sei, wenn Eheleute sich vor dem Empfang der heiligen Kommunion nicht einige Tage des Geschlechtsverkehrs enthielten. Vom 6. bis zum 16. Jahrhundert war es Frauen nicht gestattet, während ihrer Periode eine Kirche zu betreten oder zur Kommunion zu gehen. Die Strafe für die Übertretung dieses Gesetzes war dreitägiges Fasten bei Wasser und Brot. Diese Vorstellung von ritueller Unreinheit im Christentum stammt aus heidnischer Zeit und dem Aberglauben, dass schreckliche Dinge geschähen, wenn Frauen während ihrer Periode etwas berührten: Ernten würden vertrocknen, Obst auf den Bäumen verfaulen und Eisen würde rosten. Jahrhundertelang wurden

Frauen als ihrem Wesen nach minderwertig, als passiv und abhängig, als Besitztum ihrer Männer angesehen. Als sich die Kirche in den ersten Jahrhunderten immer stärker als Institution festigte, hing die Macht des Klerus von seiner Fähigkeit ab, sexuelle Praktiken zu kontrollieren, sexuelle Tabus zu entwickeln und deren Verletzung mit Strafen zu belegen.

Glücklicherweise haben wir diese Ignoranz und diese Vorurteile überwunden, aber immer noch warten die Frauen darauf, dass die Kirchenführer die Gleichheit der Geschlechter praktisch anerkennen.

Die Erbsünde

Augustinus von Hippo (354–430) wird als einer der größten kirchlichen Theologen betrachtet. Aber es ist eine echte Tragödie, dass seine Lehren zu Ehe und Sexualität bis heute als Grundstein der offiziellen Lehre gelten. Sein Verhältnis mit seiner Sklavin, der Mutter seines Sohnes, wird ihm selbstverständlich als Eheerfahrung angerechnet. Aber dies entspricht nicht der Wahrheit. Als er sich im Alter von 18 Jahren eine afrikanische Konkubine nahm, wurde er Mitglied der Manichäer, einer Sekte, die auf die meisten Freuden des Alltags, wie man sie mit Essen, Trinken und Sexualität verbindet, ablehnend reagierte. Als seine Partnerin ihn nach fünfzehn Jahren verließ, um nach Afrika zurückzugehen, nahm er sich eine andere Konkubine. Erst dann konvertierte er und ließ sich taufen, wurde erst mit 33 Jahren Christ. Trotz der Gnade der Bekehrung übernahm er für den Rest seines Lebens viele Elemente des Manichäertums in sein Denken. Er hatte kein echtes Verständnis von Ehe, sondern nur seine persönliche, schuldbeladene Erfahrung von langen Jahren der Unzucht. Er glaubte, dass es im Geschlechtsverkehr nichts Rationales, Spirituelles oder Sakramentales

Seán Fagan

gebe. Er sah ihn eng verbunden mit der Erbsünde. Eine Verirrung, unter der die katholische Theologie bis zum heutigen Tag leidet. Er glaubte, dass unschuldige Babys mit der Erbsünde geboren werden, die sich an ihre Genitalien bindet, und dass sie des Exorzismus in der Taufe ebenso bedürfen wie ihre Mütter einer rituellen Reinigung nach der Geburt. Diese Lehre war eine Katastrophe für Mütter mit bis zu zehn oder auch mehr Totgeburten. Noch heute ängstigen sie sich wegen des Schicksals ihrer ungeborenen Kinder, die angeblich in die Vorhölle kommen sollen.

Es ist leicht, die augustinische Sicht der Beziehungen von Männern und Frauen zu kritisieren, aber man muss fairerweise zugeben, dass seine Vorstellungen auf diesem Gebiet kulturell, nicht theologisch bedingt sind. Sie spiegelten die Kultur der römischen Gesellschaft des 5. Jahrhunderts. Die griechisch-römische Kultur verstand eine Ehe als eine legale Verbindung, in der es um Macht, wirtschaftlichen Reichtum, um Verwandtschaft und Beziehungen ging, obwohl sich zu Augustinus' Lebzeiten auch schon ein Gefühlsideal entwickelte, das eheliche Harmonie und Übereinstimmung der Ehepartner betonte und erstrebenswert machte. Das berührte Augustinus aber nicht. Der Status, den er Frauen zusprach, machte sie zu Un-Personen, die man z. B. ungestraft schlagen konnte. Verheiratete Frauen waren für ihn nicht nur unterwürfig, sondern auch ohne Seele. Er beschrieb die in der Ehe sexuell aktive Frau als sinnlich und unerlöst, während er dem Ehemann die gleichen Titel wie Christus, Dominus und Herr zusprach. Augustinus fühlte deutlich, dass die Reaktion des menschlichen Körpers auf Leidenschaft, und speziell die Erektion des Mannes, nicht der Kontrolle des Willens unterliegen, was ihn zu der Behauptung veranlasste, dass die Unfähigkeit einer Kontrolle der Geschlechtsorgane die Strafe für die im Körper verankerte Sünde ist. Wie die Menschheit gegen Gott sündigt, so rebelliert der Körper gegen den Mann – was für Augustinus zum Symbol für die erste oder Erbsünde wurde, mit der der Tod in die Welt kam. In der augustinischen Theologie ist das gegenseitige Verlangen der Ehepartner kein willkommener Aspekt ehelicher Beziehungen, sondern er ist von Sünde und Tod überschattet. Trotz seiner komplexen Theologie von sexuellem Verlangen als Symbol des Todes bestand Augustinus jedoch darauf, dass eheliche Sexualität von Treue und Keuschheit bestimmt sein müssten. Er bestand darauf, dass sexuelles Verlangen ohne Kinderwunsch nicht akzeptabel sei, auch nicht in der Ehe. Für Augustinus führt Sex, den man genießt, ins Verderben, und für ihn ist ein Mann, der seine Frau leidenschaftlich liebt, ein Ehebrecher. Dieses vollkommen abwertende, abschreckende Bild von Sexualität ist völlig unvereinbar mit den christlichen Mystikerinnen und Mystikern, die ohne zu zögern Gottes Liebe zu den Menschen in der Terminologie der Ehe beschreiben, vom wunderschönen biblischen Lied der Lieder (das Hohe Lied) gar nicht erst zu reden. Dieses Bild ist auch weit entfernt von der Tradition des Judentums, nach der Geschlechtsverkehr am Sabbat das göttliche Ideal spiegelt und nach der ein Mann Gott am ähnlichsten ist, wenn er Sex mit seiner Frau hat. Augustinus' Ideal einer Ehe ohne Sex, in der Geschlechtsverkehr und Geburt als Verderbtheit und Verlust von Integrität gesehen werden, sollten in christlicher Theologie, Spiritualität und Askese keinen Platz mehr haben.

Das Wesen der Ehe – negativ

Die augustinische Lehre von der Erbsünde, die von der gesamten katholischen Kirche des Westens übernommen wurde, war im Osten unbekannt. Die Genesis und Jesus beschreiben das Wesen der Ehe als zwei, die ein Fleisch werden. Augustinus hingegen änderte Jesu Worte blasphemisch ab in: „Im Geschlechtsverkehr wird der Mann ganz Fleisch."

(Predigten, 62,2) Er schrieb auch: „Ich fühle, dass nichts den männlichen Geist von seinen Höhen so herabzieht wie weibliche Schmeichelei und dieser körperliche Kontakt, ohne den man keine Ehefrau haben kann." Ein tragisches Ergebnis dieser Lehre ist es, dass die wundervollen Worte Jesu, mit denen er das Wesen der Ehe als zwei in einem Fleisch beschreibt, also die Intimität, die das Zentrum einer Paarbeziehung ist, bis auf den heutigen Tag nur selten in der offiziellen Kirchenlehre vorkommen. Die Intimität des „Zwei in einem Fleisch", die ein verheiratetes Paar regelmäßig erfährt, entspricht der Kooperation sich paarender Vögel, die liebevoll zusammenarbeiten, um ein bequemes Nest zu bauen, das ihrer Familie ein Heim sein wird.

Unglücklicherweise lebt die abwertende augustinische Sichtweise in der kirchlichen Lehre zur Sexualität weiter. Dass Sexualität in der Ehe für immer durch die Erbsünde belastet ist, wird klar gesagt im Katechismus der Katholischen Kirche von 1994: „Als Bruch mit Gott zieht die Ursünde als erste Folge den Bruch der ursprünglichen Gemeinschaft zwischen Mann und Frau nach sich. Ihre Beziehungen werden durch gegenseitige Vorwürfe getrübt; ihre gegenseitige, vom Schöpfer eigens geschenkte Zuneigung entartet zu Herrschaft und Begierde; die schöne Berufung von Mann und Frau, fruchtbar zu sein, sich zu vermehren und sich die Erde zu unterwerfen, wird durch die Schmerzen des Gebärens und die Mühe des Broterwerbs belastet" (Nr. 1607). Das stammt geradewegs von Augustinus. Aber entspricht es dem, was Katholiken fühlen, wenn sie vor Gott und der christlichen Gemeinschaft ihr Ehegelöbnis sprechen? Karol Wojtyla versuchte in seinem Buch *Liebe und Verantwortung* romantische Liebe in Kontrast zur augustinischen Lehre zu präsentieren, aber die modernen katholischen Frauen hat sein Denken nicht sehr beeindruckt. So z. B. erklärt er bezüglich des Geschlechtsverkehrs: „Aus der Natur des Sexualaktes ergibt sich, dass der Mann dabei eine aktive Rolle spielt, während die Frau eher eine passive Rolle hat; sie nimmt hin und erlebt. Dass sie sich passiv verhält und nicht abweist, genügt schon, um den Sexualakt mit ihr zu vollziehen. Dieser kann auch ohne Beteiligung ihres Willens stattfinden und sogar, wenn sie in völlig bewusstlosem Zustand ist, z. B. während des Schlafs, während einer Ohnmacht usw." (Wojtyla, Karol, Liebe und Verantwortung. Eine ethische Studie, München 1979, 235)

Kann dies wirklich Lehre der katholischen Kirche sein? Es klingt wie Vergewaltigung.

Der heilige Johannes Chrysostomus (347–407), einer der angesehensten Kirchenlehrer überhaupt, teilte Augustinus' Sicht von der Erbsünde, wie aus seiner Aussage sichtbar wird, dass sich erst nach der Vertreibung aus dem Paradies die Frage von Sex ergab. Adam und Eva verloren ihre Jungfräulichkeit in dem Augenblick, in dem sie ungehorsam wurden. Vorher wurden die Kinder im göttlichen Schöpfungsakt geboren, da unsere ersten Eltern die Natur von Engeln hatten.

Fast tausend Jahre später unterschied der heilige Bonaventura (1224–1274), der als einer der größten Theologen in der Geschichte der Kirche gilt, drei Stufen im Geschlechtsakt, nämlich 1. das Öffnen des verschlossenen Tores, 2. Lust, die die Strafe für die Sünde ist und 3. niedrigster, schamloser Genuss. Der Geschlechtsakt erzeugt nach seiner Auffassung Schamesröte wegen der mit ihm verbundenen Hässlichkeit. Ursprünglich konnte die Erregung der Genitalien durch einen bloßen Willens- und Vernunftakt geschehen. Adam und Eva hätten nur zu genau bestimmten Zeiten und nur zum Zweck der Fortpflanzung Geschlechtsverkehr gehabt.

Der Einfluss des Jansenismus in Irland

Die abwertenden Sichtweisen von Sexualität, wie sie über die Jahrhunderte von den bedeutendsten kirchlichen Theo-

logen propagiert wurden, stellten einen fruchtbaren Nährboden für Angst, Furcht und Skrupel dar, wenn sie mit dem
unchristlichen Bild von Gott als dem autokratischen,
disziplinierenden Gott verbunden wurden, mit dem belohnenden und strafenden Gott, der tief in unser Unter-
bewusstsein eindringen kann, um unsere uns zutiefst be-
schämenden Gedanken und Gefühle auszuforschen. Diese
Vorstellung herrschte in der Bewegung des Jansenismus im
Frankreich des 17. und 18. Jahrhunderts, die durch Priester,
die in Frankreich studiert hatten, nach Irland kam. Ursprünglich war die Bewegung spirituell auf besondere Wertschätzung der Liturgie ausgerichtet, betonte die Rolle der
Laien im kirchlichen Leben und hatte eine große Ehrfurcht
vor dem Heiligen. Aber sie hatte auch eine stark pessimisti-
sche Sicht der menschlichen Existenz, die sich bald mit den
strengeren Aspekten des keltischen Christentums in Irland
verband. Sie sah die menschliche Natur als vollkommen
durch die Erbsünde pervertiert an, sodass sie zu ihrer Beherr-
schung und Kontrolle harter Maßnahmen bedürfe. Dies
wurde bald ein integraler Bestandteil des irischen Katholizismus, der sich mit der eigenen Tradition von strenger Askese
und idealisierter Perfektion verband. Betrachtet man dies im
Zusammenhang mit der Armut des Landes und der Verfolgung, so überrascht es nicht, dass diese Kombination die
Härten und Grausamkeiten beförderte, die in den aktuellen
Berichten beschrieben werden.

Heute wissen die jungen irischen Katholiken nichts vom
Jansenismus des alten irischen Katholizismus, aber die ältere
Generation kann sich noch gut an die Skrupel und Ängste
erinnern, die sie früher durch unsere Religion empfanden.
Die Kirchen waren in den Missionswochen überfüllt, wobei
einer ihrer Höhepunkte die besonderen Höllenfeuer-Predig-
ten zu den Themen Reinheit und Freundschaftsbeziehungen
waren. Sie konnten humorvoll und angenehm, aber auch
furchterregend sein, und heutzutage erinnern sich die Predi-

ger nicht mehr gerne an sie. Diese Prediger sind heute diejenigen, die sich auch schämen, wenn sie an die Moral denken, die sie predigen sollen. Lehrbücher der Moraltheologie, die bis in die 1960er-Jahre veröffentlicht wurden, verwandten große Mühe darauf, den Unterschied zwischen den privaten und halbprivaten Körperteilen des Menschen zu erklären, und sie enthielten lange Listen von Sünden der Unreinheit. So z. B. hieß es, dass langes und wiederholtes Küssen oft eine Todsünde ist; dass ein Blick auf die Geschlechtsorgane einer Person des anderen Geschlechts eine Todsünde ist, es sei denn, der Blick geschehe unvorhergesehen und oberflächlich, für einen kurzen Augenblick oder aus der Entfernung, oder es handle sich um kleine Kinder, Vögel oder Kleintiere. Es galt normalerweise auch als Todsünde, schlechte Bücher zu lesen, selbst wenn sie nicht völlig unmoralisch seien, da sie sexuelle Leidenschaft erregten. Eines der schlimmsten gepredigten Prinzipien war, dass das Pflegen einer Bekanntschaft mit der Absicht einer frühen Ehe die notwendige Gelegenheit zur Sünde sei. Es muss dabei mitgedacht werden, dass die Todsünde die ewige Hölle bedeutete.

Notwendig: Rückkehr zum Evangelium

Katholische Eltern sind traurig, dass viele ihrer erwachsenen Kinder nicht mehr in die Kirche gehen, aber die Kirchenführer gehen an der Wirklichkeit vorbei, wenn sie nur der modernen Kultur die Schuld geben. Materialismus, Individualismus und Säkularismus sind Teil der modernen Welt, aber das ist die Welt, in der wir leben, und falls unser christlicher Glaube nicht mit ihr zurechtkommt, fehlt unserer Religion etwas. Dass das katholische Irland den institutionalisierten körperlichen und sexuellen Missbrauch, wie er über sechs Jahrzehnte in so vielen unserer Institutionen geschah, zulas-

Seán Fagan

sen konnte, stellt uns vor viele schwerwiegende Fragen. Wir stehen vor einer großen Herausforderung, und der erste Schritt sollte es sein, mit der jahrhundertelangen Politik einer Reform per Vergessen aufzuhören. Wir müssen die schlimme Theologie, die ein solch einflussreicher Faktor in unserer Religion war und jahrhundertelang nicht hinterfragt wurde, als solche sehen und uns der Herausforderung einer Erneuerung stellen. Wir müssen die Aufforderung des Zweiten Vatikanischen Konzils ernst nehmen und zum Evangelium zurückkehren. Das hat zur Konsequenz, dass unsere Kirche, wie Jesus, ein Licht für die Welt sein soll.

Sie und wir

*Das Täterbild des Opfers bei sexueller
Kindesmisshandlung durch Kleriker*

Marie Keenan

Seit den späten 1980er-Jahren ist das öffentliche Bewusstsein
für das Problem der Kindesmisshandlungen in Irland ge-
wachsen. Dies hatte deutliche Auswirkungen auf die Fürsorge von Kindern und deren gesetzliche Gestaltung. Kindesmisshandlung wurde ein bedeutender Faktor auf der
gesellschaftlichen und politischen Agenda Irlands. Ursache
hierfür waren sowohl das mediale Interesse als auch die Aufmerksamkeit, die sogenannten „High-profile"-Fällen zuteil
wurde. Fälle sexueller Kindesmisshandlung, die in der Presse
und in Fernsehdokumentationen dargestellt wurden, stie-
ßen auf ein bis dahin in Irland unbekanntes gesellschaftliches und politisches Interesse. Berichte von Kindesmisshandlungen durch Familienangehörige, Kleriker oder andere
Vertrauenspersonen schockierten die irische Gesellschaft.
Insbesondere Kindesmisshandlung durch katholische Kleriker erregte große öffentliche Aufmerksamkeit. Sie führte
zum Zusammenbruch einer Regierung, zum Rücktritt eines
Bischofs, zum Rückzug eines weiteren. Es kam zu zwei staatlichen Untersuchungen über den Umgang der römisch-
katholischen Hierarchie mit Misshandlungsklagen sowie zu
einer Untersuchungskommission wegen Misshandlungen in
Wohnheimen, die von kirchlichen Orden im staatlichen

Auftrag geleitet wurden. Diese Aufmerksamkeit hat auch das Leben vieler Kleriker und Ordensmitglieder in kirchlichen Führungspositionen verändert.

Aus vielen Ländern der Welt liegen Berichte über sexuelle Misshandlungen durch Kleriker vor. In den Vereinigten Staaten wurde die katholische Hierarchie öffentlich heftig für ihren defizitären Umgang mit entsprechenden Vorwürfen getadelt. Die irischen Erfahrungen sind aufgrund der speziellen Beziehung zwischen Kirche und Staat als ziemlich einzigartig anzusehen. Inglis argumentiert, dass das irische Verhältnis zur Sexualität und die historische Position der katholischen Kirche in Irland zu dieser Situation beigetragen haben. Meiner Meinung nach haben das in Veränderung begriffene Verständnis von Kindheit und die Entwicklung eines professionellen Umgangs mit Sexualstraftätern in den Vereinigten Staaten und in Irland den Hintergrund für den aktuellen Umgang mit dem Thema sexuelle Kindesmisshandlung durch katholische Kleriker geschaffen. Auf diesem Gebiet neigen irische Fachleute dazu, sich dem Vorgehen in den Vereinigten Staaten anzuschließen – eine Situation, die ich bedaure. Was grundsätzliche Fragen zur Verbrechensbekämpfung angeht, ist viel von den skandinavischen Ländern zu lernen, und es könnte uns gut tun, nach Berlin und nicht nach Boston zu schauen, wenn wir nach allgemeinen Kriterien für den Umgang mit sexueller Kindesmisshandlung suchen.

Zwei juristische Umfelder: Irland und USA

Dieser Beitrag untersucht sexuelle Kindesmisshandlungen durch katholische Kleriker in zwei juristischen Umfeldern: in Irland und in den Vereinigten Staaten. Ich habe diese Länder gewählt, weil der größte Teil der Forschung aus den Vereinigten Staaten stammt und weil meine eigene Forschung sich auf den katholischen Klerus in Irland richtet.

Der Beitrag beginnt mit einer kritischen Darstellung der dominierenden *Ansichten über sexuelle Kindesmisshandlung.* Diese Ansichten bilden einen wichtigen Teil des Kontextes, in dem sexuelle Kindesmisshandlung durch katholische Kleriker aktuell in Irland gesehen wird. Anschließend geht der Beitrag unter Einbeziehung soziologischer und psychologischer *Forschungsergebnisse* – einschließlich meiner eigenen Forschung und klinischen Erfahrung – auf die Frage nach verlässlichen Erkenntnissen ein. Es geht hierbei um Wissen über straffällig gewordene katholische Kleriker und über die Rolle, die die Institution katholische Kirche im Zusammenhang mit diesen Sexualstraftaten einnimmt.

Im Gegensatz zur quantitativen Darstellung von Art und Umfang des Problems, wie sie sich vorwiegend in der amerikanischen Literatur findet, ist mein Forschungsansatz ein qualitativer: Es geht um die Darstellung gelebter Erfahrung straffällig gewordener katholischer Kleriker.

Die Folgerung am Ende des Beitrags lautet: Wenn wir sexuell misshandelten Kindern wirklich helfen und eine für alle Menschen – Männer, Frauen und Kinder – sicherere Gesellschaft schaffen wollen, müssen wir *über das Stadium von Tadel und Anklage hinauskommen.* Fragen nach einer weitreichenden Prävention gegen sexualisierte Gewalt sind ebenso zu beantworten wie Fragen nach der Heilung der Opfer und nach der Resozialisierung von Sexualstraftätern.

Ansichten über sexuelle Kindesmisshandlung

Die Macht der Sprache

Die Sprache und ihre Anwendung spielen bei der Entstehung sozialer Probleme eine zentrale Rolle. Die Art, wie ein Problem zur Sprache gebracht wird, hat Einfluss darauf, ob es Vorrang vor anderen Themen bekommt oder nicht und welche Kerneigenschaften für das Problem und seine Darstellung als signifikant angesehen werden.

Jenkins weist darauf hin, dass keiner der Begriffe, die im Zusammenhang mit sexueller Kindesmisshandlung häufig verwendet werden, eine universell akzeptierte oder objektive Wirklichkeit spiegelt. Vielmehr entstammen viele der in diesem Zusammenhang benutzten Begriffe wie „sexueller Missbrauch", „Opfer", „Überlebender", „Pädophiler", „Schänder", „Perverser", „sexuell abweichend" einer bestimmten historischen Phase und sind Ausdruck des entsprechenden historischen „Gepäcks". Es sei nahezu unmöglich, zum Thema sexuelle Kindesmisshandlung in einer Sprache zu schreiben, die frei ist von der ideologischen Interpretation der jeweiligen Denkweise. Doch wer Sprache solchermaßen ideologisierend gebraucht, dem bleiben viele andere Wege der Interpretation verschlossen.

Die Interpretationsoffenheit ist jedoch besonders in Bezug auf die sexuelle Kindesmisshandlung durch katholische Kleriker von großer Bedeutung. Es geht um die Bewertung von Motiven Einzelner, die Kinder misshandelt haben. Die Aussage, dass viele Kinder sexuell ausgebeutet worden sind und werden und dass viele daran leiden, ist objektiv richtig. Viele andere als selbstverständlich erachtete Annahmen bedürfen jedoch einer weiteren Debatte und gründlicheren Untersuchung.

Die gegenwärtige Bearbeitung des Themas im wissenschaftlich-professionellen und gesellschaftlichen Kontext zeigt nach Ansicht einer Reihe von Wissenschaftlern eine Spannung zwischen zwei Gruppen: Auf der einen Seite stehen diejenigen, die hinsichtlich der Situationsanalyse im Besitz der „Wahrheit" sind und die über die „richtige" Interpretation der Ereignisse verfügen. Auf der anderen Seite stehen – aus Sicht der ersten Gruppe – diejenigen, die die Ereignisse „verdrängen" oder deren Interpretationen verdächtig erscheinen.

Protagonisten der einen Seite behaupten, dass die aktuelle Erkenntnis von Umfang und Art der sexuellen Kindesmisshandlung durch das ständig wachsende „objektive" Wissen und die Aufhebung von Tabus möglich gemacht wurde, die in der Vergangenheit die Forschung beschränkt haben. Jenen, die das leugnen, unterstellt man „Verdrängung". Dieser Versuch, Gegenspieler, die nicht mit der persönlichen Einstellung übereinstimmen, zum Schweigen zu bringen, ist ein zentrales Merkmal des öffentlichen Diskurses. Kincaid behauptet, dass sich jeder Autor, der zum Thema der sexuellen Kindesmisshandlungen schreibt, gezwungen fühlt zu sagen: „Bitte versteht mich nicht falsch; ich weiß, dass Millionen von Kindern sexuell belästigt werden." Er behauptet ferner, dass schon das Gefühl, zu einer solchen Stellungnahme gezwungen zu sein, der Ausdruck einer großen Enge im gegenwärtigen Diskurs, des Gefühls einer „ständigen Kontrolle" ist. Es dürfen nur kleinere Variationen der Geschichte erzählt werden.

Kincaid argumentiert, dass die westliche Kultur „das Kind begeistert sexualisiert hat und dabei gleichzeitig dieses Tun energisch bestreitet", so z. B. bei Kinderwettbewerben in den Vereinigten Staaten und in der Popmusikindustrie. Laut Kincaid hat eine Gesellschaft, die Kinder als erotisch ansieht, aber eine erotische Reaktion auf Kinder als kriminell und unvorstellbar betrachtet, ein Problem zu bewältigen. Seiner Meinung nach wird die wahre Natur der sexuellen Kindesmisshandlung immer noch verdrängt. Denn die komplexen Zusammenhänge, die sich aus dem Zusammenspiel von Kindheit, Sexualität und Erwachsensein ergeben, werden verdrängt, während sich die Aufmerksamkeit auf das Täter-Monster konzentriert, das als der völlig „Andere" gesehen wird. Wenn eine Gesellschaft ihre Kinder wirklich vor sexueller Misshandlung schützen wolle und wenn sie wirklich verstehen wolle, wie das Problem entsteht, müsse sich die Art des Diskurses ändern. Das Problem der sexuellen Kindes-

Marie Keenan

misshandlung müsse als Teil der Erwachsenenwelt verstanden werden und nicht auf ein paar als Täter-Monster angesehene Individuen beschränkt bleiben. Letztlich wird ein besseres Verständnis der Komplexität von Erwachsenen- und Kindessexualität zu einem größeren Schutz der Kinder und zur Überwindung einer generalisierenden Marginalisierung von Männern führen. Nach Meinung von Kincaid leiden viele Kinder unter der gegenwärtigen Situation: die einen als Opfer sexualisierter Gewalt, die anderen, weil der Aufbau einer gedeihlichen Beziehung zu einer männlichen Bezugspersonen empfindlich gestört wird. Kinderschänder leiden auch, wenn sie sich trotz Strafvollzug und Therapie von unnachsichtigen Erwachsenen dazu gezwungen sehen, lebenslang als das „üble Monster" zu gelten.

Sich ändernde Konzepte von sexueller Kindesmisshandlung

Jenkins untersucht die Geschichte der sexuellen Beziehung zwischen Erwachsenen und Kindern und zeigt recht überzeugend, dass der Terminus sexuelle Kindesmisshandlung zwar eine lange Geschichte hat, aber erst Mitte der 1970er-Jahre seine gegenwärtige kulturelle und ideologische Bedeutung erlangt hat, „mit all seinen Konnotationen von Vertrauensbruch, verborgenen Traumata und Verdrängung". Nach Jenkins' Meinung sind die modernen Konzepte von sexueller Kindesmisshandlung an irreversible soziale, politische und ideologische Trends (die Verletzlichkeit von Kindern, ihr Bedürfnis nach Schutz, die politische und soziale Gleichstellung der Frau sowie die Macht der medizinischen und juridischen Diskurse über Sexualität) gebunden, die es wahrscheinlich machen, dass die zeitgenössische Redeweise von sexueller Kindesmisshandlung in naher Zukunft nicht verschwinden wird. Dies ist ein Konzept, das sich im Lauf der Zeit verändert und entwickelt hat, und Sex zwischen Kind und Erwachsenem hat nicht immer dieselbe Bedeutung und dieselben Implikationen für das Kind oder den Erwachsenen gehabt, die wir heute als selbstverständliche Wahrheit akzeptiert haben.

Obwohl schon Freud den „Schaden" beschrieb, den das Kind durch sexuelle Misshandlung erleidet, ist erst in den 1970er-Jahren die Idee entstanden, dass sexuelle Kindesmisshandlung des professionellen und öffentlichen Interesses bedarf. In einigen früheren Perioden des 20. Jahrhunderts war in der klinischen Literatur die Idee nicht ungewöhnlich, dass in vielen Fällen sexueller Kontakte zwischen Kind und Erwachsenem das Kind eher der aktive Verführer und weniger der unschuldig Verführte war. Es herrschte die Idee vor, dass die Kinder diese Vergehen aus eigenen psychologischen Gründen begingen. Eine solche Denkweise hat sicher Aspekte der professionellen Praxis in den 1970er-Jahren beeinflusst. Sexuelle Kindesmisshandlung wurde als ein seltenes Vorkommnis angesehen, das aller Wahrscheinlichkeit nach keinen signifikanten Schaden bei der großen Mehrheit der Betroffenen anrichten würde. Heute sieht man Kinder, die sexuell misshandelt wurden, manchmal als „für ihr Leben geschädigt" an – eine Bezeichnung, die ich in ihrem Interesse ablehne. Genauso wenig wie Kinder aktive Verführer sind, sind sie „für ihr Leben geschädigt". Man kann sagen, sie sind traumatisiert, verletzt, wütend, fassungslos, aber „geschädigt" lehne ich völlig ab. Eine solche Bezeichnung, oft in einem wohlmeinenden professionellen oder öffentlichen Diskurs verwendet, bedeutet für die Betroffenen eine zusätzliche Belastung und kann – unbeabsichtigt – schwerwiegende Folgen haben. Mein beruflicher Umgang mit Menschen, die alle Arten von Misshandlung und Traumatisierung erfahren haben, hat mich gelehrt, dass Menschen es immer schaffen, ihre Tragödien in etwas umzusetzen, was sie zu stärkeren Menschen auf der Welt macht.

Marie Keenan

Dies gilt besonders dann, wenn das Trauma und das erlittene Unrecht wirklich erkannt und in Trauerarbeit angegangen wurden. Ich staune immer wieder über das enorme Potenzial des menschlichen Geistes, sich über Widrigkeiten zu erheben.

Der Umgang mit den Tätern ist aktuell geprägt vom Ruf nach Vergeltung, wobei dem Risikomanagement und der öffentlichen Bekanntmachung von Gefahren der klare Vorzug vor therapeutischer Heilung und Resozialisierung gegeben wird. Im Mittelpunkt des politischen Handelns stehen nicht die Wiedergutmachung für die Opfer und die soziale Wiedereingliederung der Täter, sondern das Risikomanagement.

In Irland kommt es oft vor, dass Kinderschänder, die ihre Gefängnisstrafe abgesessen und von einer therapeutischen Behandlung profitiert haben, aus ihrer Wohnung und sogar aus dem Land vertrieben werden. Männer, die als Kinderschänder bekannt sind, haben es schwer, eine Anstellung zu finden. Selbst wenn es ihnen gelingt, kann ihre Anstellung durch die Laune einer öffentlichen Kampagne beendet werden, so zum Beispiel durch die „Name-and-shame"-Kampagne, die 2002 von der auch in Irland erhältlichen „News of the World" angezettelt wurde. Diese Männer sind oft Ziel von Attacken auf ihr Zuhause und ihre Person, und ihre Familien leiden möglicherweise als Unterstützer von „Perversen". In meinem beruflichen Leben habe ich all diese Situationen erlebt.

Die Bestimmung von Täter-„Typen"

Die psychologische Literatur konzentriert sich im Wesentlichen auf den Sexualstraftäter als ein Individuum. Dabei werden das Verständnis der Gründe für das Verbrechen und die Verletzlichkeitsfaktoren besonders betont. Im Allgemeinen ist es das Ziel der psychologischen Sicht, zu messen und zu identifizieren, um Persönlichkeitsvariablen zu finden, die als ursächlich für das entstandene Phänomen gesehen werden.

Im Rahmen des medizinisch-juridischen Diskurses wird der Kinderschänder als „Pädophiler" klassifiziert oder als an „kognitiven Verzerrungen" oder an „abweichender sexueller Anziehung" Leidender verstanden. Auf jeden Fall wird er als „vom normalen Mann" verschieden, als zu einer anderen „Klasse" oder zu einem anderen „Typ" gehörig aufgefasst – als Angehöriger einer Sonderklasse. O'Malley behauptet, dass eine solche Klassifizierung das gesamte gesellschaftliche und persönliche Profil des Straftäters vernichtet. Sobald ein Mensch als Sexualstraftäter klassifiziert ist, werden all seine früheren Leistungen und gesellschaftlichen Beiträge irrelevant. Von Bedeutung sind nur der sexuelle Charakter seiner Straftat und die ihr folgende Klassifizierung. Solche Klassifizierungen, die oft auf psychiatrischen Kategorien beruhen, führen dazu, dass einzelne Individuen marginalisiert und dämonisiert werden. Das Anstoß erregende Verhalten des Sexualstraftäters wird missbilligt, und seine Person wird als böse gesehen. Die Identität des Mannes wird auf die des Schänders reduziert – eine Identitätsreduktion, von der es kein Entrinnen gibt, egal, was er sonst im Leben zur Wiedergutmachung tut, auch nicht, wenn er nie wieder eine sexuelle Straftat begeht.

Die Vielzahl solcher Kategorisierungen – wie „Kinderschänder", „Pädophiler", „Risikokind", „Missbrauchsopfer" – ist Anlass zu Besorgnis. Sie beunruhigen mich vor allem deshalb, weil sie ein Potenzial zu weiterer Unterdrückung, Marginalisierung und zur Misshandlung in sich tragen und damit genau die Effekte produzieren können, die wir ursprünglich beseitigen wollten. Bei der Behandlung von Individuen, die als Kinder sexuell misshandelt wurden, oder bei der Behandlung von Sexualstraftätern sind solche Klassifizierungen von sehr geringem Wert. Anstelle von Klassifizierungssystemen muss m. E. die Aufmerksamkeit auf Praktiken

und Techniken gelenkt werden, die sexuelle Kindesmisshandlung und das Verhalten von Sexualstraftätern auf spezielle Weise deuten helfen. Gelingt dies nicht, werden sozial
sanktionierte Praktiken der Entmenschlichung, der Unterdrückung und der Marginalisierung gestärkt, für die kein be-
lastbares Datenmaterial vorhanden ist und die allein auf
Ideologie und Macht basieren. All dies geschieht im Namen
des Kinderschutzes. Was hier wichtig ist, ist die Tatsache,
dass die Machtverhältnisse und die entsprechenden Interessen verborgen bleiben, während der Kreis der Schurken klar
umrissen und immer genauer definiert wird.
   Mit meiner Argumentation ziele ich auf eine sicherere Gesellschaft für alle ab. Mein Ziel ist eine Gesellschaft, in der
jegliche Misshandlung von Individuen verabscheut und abgelehnt wird – und nicht nur solche Misshandlungen, die
das Interesse der Öffentlichkeit zu einem bestimmten Zeitpunkt erregen und die man dann als einer Intervention wert
ansieht. Traditionell wird Macht als die Herrschaft von Einzelnen oder Gruppen verstanden. Die moderne Macht liegt
in Strategien und Techniken, die einen Konsens anstreben
und herbeiführen sollen. Dadurch, dass man einen „offen-
sichtlichen" Konsens zu einem Thema herbeiführt, indem
man gewisse Stimmen zum Schweigen bringt und die
Machtverhältnisse verschleiert, entsteht ein kultureller Text,
der dem öffentlichen Diskurs nur eine sehr begrenzte Sichtweise erlaubt. Sowohl die traditionellen als auch die modernen Techniken der Machtausübung müssen im Blickfeld
bleiben, wenn man verstehen will, wie es zu sexueller Kindesmisshandlung kommt und wie sie verstanden wird.

Die Medien und „der" Kinderschänder

Es gibt eine Reihe von Untersuchungen über den Einfluss
der Printmedien und elektronischen Medien auf die Bil-

dung der öffentlichen Meinung. Es werden der Einsatz von „Shaming"-Techniken und von Strategien zur Marginalisierung und Bestrafung von Sexualstraftätern beschrieben. Die mediale Bearbeitung und Vermittlung einer Story kann die öffentliche Wahrnehmung wesentlich beeinflussen. In den westlichen Gesellschaften ist es zur Normalität geworden, ein medizinisches Modell zur Typisierung sozialer Probleme heranzuziehen und dabei mit den Kategorien Krankheit, Behandlung und Heilung zu arbeiten. Ein Verbrechen wird oft mit Hilfe eines „melodramatischen" Modells typisiert, in dem „Opfer" von „Schurken" ausgenutzt wurden und folglich von „Helden" gerettet werden müssen. Laut Johnson sind „Horrorgeschichten" eine Erweiterung des melodramatischen Modells mit der Funktion, das Wesen der sexuellen Kindesmisshandlung und viele der beteiligten Charaktere zu typisieren. Johnson vermutet, dass der mediale Einsatz der „Horrorgeschichte" eine Methode ist, der sexuellen Kindesmisshandlung eine viel größere Bedeutung als allen anderen Formen der Kindesmisshandlung (Kinderarmut und Vernachlässigung) zuzuordnen. Der Effekt der „Typisierung" des Problems und der Motive der Schlüsselfiguren und anderer Beteiligter ist, dass eine einzelne Geschichte erzählt wird – normalerweise unter der Verwendung binärer Formen (gut/böse; unschuldig/schuldig; Beschützer/Raubtier; Opfer/Schurke) –, während viele andere Interpretationsmöglichkeiten eines vielschichtigen Themas unberücksichtigt bleiben.

Laut Kitzinger werden mediale Schablonen routinemäßig eingesetzt, um allein eine Sichtweise klar zu betonen, um als rhetorische Kurzschrift zu dienen und dem Publikum und den Produzenten zu helfen, die Geschichten in einem „speziellen" Zusammenhang zu sehen. Diese Schablonen haben einen dreifachen Effekt: 1. Sie geben den Geschichten eine spezielle Form. 2. Sie lenken die öffentliche Meinung und Diskussion, und sie bilden 3. den Referenzrahmen für die Zukunft. Selbst wenn die Geschehnisse, über die einmal berichtet wurde, schon längst vorbei sind, erregen sie weiterhin starke Assoziationen.

Die Macht der medialen Schablonen liegt in ihrer assoziativen Kraft. Sie bewirkt eine Engführung des Diskurses. Er gibt das wieder, was als „Tatsache" und „Wahrheit" angesehen wird. Diese „Tatsachen" und „Wahrheiten" sind jedoch vereinfacht oder verzerrt, und alternative Deutungsmöglichkeiten sind minimiert worden. Greer behauptet, das Bild des Sexualstraftäters in der englischen Presse sei das eines „amoralischen, manipulativen, raubtierartigen Psychopathen", der vorzugsweise die verletzlichsten Opfer sucht. Mit einer solchen bildhaften Sprache gelingt es, einen Sexualstraftäter darzustellen, der sich inhärent von anderen Mitgliedern der Gesellschaft unterscheidet. Sogar juristische und politische Reaktionen können aus dieser Wahrnehmungsweise entstehen.

In Irland entstand durch die Berichterstattung über sexuelle Kindesmisshandlung durch katholische Kleriker die neue mediale Schablone „Brendan Smyth". Pater Brendan Smyth war im Juni 1994 für siebzehnfache sexuelle Kindesmisshandlung in einem Zeitraum von dreißig Jahren verurteilt worden. Die Nachforschungen des Journalisten Chris Moore für Ulster Television zeigten, dass die kirchlichen Institutionen schon lange Jahre von Smyths Verbrechen wussten und nur mit ständiger Versetzung reagierten. Moore unterstellte ihnen die Vertuschung der Verbrechen. Eine Serie von Fehlern bei der Behandlung des Falles führte zu politischen Spannungen, die möglicherweise 1994 zum Sturz der Regierung der Republik Irland führten. Im Laufe der Berichterstattung wurde in diesem Fall eine neue Kategorie von Sexualstraftätern, „der pädophile Priester", von den Medien erfunden. Außerdem setzten die Medien verstärkt auf visuelle Eindrücke. So setzten sie von Anfang an ständig dasselbe Foto von Brendan Smyth ein, das ihn aufgeblasen und wütend, direkt in die Kamera starrend, zeigt, sodass er die „lebende Verkörperung des größten zeitgenössischen Dämons in Irland" darstellte. Noch lange nach seinem Tod wurde das Foto eingesetzt, wenn es in den Medien um sexuelle Kindesmisshandlung durch andere Kleriker ging. Das ist ein Teil des Kontextes, in dem das Thema sexuelle Kindesmisshandlung durch katholische Kleriker öffentliche Aufmerksamkeit gewann und in dem sich eine in Veränderung begriffene Sicht auf sexuelle Kindesmisshandlung durch katholische Kleriker und auf die klerikalen Straftäter ausgebreitet hat. Die mediale Schablone hat dazu geführt, dass klerikale Kinderschänder als Mitglieder einer homogenen Gruppe angesehen werden, deren Biografien identisch sind und die alle jederzeit eine ständige Gefahr für Kinder darstellen. Dieser Sicht fehlt der Bezug zur Realität. Doch dies ist die Sichtweise, die die öffentliche Meinung stark beeinflusst und die die Kirchenführer im Umgang mit klerikalen Sexualstraftätern in Angst versetzt.

Forschungsergebnisse

Sexuelle Kindesmisshandlungen durch katholische Kleriker: Ausmaß und Art des Problems

Das Ausmaß der in der Gesamtbevölkerung begangenen Sexualstraftaten kann nicht genau beziffert werden, und entsprechend schwierig ist es, das gesamte Ausmaß der von römisch-katholischen Klerikern begangenen Sexualstraftaten einzuschätzen. Die meisten Schätzungen stützen sich auf Daten aus juristischen Verfahren. Studien weisen immer wieder darauf hin, dass die Zahl der Verhafteten oder Verurteilten nur einem Bruchteil der Straftaten entspricht. Allerdings gibt es in den Vereinigten Staaten eine Meta-Analyse über eine Reihe von Studien zu Opferzahlen, die als Quelle

Marie Keenan

für verlässliche internationale Daten angesehen wird. Dieser Studie zufolge sind von sexueller Misshandlung 13% der Jungen (einer von sechs bis acht Jungen) und 30–40% der Mädchen (eines von drei Mädchen) betroffen. Für Irland gaben McGee und andere den Anteil der sexuell misshandelten Jungen mit 24% an (höher als in jedem anderen Land), den Anteil der misshandelten Mädchen mit 30%. Die Zahl der Täter kann anhand dieser Zahlen nur geschätzt werden, da einzelne Täter viele Opfer fanden und viele Täter auch nicht angezeigt werden.

Die bis heute sicher umfangreichste Studie zur sexuellen Kindesmisshandlung durch katholische Kleriker stammt aus den Vereinigten Staaten. Eine Langzeitstudie aus einem Behandlungszentrum in Kanada liefert ebenfalls wichtige Daten. Im Jahr 2004 veröffentlichte das *John Jay College of Criminal Justice* die Ergebnisse der ersten nationalen Studie zur sexuellen Kindesmisshandlung durch römisch-katholische Kleriker. Es handelt sich um eine Studie, die von der US-Bischofskonferenz in Auftrag gegeben worden war. Die Studie basiert auf Antworten aus 97% der insgesamt 195 katholischen Diözesen der USA und aus 64% der Ordensgemeinschaften (die 83% der Ordenspriester des Landes repräsentieren). Sie erbrachte eine Reihe von Ergebnissen, die eine Vorstellung von einem Muster der von katholischen Priestern und Diakonen in den Vereinigten Staaten verübten sexuellen Kindesmisshandlungen ermöglicht. Die Relevanz dieser Ergebnisse für Irland wie für jeden anderen Staat müsste empirisch untersucht werden.

Die Zahl der Priester, die im Zeitraum zwischen 1950 und 2002 Kinder sexuell misshandelt haben sollen, beträgt 4392. Dies entspricht annähernd 4% der 109694 in diesem Zeitraum aktiven Priester. Annähernd 4,3% der weltlichen Priester waren der sexuellen Kindesmisshandlung beschuldigt worden, dagegen nur 2,7% der Ordenspriester. In Irland wurde in der sehr wichtigen SAVI-Studie das Ausmaß der sexuellen Gewalt untersucht. Ihrer Schätzung nach wurden 3,9% aller Iren, die als Kinder Opfer sexualisierter Gewalt geworden sind, von römisch-katholischen Klerikern misshandelt (5,8% der männlichen und 1,4% der weiblichen Opfer). Daten, die von einem irischen Journalisten aus mehreren Diözesen zusammengetragen wurden, erlauben die Annahme, dass in einem Zeitraum von fünfzig Jahren 4% aller Priester in Irland der sexuellen Kindesmisshandlung beschuldigt wurden. Einer der auf diesem Gebiet weltweit führenden Forscher gibt zum Vergleich die Zahl der in der Gesamtbevölkerung beschuldigten Männer mit 6% an. Die Zahlen des *John Jay College* legen die Vermutung nahe, dass die deutliche Mehrheit der straffällig gewordenen Priester im Alter zwischen 30 und 39 mit den sexuellen Kindesmisshandlungen begann, durchschnittlich nach elf Jahren im Amt. Die Mehrzahl der öffentlich wegen sexueller Kindesmisshandlung angeklagten US-amerikanischen Priester wurde in einem Fall angeklagt (55,7%), 26,4% der Angeklagten wurden der Misshandlung in zwei oder drei Fällen beschuldigt, 17,8% in vier bis neun Fällen, 3,5% in zehn und noch mehr Fällen. Ein Fall bedeutet ein Opfer – in vielen Fällen gab es mehrfache Misshandlungen desselben Opfers. Die Priester, die der sexuellen Kindesmisshandlung in nur einem Fall beschuldigt wurden, hatten häufiger als diejenigen mit mehreren Anschuldigungen ein weibliches Opfer, und zwar ein Mädchen im Alter zwischen 15 und 17 Jahren. Wie das Forscherteam feststellte, blieben diese Zahlen im Zeitraum von 1950 bis 2004 relativ stabil. Priester, die in den frühen 1970er-Jahren geweiht wurden, wurden eher der sexuellen Kindesmisshandlung angeklagt als Priester, die zu irgendeinem anderen Zeitpunkt geweiht wurden. Annähernd 10% der Priester, die zwischen 1970 und 1975 geweiht wurden, sind der sexuellen Kindesmisshandlung beschuldigt worden, später sank diese Zahl signifikant. Obwohl die Mehrzahl der Fälle erst ab 2003 publik geworden

Marie Keenan

ist, zeigen die John-Jay-Daten ein stetiges Anwachsen der Misshandlungsfälle in den Vereinigten Staaten zwischen den 1950er- und den 1980er-Jahren und einen starken Rückgang um 1990. Diese auf statistischen Untersuchungen basierende Beobachtung gilt auch unter Berücksichtigung der Tatsache, dass Anschuldigungen wegen sexueller Kindesmisshandlung oft erst Jahre nach der Tat geäußert werden. Allgemein gilt, dass 81 % der Opfer männlich und 19 % weiblich waren. Die männlichen Opfer waren in der Regel älter als die weiblichen. Über 40 % der männlichen Opfer waren zwischen elf und vierzehn Jahre alt. Annähernd 78 % der Opfer (männlich und weiblich) waren zwischen elf und siebzehn, 16 % waren zwischen acht und zehn Jahre alt und 6 % waren jünger als sieben Jahre.

Das John-Jay-Team fand heraus, dass zwischen der sexuellen Kindesmisshandlung und der Meldung an kirchliche Autoritäten durch die Opfer ein signifikanter zeitlicher Abstand lag. Vor 1985 waren den Diözesen und Orden 810 Fälle für die Zeit von 1950 bis 1980 gemeldet worden, während die heute für diesen Zeitraum bekannte Zahl 9 000 übersteigt. Obwohl es nicht über alle Fälle Informationen gibt, erlauben die verfügbaren Daten den Schluss, dass 3 % der beschuldigten Priester überführt wurden und dass 2 % Gefängnisstrafen erhielten. Fast 40 % der beschuldigten Priester ließen sich in irgendeiner Form psychologisch behandeln.

Die verfügbaren Daten stützen das Argument, dass das Ausmaß der sexuellen Misshandlung Minderjähriger durch römisch-katholische Kleriker nicht größer ist als das Ausmaß sexueller Kindesmisshandlung in der Allgemeinbevölkerung, und man kann sinnvoll argumentieren, es gebe keine Notwendigkeit, sexuelle Kindesmisshandlungen durch Kleriker gesondert zu betrachten. Die Gruppe der Priester stellt sicher eine Auswahl, eine hoch gebildete und besondere Gruppe von Männern dar, doch es gibt keinen Beweis dafür, dass sexuelle Kindesmisshandlung in anderen entsprechend gebildeten oder hoch gebildeten männlichen Bevölkerungs-gruppen weniger verbreitet ist. Dennoch halte ich die von römisch-katholischen Klerikern begangenen sexuellen Kindesmisshandlungen für ein eigenes Thema, das der weiteren Untersuchung und des genaueren Verstehens bedarf. Katholische Kleriker unterscheiden sich von anderen Männern in verschiedener Hinsicht, und die katholische Kirche ist eine der größten religiösen Organisationen der Welt, die in vielen Gesellschaften und für das Leben ihrer Mitglieder eine einflussreiche Rolle spielt. Für Millionen von Menschen ist oder war der katholische Klerus die spirituelle, moralische und ethische Führung.

Der katholische Klerus ist eine Gruppe von Männern, die sich dem lebenslangen Zölibat verpflichtet hat. Jedes Vorkommen von sexueller Aktivität, insbesondere dann, wenn es sich um sexuelle Misshandlungen handelt, widerspricht allem, wofür die Institution öffentlich einsteht. Ferner ist die Vorbereitung dieser Gruppe auf das Berufsleben insofern eine ziemlich einzigartige, als das moralische Gewissen und die Moraltheologie im Rahmen der Priesterausbildung und bei der Vorbereitung auf das Ordensleben eine zentrale Rolle spielen und sich Ausbildung und Vorbereitung in einer abgeschlossenen, fast ausschließlich von zölibatär lebenden Männern geprägten Umgebung abspielen. Die Vorwürfe bezüglich der sehr ähnlichen Art und Weise, wie die Kirchenleitung auf die Misshandlungsklagen in Irland und den Vereinigten Staaten reagiert hat (wie unseres Wissens auch in Kanada, Australien und England) – eine Art und Weise, die noch zur Komplizierung des Problems beigetragen hat –, ziehen Fragen nach der systemischen Natur des Problems nach sich. Obwohl Statistiken belegen, dass zwischen 92 und 96 % der römisch-katholischen Kleriker keine Minderjährigen sexuell misshandelten, bleibt noch viel zu analysieren und zu verstehen. Die zentrale Frage lautet: Was unterscheidet straffällig gewordene Kleriker von denen, die es nicht werden?

Marie Keenan

Der „normale" katholische Klerus

Seit den 1970er-Jahren sind in vielen Studien zum „normalen" katholischen Klerus verschiedene Aspekte des klerikalen Lebens untersucht worden. Die gelten besonders für die Vereinigten Staaten. Es gibt jedoch noch nicht genug Studien, die wirklich in die Tiefe gehen zu Fragen der Lebensweise des „normalen Klerus" und der „normalen Seminaristen" (= Priesteramtskandidaten in der Ausbildung im Priesterseminar) und besonders zu Fragen nach deren Sexualleben und sexuellen Erfahrungen. Einige wenige solcher Studien existieren. Ohne entsprechendes Datenmaterial ist jedoch ein präziser Vergleich von „normalen" und straffällig gewordenen Klerikern schwierig. Das impliziert nicht, dass es in allen Fällen von sexueller Kindesmisshandlung vornehmlich um Sexualität geht. Macht, Wut und Versuche der Kontaktaufnahme spielen ebenfalls eine wichtige Rolle. Doch jede sexuelle Straftat hat zumindest eine sexuelle Dimension, und ohne Bezug auf eine sexuelle Motivation lässt sich nur schwer erklären, warum eine Straftat ihrer Natur nach sexuell ist. Meine eigenen Forschungen lassen den Schluss zu, dass die Sexualität eine große Rolle bei sexueller Kindesmisshandlung durch katholische Kleriker spielt. Es ist jedoch zu betonten, dass dies ein Problem mit mehr als einer einzigen Ursache ist. Eine Reihe von Themen, die für unser Verständnis von katholischen klerikalen Sexualstraftätern relevant sein können, findet sich in der bereits vorhandenen Literatur über das Leben des „normalen" Klerus.

In der Fachliteratur über das Leben des „normalen" katholischen Klerus werden die Arbeitsbedingungen der Priester und die an sie gestellten Erwartungen als Ursachen für extremen Stress beschrieben. Dieser Stress wird dadurch noch verstärkt, dass viele Kleriker ihre persönlichen Bedürfnisse unterdrücken. Sie suchen nicht um Hilfe nach, während sie hohe Verantwortung für das Wohlergehen anderer übernehmen, auf deren Leben sie kaum wirklich Einfluss haben. Brenneis fand heraus, dass der Stress enorm steigt, wenn ein Priester eine „defensive" oder „repressive" Haltung zu seinem eigenen Seelenleben einnimmt. Dies gilt insbesondere dann, wenn die eigenen Gefühle als emotionale Bedrohungen wahrgenommen werden, wie z. B. feindliche, aggressive oder sexuelle Gefühle. Das Problem ist, dass Priester in einem emotional anspruchsvollen Beruf arbeiten, in dem die zwischenmenschlichen Grenzen nicht immer klar sind. Wenn sie auch noch von sich selbst erwarten, perfekt zu sein, defensiv in Bezug auf ihr Selbstbild sind, persönliche Not nicht mitteilen oder davor zurückschrecken, ihre Verletzlichkeit zuzugeben, dann können aus dieser Gesamtkonstellation gewaltige Probleme für diese Männer entstehen. Brenneis behauptet, dass solchermaßen ungelöste Probleme große Spannungen aufbauen, die sich in allen möglichen schädigenden Handlungen und eben auch in sexueller Kindesmisshandlung entladen können.

Die Fachliteratur zum Leben des „normalen" Klerus weist darauf hin, dass Priester in einer sehr widersprüchlichen Umwelt leben: Es gibt das Zölibatsversprechen, doch es gibt keine adäquate Vorbereitung darauf, wie man ein gesundes zölibatäres Leben führt. Es gibt ein Bedürfnis nach Intimität, aber keine Befähigung, sich die Intimität im Rahmen des Zölibates zu verschaffen. Viele haben Probleme mit ihrer Sexualität und sexuellen Orientierung, erleben aber gleichzeitig die Notwendigkeit, sexuelle Bedürfnisse zu verschleiern, und erfahren die Unmöglichkeit, darüber zu sprechen. Insgesamt braucht man für das Leben als katholischer Kleriker viele Fähigkeiten, und es sollte selbstverständlich sein, dass der Heranbildung dieser Fähigkeiten in der Priesterausbildung großes Gewicht verliehen wird. Es ist interessant festzustellen, dass sich in der Literatur zum „normalen" Klerus viele Aussagen von Priestern finden, die ihre gesamte

Ausbildung als eine unzureichende Vorbereitung auf ihr späteres Leben ansehen. Viele glauben auch, dass sie bei ihrer Berufsausübung von ihren Vorgesetzten keine adäquate Unterstützung bekommen. Das ist auch ein Thema, das bei der Untersuchung von klerikalen Straftätern zum Tragen kommt.

Aus der Fachliteratur zum Leben des „normalen" Klerus ist auch ersichtlich, dass es nur wenige Freiräume gibt, in denen Kleriker sich frei äußern können: im Rahmen einer geistlichen Begleitung oder individuellen Psychotherapie oder im Beichtstuhl. Das vorherrschende Bild ist das eines Klerikers, der sein persönliches, sexuelles und emotionales Leben für sich behält. Cozzens behauptet, dass die klerikale Kultur ein solches Nicht-Mitteilen von Emotionen bzw. von emotionalen Notlagen stützt.

Besonders auffällig bei der Analyse der Fachliteratur zum Leben des „normalen" Klerus in den Vereinigten Staaten ist die Aussage, dass bis zu 50 % der römisch-katholischen Kleriker zu irgendeinem Zeitpunkt trotz Zölibatsversprechen sexuell aktiv sind. Dieser Trend wird in verschiedenen Studien belegt, und er muss als ein Hinweis auf die Tatsache gesehen werden, dass sexuelle Kindesmisshandlung Teil des größeren Problems sein kann, das die römisch-katholische Kirche mit der zölibatären Sexualität hat. Damit soll nicht gesagt sein, dass der Zölibat der einzige Grund für sexuelle Kindesmisshandlungen durch Kleriker ist – aber dennoch kann der Zölibat eine Rolle dabei spielen, dass Kleriker diesen Weg einschlagen. Eine Institution, die öffentlich für lebenslange totale sexuelle Abstinenz eintritt und die gleichzeitig sexuelle Aktivitäten ihrer Mitglieder toleriert oder leugnet, befindet sich in großen Schwierigkeiten. Das Zölibatsversprechen (= Versprechen lebenslanger Ehelosigkeit) ist die vom Kirchenrecht der römisch-katholischen Kirche geforderte Bedingung für die Priesterweihe. Der Zölibat ist immer noch Voraussetzung für die aktive Ausübung des

Priesterdienstes – ein Image, das die kirchliche Hierarchie sorgfältig pflegt. Die Tatsache, dass einvernehmliche Sexualbeziehungen heimlich von Klerikern eingegangen werden und im Rahmen der institutionellen Rhetorik eines ausschließlich männlichen zölibatären Klerus existieren, lässt den Schluss zu, dass die Probleme, die der Zölibat mit sich bringt, systematisch verdrängt werden. Auf diese Weise wird ein ungesundes Betriebsklima im System römisch-katholische Kirche geschaffen.

Klerikale Kinderschänder

Manchmal wird gefragt, warum Personen mit einer sexuellen Neigung zu Kindern überhaupt Zugang zum Priesteramt erhalten und nicht vorher identifiziert werden. Betrachtet man diese Frage genauer, so wird klar, dass sie verschiedene kritisch zu beleuchtende Implikationen einschließt: Priester und Ordensleute, die der sexuellen Kindesmisshandlung beschuldigt werden, seien schon mit der entsprechenden Neigung gekommen, solche Neigungen seien bereits beim Eintritt in das Seminar oder im Laufe der Ausbildung feststellbar und es gebe Männer, die Priester oder Ordensleute werden, um Zugang zu zukünftigen Opfern zu haben. Diese Annahmen setzen voraus, dass die sexuelle Kindesmisshandlung durch katholische Kleriker die Folge einer individuellen Pathologie oder Neigung ist – eine Theorie, die von einigen Führungspersonen der katholischen Hierarchie bevorzugt wird. Als Antwort wird dann die Anwendung besserer Testverfahren beim Eintritt in den Orden vorgeschlagen, mit deren Hilfe Personen mit entsprechenden psychischen Veranlagungen erkannt werden können.

Obwohl ein Testverfahren für Kleriker aus verschiedenen Gründen wichtig sein könnte, muss man sagen, dass es keine zuverlässigen Forschungsergebnisse oder klinischen Er-

Marie Keenan

fahrungen gibt, mit deren Hilfe sich zukünftige Kinder-schänder bestimmen ließen. Dies wird durch meine Unter-suchungen ebenso bestätigt wie durch die Arbeiten anderer Kliniker und Forscher und durch das John-Jay-College-Team. Das John-Jay-College-Team verwandte viel Kraft darauf, Be-weise für eine Pathologie oder Prädisposition zur sexuellen Kindesmisshandlung aus den Daten der klerikalen Sexual-straftäter in den USA zu finden. Das Ergebnis ist, dass die Daten eine Voraussage von sexueller Kindesmisshandlung durch pathologisches Verhalten (wie Pädophilie) nicht er-mögliche. Tallon und Terry argumentierten, dass die von Klerikern verübten Misshandlungen nicht auf eine Veran-lagung zu sexuell erregenden Fantasien über präpubertäre Kinder oder Heranwachsende zurückgehen (was per defini-tionem die Basis von Pädophilie ist), dass die straffällig ge-wordenen Kleriker mehrere Jahre bis zur ersten Tat gewartet hatten und dass sie nicht auf einen bestimmten Typ von Kind fixiert waren (die Mehrzahl der in der John-Jay-Studie untersuchten Kleriker misshandelte Kinder, die altersmäßig zwei oder mehr Jahre auseinander lagen, und manchmal Kinder beiderlei Geschlechts). Tallon und Terry fanden her-aus, dass nur wenige Priester, die Kinder sexuell misshandelt haben, der Typologie des Pädophilen entsprechen – einer Typologie, die von den Medien bevorzugt wird. Selbst die Männer, die mit der sexuellen Kindesmisshandlung kurz nach ihrer Priesterweihe begannen und deren strafbare Akti-vitäten über lange Zeit andauerten, entsprachen nicht dem Typus des Pädophilen. Wären sie wirklich (fixierte) Pädo-phile, hätten sie mit dem Beginn ihrer „Karriere" nicht so lange gewartet. Viele der sogenannten paraphilischen Inter-essen, wie die Pädophilie, setzen beim Heranwachsenden ein, und falls die straffällig gewordenen Priester ein als Pädo-philie diagnostizierbares Problem gehabt hätten, wären sie wahrscheinlich früher aktiv geworden – vorausgesetzt, man akzeptiert diese Denkweise. In meiner eigenen Studie, in der

acht von neun Männern postpubertäre Jungen sexuell misshandelt hatten (einer auch ein Mädchen) und einer jüngere
Jungen, kam ich auf der Basis der Therapiegespräche und
der Akten zu demselben Schluss. Tallon und Terry halten es
auch für unwahrscheinlich, dass Kleriker und Ordensleute,
die Kinder sexuell misshandelt haben, ihren Beruf in der katholischen Kirche absichtlich gewählt haben, um leichteren
Zugang zu potenziellen Opfern zu haben. Ich bin zu ähnlichen Ergebnissen gekommen.

Verschiedene andere Studien haben untersucht, wie klerikale Sexualstraftäter psychologisch funktionieren, und wollten damit Hinweise auf ihre Straftaten und ihre Entscheidungen erhalten. Viele Kliniker und Forscher halten den
Mangel an Intimität und die emotionale Einsamkeit für entscheidende Faktoren. Andere sehen Depressionen und die
Schwierigkeit, emotionale Probleme auszudrücken, als wichtig an. Für die Vergleichsgruppe der „normalen" Kleriker
fand McGlone heraus, dass 59 % zugaben, irgendeine Form
von psychologischer Behandlung oder Beratung – hauptsächlich wegen Depressionen, sexueller Orientierung, sexueller
Identitätsfragen und Alkoholismus – in Anspruch genommen zu haben. Für die Gruppe der klerikalen Sexualstraftäter zeigten Flakenhain et al., dass nur 1,8–2,5 % von ihnen
jemals vor der Straftat um psychologische Behandlung nach-
gesucht haben. Kleriker, die als Kinderschänder identifiziert
wurden, suchten also so gut wie keine Hilfe für ihre sexuellen und emotionalen Probleme. Das zeigt sich auch in meinen Untersuchungen.

Wut und überkontrollierte Feindseligkeit werden auch als
Teil des Profils von klerikalen Sexualstraftätern gesehen. In
einigen Studien wird im Beziehungsaufbau auch eine Tendenz zu Passivität und Konformität sowie gelegentlich eine
Tendenz zu Schüchternheit festgestellt. Wut spielte auch bei
den Teilnehmern an meiner Untersuchung eine Rolle: Wut,
die auf ein Leben voller Unterwerfung und auf den Versuch

Marie Keenan

zurückging, ein eigentlich unmögliches Leben zu führen. Meine Forschung lässt den Schluss zu, dass die Praktiken des Gehorsams und das Fehlen von persönlicher Autonomie im Leben von Klerikern und Ordensleuten als für das sexuelle Vergehen signifikant angesehen werden müssen – besonders dann, wenn der Gehorsam zu einem Mittel der Unterdrückung durch kirchliche Führungspersonen wird, die lieber mit Gewalt und Kontrolle arbeiten als mit geistiger Lenkung.

Einige Studien fanden heraus, dass Unkenntnis in sexuellen Fragen, mangelndes Grundlagenwissen zur sexuellen Physiologie und zu emotionalen Reaktionen in sexuell aufgeheizten Situationen sowie das, was als emotionale und sexuelle Unterentwicklung beschrieben wird, bei allen klerikalen Straftätern eine Rolle spielt. Loftus und Camargo fanden jedoch heraus, dass die Unkenntnis in sexuellen Fragen bei allen Klerikern, die ein Behandlungszentrum in Kanada aufsuchten, eine Rolle spielte, nicht nur bei denjenigen, die Kinder sexuell misshandelt hatten.

Verschiedenen Studien zufolge sind klerikale Kinderschänder in ihrer Jugend selbst sexuell misshandelt worden, manchmal von einem Priester oder einem Ordensmitglied. Auch in meiner eigenen Untersuchung ist das der Fall: Sechs von neun Teilnehmern berichteten von erlittener sexueller Misshandlung, fünf in der Kindheit und einer im Seminar. Das ist ein wichtiger Befund. Obwohl in der Kindheit erlittene sexuelle Misshandlung nie als Entschuldigung für die eigene Straffälligkeit akzeptiert werden kann und viele Opfer auch nie zu Tätern werden, ist es wichtig herauszustellen, dass viele Kleriker, die als Kinder misshandelt worden sind, über die an ihnen begangenen Verbrechen erst gesprochen haben, als sie wegen sexueller Vergehen selbst in Behandlung waren. Perrillo und andere, die die John-Jay-Daten analysierten, um klerikale Wiederholungstäter zu verstehen, fanden heraus, dass die persönliche Erfahrung als Opfer sexueller Misshandlung die bedeutendste Vorhersagevariable dafür ist, ob Kleriker zu Wiederholungstätern werden. Dies ist ein wichtiger Befund, zumal sich in der allgemeinen Literatur ähnliche Aussagen zu anderen Sexualstraftätern nicht finden. Priester und Ordensleute, die in ihrer Kindheit sexuelle Misshandlungen erlitten haben, unterscheiden sich wohl in dieser Hinsicht von anderen. Nach Aussage der John-Jay-Studie tragen sie ein hohes Risiko, später selbst Kinder sexuell zu misshandeln, und auch meine Studie verweist auf die Rolle dieser Kindheitserlebnisse in der Biografie von fünf Männern, die an meiner Untersuchung teilnahmen.

Die Konsequenz aus der Tatsache, dass fünf der an meiner Studie teilnehmenden Männer in ihrer Kindheit sexuell misshandelt worden waren, ist, dass sie ihr Priester- und Ordensleben mit Schamgefühlen und mit der Angst davor begannen, über ihre Erfahrungen zu sprechen. Wie in vielen Fällen sexueller Kindesmisshandlung waren auch meine Klienten von den Tätern zur absoluten Geheimhaltung verpflichtet und letztlich gezwungen worden. Diese Verpflichtung brachte sie dazu, für die sexuelle „Beziehung" die Verantwortung zu übernehmen. Sie glaubten, Komplizen des Geschehens und daher auch in gleicher Weise schuldig zu sein. Der Hauptgrund, den die Männer für das Verschweigen der erlittenen Misshandlungen angaben, war ihr in sich widersprüchliches Verständnis der Situation und dessen, was ihnen widerfuhr. Die Männer sagten, dass sie ihre Situation für normal hielten, besonders, wenn sie wussten, dass Schulkameraden dasselbe erlebten. Sie glaubten, dass die sexuelle Misshandlung ihnen keinen Schaden zufügte, sie aber in ein negatives Licht rückte und dass sie sie deshalb als „beschämendes Geheimnis" für sich behalten müssten. Vier von fünf Männern, die in ihrer Kindheit Opfer sexueller Misshandlungen und später selbst zum Täter geworden waren, wandten dieselbe Technik an wie ihre Schänder. Die unbearbeitete Scham, mit der sie lebten, musste ihnen in ihrem Priester- und Ordensleben große Probleme bereiten, da sie ja durch ihre seelsorglichen Aufgaben mit den intimsten und höchst verletzlichen Sphären im Leben anderer zu tun hatten. Zwei Männer, deren partielle Motivation zum Priesterberuf in dem Versuch bestand, als Folge einer erlittenen sexuellen Misshandlung auf Sexualität zu verzichten, mussten sich während ihrer Ausbildung doch mit diesen Themen beschäftigen, da ihre Lebenserfahrung ihnen zeigte, dass der völlige Verzicht auf Sexualität ein unrealistisches Ziel ist. Es war das Unglück der beiden Klienten, dass ihre Kindheitserlebnisse während ihrer Ausbildung nicht zur Sprache kamen – weder sie noch sonst jemand thematisierte dies.

Ein anderes Thema, das im Zusammenhang mit sexueller Kindesmisshandlung durch Kleriker oft diskutiert wird, ist die Frage der Homosexualität: Ist die sexuelle Kindesmisshandlung durch Kleriker eine Folge der Weihe von Männern mit homosexueller Orientierung? Schaut man sich die Frage genauer an, so wird die implizite Annahme deutlich, Homosexualität sei per se der Grund für sexuelle Kindesmisshandlung durch römisch-katholische Kleriker. Diese Annahme wird durch die Forschung nicht bestätigt. McGlone vermutet, dass 46–66 % der römisch-katholischen Kleriker, die Kinder oder Jugendliche sexuell misshandeln, homosexuell oder bisexuell sind. Es gibt jedoch keinen Beweis dafür, dass sexuelle Identität und sexuelle Kindesmisshandlung den gleichen Ursprung haben.

Sieben der neun Klienten in meiner Untersuchung hatten homosexuelle Neigungen. Ihre Darstellungen lassen den Schluss zu, dass all ihre Schwierigkeiten, mit dem Zölibat und ihrer Sexualität zurechtzukommen, mit der Verdrängung von und der Furcht vor ihrer Homosexualität zusammenhingen. Ohne institutionelle Hilfe – ja gegen den erklärten Willen der Institution – geschah die Herausbildung des Klerikers als „schwuler" Mann im Verborgenen und war ein individueller und isolierter Weg. Der religiöse und kulturelle

Sittenkodex jener Tage erlaubte es den Männern nicht, an ein Eingeständnis ihrer Homosexualität auch nur zu denken. Obwohl ihnen ihre Situation erhebliche innere Probleme bereitete, behauptete keiner der Männer, dass sie aufgrund ihrer Homosexualität Minderjährige sexuell misshandelt haben, selbst dann nicht, wenn es heranwachsende Jungen betraf. Die Analyse ihrer Darstellungen lässt vermuten, dass Aspekte ihrer unterdrückten Sexualität und der Kampf mit dem Zölibat sowie ihre emotionale Einsamkeit und nicht ihre sexuelle Orientierung per se als signifikant für ihre Sexualvergehen angesehen werden müssen. Laut meiner Studie waren die Herausforderungen durch den Zölibat für homosexuelle Männer nicht größer oder kleiner als für heterosexuelle, und die Unterdrückung sexueller Begierde zeigte sich bei allen Männern unabhängig von deren sexueller Orientierung. Die Angst davor, entdeckt zu werden, war allerdings ein ständiger Begleiter der homosexuellen Männer, und ihre Identität und ihr Selbstvertrauen litten durch diese Angst erheblich.

Die vorliegende Literatur zur sexuellen Kindesmisshandlung durch katholische Kleriker geht nicht hinreichend ein auf das extrem wichtige Thema, das man umreißen könnte als homophobe Tendenzen in der katholischen Kirche und die Art und Weise, wie sie die Entwicklung der menschlichen Sexualität und des natürlichen Ausdrucks von sexueller Begierde und Beziehung verhindern. Es ist von besonderer Bedeutung, da das, was man Homophobie – zumindest die Sicht von Homosexualität als einer Dysfunktion – nennen kann, in der katholischen Kirche institutionalisiert ist und in einem gewissen Maße auch von sozialen Strukturen gestützt wird. Homophobie ist ein besonderes Merkmal männlicher Sexualsozialisation und sexueller Identität und stellt einen zentralen Aspekt einer komplexen Palette von internalisierten und externalisierten männlichen Verhaltensweisen dar. Das trifft umso mehr auf eine Gruppe von Män-

Marie Keenan

nern zu, die zusammen für ein zölibatäres Leben in einer ausschließlich männlichen institutionellen Umgebung sozialisiert wurden.

Die Relevanz von Homophobie in der Reaktion der katholischen Kirche auf sexuelle Kindesmisshandlungen durch Kleriker kann nicht überbewertet werden, und in meinem bald erscheinenden Buch widme ich dieser Frage entsprechende Aufmerksamkeit. Besonders beschäftige ich mich mit der Hegemonie der hetero-normativen Kultur und der spirituellen und emotionalen Gewalt, die Kleriker in ihrer Entwicklung erfahren und die zu einem großen Teil von einer homophoben Kultur ausgehen, die sich rigide – auch heute noch – durch Aspekte der kirchlichen Hierarchie artikuliert. Die jüngsten Verlautbarungen der katholischen Kirche, in denen im Wesentlichen sexuelle Kindesmisshandlung mit Homosexualität verbunden wird, sind fundamental falsch und können sich nicht auf empirische oder respektable Forschung, wissenschaftliche Aussagen, den allgemeinen Sittenkodex oder eine Theologie der Gerechtigkeit stützen. In der Tat tragen diese Fehlinformationen und die Häufigkeit, mit der Homosexualität von der katholischen Hierarchie verdammt wird, wesentlich zur Verschleierung von Fakten zur sexuellen Kindesmisshandlung und zur menschlichen Sexualität bei. De facto leisten diese homophoben Verdammungstiraden der Gefahr Vorschub, dass sich diese Straftaten wiederholen.

Die Rolle der Angst

Etwas, worüber in der Literatur zur sexuellen Kindesmisshandlung durch Kleriker wenig gesprochen wird, was jedoch in meiner Untersuchung deutlich herauskam, ist die Rolle der Angst. Die Analyse der Darstellungen der Klienten in meiner Untersuchung zeigt deutlich, dass sie ihre Berufung zum Priester oder Ordensmitglied auf Angst aufbauten: auf der Angst vor einem Bruch des Zölibats und auf der Angst, anderen (besonders Autoritätspersonen) zu missfallen. Entsprechend entwickelten diese Männer verschiedene Strategien, ihr Priesteramt zu „erledigen": Sie waren unterwürfig in der Beziehung zu anderen, sie vermieden Beziehungen zu Frauen und sie vermieden engere Beziehungen zu Männern. Kurz gesagt: Sie vermieden Intimität. Resultate dieser Strategien waren eine geringe Zuneigung zu Erwachsenen, die Angst vor emotionaler und körperlicher Intimität und lange Zeiträume emotionaler Einsamkeit. Obwohl drei der betroffenen Männer meiner Studie sagten, dass sie ihre anfängliche Angst davor, anderen zu missfallen und sich jemandem emotional zu öffnen, als Kind in ihren Familien gelernt hätten, und zwei Männer glaubten, dass diese Verhaltensmuster eine Reaktion auf ihre eigenen Erfahrungen sexueller Misshandlung darstellten, glaubten alle Männer, dass sich diese Probleme durch die Erfahrungen im Seminar und während ihrer Ausbildung verschärften.

Ausgehend von einer Analyse der Fachliteratur über das Leben von „normalen" und straffällig gewordenen Klerikern und von eigenen Forschungen zum Thema komme ich zu dem Schluss, dass die individuelle Pathologie zur Erklärung von Sexualvergehen durch römisch-katholische Kleriker nicht ausreicht. Es müssen alternative Interpretationen erforscht werden. Man kommt zu einem ähnlichen Schluss, wenn man klerikale Täter mit nicht-klerikalen Tätern vergleicht. Es besteht ein breiter Konsens in der psychologischen Literatur darüber, dass die klerikalen Täter eine atypische Gruppe in der Gesamtgruppe der Kinderschänder darstellen und dass situative und kontextuelle Faktoren eine signifikante Rolle bei ihren Vergehen spielen. Als Ergebnis ihrer erschöpfenden Analyse aller verfügbaren Daten zur sexuellen Kindesmisshandlung durch Kleriker in den Vereinigten Staaten zog Terry folgenden Schluss: „Es gibt nur wenige

Marie Keenan

Informationen zu identifizierbaren Pathologien von Tätern (z. B. klare Indikationen von Pädophilie), aber es gibt viele Informationen, die auf einen selektiven opportunistischen Effekt verweisen. Die Mehrzahl der Opfer war männlich, aber das ist die Gruppe von Kindern und Jugendlichen, zu der die Priester den besten und am wenigsten beschränkten Zugang hatten." Da die Art des Zugangs straffällig gewordener Kleriker zu ihren Opfern ein Produkt ihrer institutionellen Identität ist und die mit ihrer Rolle verbundene Art der Sicherheit ein Produkt der qua Institution vermittelten Autorität, ist es wichtig, dass die Institution sich selbst daraufhin untersucht, was ihre Struktur und Geschichte zu dem Problem beigetragen haben. Zugang und Gelegenheit sind sicher wichtig, aber meine Studien zeigen, dass es eine unzulässige Vereinfachung eines komplexen Themas wäre, die sexuelle Misshandlung Minderjähriger nur als Problem von Zugang und Gelegenheit zu sehen. Viele Kleriker mit uneingeschränktem Zugang zu Minderjährigen werden nie in dieser Weise straffällig.

Das Individuum und die Institution

Will man klerikale Kinderschänder verstehen, so lassen sich ihre Vergehen nur in dem einzigartigen Kontext ihres Lebens und Amtes als römisch-katholische Geistliche innerhalb der römisch-katholischen Kirche verstehen. In der Literatur zu diesem Thema wird eine Anzahl von institutionellen Aspekten der römisch-katholischen Kirche gesehen, die ein Klima begünstigen, in dem sexuelle Kindesmisshandlungen durch Kleriker „gedeihen". Die Merkmale der Institution Kirche, die ein solches Klima erzeugen, sind die Sexualmoral, Macht und die kirchlichen Strukturen der Machtbeziehungen, die hierarchisch geordnete Autoritätsstruktur, die klerikale Kultur und die Seminarausbildung. Diese institutionellen Aspekte werden ihrerseits beeinflusst von Tradition und Lehre, die von einigen Forschern als fast zwangsläufig zu klerikalem Sexualvergehen und zu defizitären Reaktionen der katholischen Hierarchie führend angesehen werden. Wichtig ist hier das Beziehungsgeflecht aus den Kräften der Sexualität, Macht und Machtbeziehungen, Herrschaftsstrukturen und klerikaler Kultur sowie der Einfluss all dieser Faktoren – sei er fördernd oder beschränkend – auf das Leben derer, die zu Tätern wurden, derer, die in der Hierarchie aufstiegen, und derer, die ein Leben als „normale" Kleriker führten. Obwohl viele kirchliche Führungspersönlichkeiten es vorziehen, sich diese Tatsache nicht bewusst zu machen, und lieber in der Kategorie einer individuellen Pathologie als der eines systemischen Zusammenbruchs denken, scheinen alle Beweise auf das Gegenteil zu verweisen.

Außerdem sollten eine Kirche und eine soziale Kultur, die die Schuld lieber Individuen geben – d. h. den straffällig gewordenen Klerikern und den Vorgesetzten, die pflichtwidrig Misshandlungsklagen nicht nachgegangen sind –, ihre Position noch einmal gut überdenken. Sie sollten sich auf die institutionellen Dimensionen der Ätiologie des Problems konzentrieren, genauso wie auf die Art und Weise, mit der das Problem im populär-öffentlichen Diskurs erscheint. Das bedeutet nicht, den Individuen die Verantwortung für ihre Taten abzusprechen. Es soll vielmehr nur auf die Tatsache verwiesen werden, dass beim Versuch, das Problem zu verstehen und möglicherweise eine Lösung zu suchen, ein Ansatz, der sich nur auf die „named and shamed" (benannten und beschämten) Individuen konzentriert, wohl auf bedauerliche Weise scheitern muss. Ein solcher Versuch stützt die institutionellen Aspekte des Problems, Aspekte, die zu weiteren menschlichen Problemen und möglicherweise auch zu weiteren Misshandlungen beitragen. Da die Identität des klerikalen Mannes ihre Ausformung durch die Institution der römisch-katholischen Kirche erfährt, sind Verletzungen seiner Identität im Fall des Sexualstraftäters oder Einsatz für das, was in ihren Augen das Beste für die Kirche ist, im Fall von Vorgesetzten, denen Pflichtverletzung vorgeworfen wird, institutionelle Angelegenheiten.

Da im Zusammenhang mit sexueller Kindesmisshandlung durch Kleriker oft der Zölibat erwähnt wird, möchte ich darauf hinweisen, was die Klienten meiner Untersuchung zu diesem Thema und ihrem jeweiligen Sexualvergehen gesagt haben. Alle Klienten glaubten, dass sie aus freien Stücken das Zölibatsversprechen abgelegt haben, und sie sagten, dass sie sich, selbst wenn der Zölibat zum Zeitpunkt ihres Versprechens eine freiwillige Option dargestellt hätte, für den Zölibat entschieden hätten. Während ihrer Seminarzeit „konditionierten sich" diese Männer „zur Abstinenz", aus Liebe zu Gott und zum Wohl ihrer Mitmenschen sowie als Teil dessen, was sie als ihre Arbeit auf Erden für Gott verstanden. Ihre Darstellungen lassen den Schluss zu, dass sie den Zölibat freiwillig auf sich nahmen und hofften, dass sie ihn nach ihrer Ordination oder Ordensprofess als etwas Selbstverständliches ansehen und problemlos leben können würden. Ihre Vorgesetzten hatten ähnliche Erwartungen. Das Fehlen eines offenen und ehrlichen Dialoges in den Seminaren, verbunden mit dem Schweigen von Kirchenführern, Mentoren und anderen Priestern zu Problemen und Schwierigkeiten mit zölibatärer Sexualität trug zu diesen Ansichten bei. Die Klienten machten sich Gedanken darüber, wie wenig sie von sich selbst und ihrem emotionalen Leben zum Zeitpunkt ihres Zölibatsgelöbnisses gewusst hatten.

Die Klienten meiner Untersuchung verstanden die Bedeutung und das Ziel des priesterlichen Zölibats und der Enthaltsamkeit zum Zeitpunkt ihrer Ordination oder Profess intellektuell sehr wohl. Sie akzeptierten den Zölibat klar als „Geschenk" oder „Opfer", und keiner von ihnen hielt den Zölibat für die Ursache seines Vergehens. Sie sahen den Zölibat nicht als einen „Verlust" an. Um als guter Kleriker zu leben, versuchten sie zu geschlechtslosen Wesen zu werden und intime oder enge Beziehungen zu Erwachsenen zu vermeiden. Sie hielten dies für den besten Weg, mit dem Zölibat umzugehen. Die Männer beschäftigten sich erst mit dem emotionalen Aspekt eines solchen Verlustes, als sie in große emotionale und soziale Konflikte gerieten.

Die Teilnehmer meiner Untersuchung glaubten, dass sie für ein Zölibatsversprechen emotional und sexuell nicht adäquat vorbereitet worden waren und dass sie unrealistischerweise geglaubt hatten, diesen Weg allein gehen zu können. Ihre Erfahrungen im Seminar waren ihnen weder eine hinreichende Hilfe noch eine hinreichende Herausforderung, mit ihrem emotionalen und sexuellen Selbst ehrlich umzugehen. Fünf von neun Männern dachten, dass sie keine Vorstellung von der Schwierigkeit einer lebenslangen Abstinenz hatten, als sie das Gelübde ablegten. Acht von neun Männern hatten vor ihrem Eintritt in das Seminar oder in den Orden keinerlei sexuelle Erfahrungen in Beziehungen. Die Darstellungen der Männer machen deutlich, dass sie alle Schwierigkeiten hatten, mit dem Zölibat zurechtzukommen, und dass er enorme innere Konflikte hervorrief. Da jedoch sexuelle Kindesmisshandlung und sexuelle Grenzverletzungen auch von Erwachsenen begangen werden, denen die sexuellen Ventile Erwachsener zur Verfügung stehen, könnte man argumentieren, dass es zwischen der Verpflichtung zum Zölibat (und dem Mangel an sexuellen Ventilen) und der sexuellen Kindesmisshandlung keine Verbindung gibt. Die Ausführungen meiner Klienten lassen den Schluss zu, dass die Zölibatsdisziplin selbst nicht das Hauptproblem ist, dass aber die fehlende Vorbereitung auf ein entsprechendes Leben und die fehlende Unterstützung im „alltäglichen" Zölibat als signifikant für die Verfehlungen angesehen werden müssen. Zu diesem Schluss kommt man vor allem, wenn man berücksichtigt, dass diese Männer ver-

Marie Keenan

sucht haben, zum Schutz ihres Zölibates ein Leben ohne emotionale Intimität zu führen. In solchen Situationen verstärkten sich die Probleme der emotionalen Einsamkeit und Isolation und damit das Risiko einer Verletzung sexueller Grenzen. Ihr Verständnis der katholischen Moraltheologie, die die neuesten Forschungen zu biologischen und psychologischen Aspekten menschlicher sexueller Entwicklung nicht berücksichtigt, spielte auch eine signifikante Rolle bei ihren sexuellen Vergehen. Diese Ansicht wird von anderer Forschung zu dem Thema gestützt.

Die Teilnehmer meiner Untersuchung, die sexuell unreif oder mit signifikanten sexuellen und emotionalen Konflikten ins Priesterseminar eingetreten waren (besonders nach eigener Erfahrung als Opfer sexueller Straftaten in der Kindheit oder mit Problemen bezüglich der sexuellen Orientierung), verließen das Seminar mit noch größeren inneren Konflikten und mit noch stärkerer emotionaler Entfremdung und Angst. Keiner der Männer erlebte einen offenen und ehrlichen Zugang zu Mitseminaristen oder Oberen oder Kirchenführern als Bestandteil ihrer Ausbildung. Keiner der Männer hatte ungezwungenen Umgang mit älteren Mentoren (nicht geistlichen Begleitern), die sie in einem diskursiven Umfeld hätten stützen können, als sie im Umfeld ihres Priester- oder Ordenslebens zu leben und zu lieben lernten.

Nicht ihre spirituelle Beziehung zu Gott war ihr Problem, sondern ihre menschliche Beziehung zum anderen. Dadurch, dass Diskussionen über die menschlichen Aspekte des Zölibats vermieden wurden, entstand in den Seminaren, Ordensgemeinschaften und Diözesen ein Klima, in dem Schwierigkeiten mit Sexualität und Zölibat eher als Probleme Einzelner denn als ein Problem vieler gesehen wurden. Im Rahmen dieses Isolationismus, in dem es an Dialog und Beziehung mangelte, fiel es der katholischen Kirche leicht, sexuelle Kindesmisshandlung durch Kleriker als individuelle pathologische Fälle oder abweichendes Verhalten ohne organisatorische Relevanz zu sehen. Ranson nimmt an, dass der individualisierte, nicht-anerkannte Kampf mit dem Zölibat wohl am Ende einen ungesunden Ausdruck finden muss. Die Ausführungen meiner Klienten zeigen, dass genau dieses auf sie zutraf.

Rückfälligkeit, wiederholtes Vergehen und Wirksamkeit von Behandlung

Bei gleichbleibend hoher medialer Aufmerksamkeit werden die klerikalen Täter in den meisten Veröffentlichungen als eine homogene, sehr gefährliche Gruppe porträtiert. Meine Untersuchungen und die in der John-Jay-Studie veröffentlichten Daten zeigen aber, dass eine solche Darstellung keinen echten Bezug zur Wirklichkeit hat. Die gegenwärtigen Darstellungen von klerikalen Kinderschändern sind beeinflusst von Machtstrukturen, dem jeweiligen Interesse der Beteiligten und professionellem Urteilen. Die professionellen Diskurse stellen kaum die von ihnen behauptete „objektive" Wirklichkeit dar; sie sind vielmehr Beiträge zu einer Charakteristik, die den Kinderschänder als grundlegend verschieden vom Rest der Gesellschaft beschreibt. Dadurch tragen sie unwissentlich zu einer Situation bei, in der der Kinderschänder marginalisiert und dämonisiert wird. Trotz ihrer Heterogenität werden sie in den Medien summarisch als „Monster", „Tiere/Vieh", „Raubtiere" porträtiert, was eine moralische Panik bewirkt, in der das Risiko eines Sexualvergehens durch fehlerhafte Angaben der Rückfallquoten und der Darstellung aller Sexualvergehen als ihrer Natur nach pädophil dramatisiert wird. Sicher gibt es gefährliche klerikale Sexualstraftäter mit hohen Rückfallquoten, aber sie stellen nur eine Minderheit dar. Darum wären weitere Forschungen notwendig, um zu verstehen, wie es die nicht rückfällig gewordenen Kleriker schafften, weitere Vergehen zu unterlas-

Marie Keenan

sen, und durch welche Faktoren sie sich von denen unterscheiden, die auch nach Behandlungsmaßnahmen weiterhin rückfällig wurden. Die Daten zu den Rückfallquoten von Tätern, die sich gegenwärtig einer Behandlung unterziehen, sind sehr ermutigend.

In einer Vielzahl von Studien hat es sich gezeigt, dass der mit Abstand beste Indikator für Wiederholungstäter phallometrische Messungen und eine generelle kriminelle Biografie ist. Sie zeigen, dass das Rückfallrisiko für Männer, deren sexuelles Erregungsmuster von der Norm abweicht und die ein besonderes sexuelles Interesse an Kindern und eine kriminelle Biografie haben, wesentlich größer ist. Da nur wenige Priester, die sexueller Vergehen beschuldigt wurden, ein paraphiler Aktivität entsprechendes Verhalten zeigten und nur wenige Kleriker wegen nicht-sexueller Straftaten verurteilt oder angeklagt waren, kann man schließen, dass das Rückfallrisiko für klerikale Straftäter gering ist. Dieser Schluss wird auch durch anekdotische Ergebnisse gestützt, die sich in Berichten über Behandlungsmaßnahmen mit katholischen Klerikern finden.

Die bis heute umfangreichste Studie zur psychologischen Behandlung von Sexualstraftätern ist die des *Collaborative Outcome Data Project Committee* in den Vereinigten Staaten. Dieses Komitee wurde 1997 von führenden Wissenschaftlern mit dem Ziel gegründet, die existierende Literatur zu Sexualstraftätern zu sichten und neue Evaluationsprojekte anzustoßen, die vergleichende Forschung und kumulatives Wissen ermöglichen. Das Projekt existiert noch; der erste Bericht kam zu dem Schluss, dass die aktuellen psychologischen Behandlungen zu einer Reduzierung von sowohl sexuellen als auch allgemeinen Rückfällen führen. In einer als gut fundiert angesehenen Studie berichtete das Komitee, dass nach durchschnittlich vier bis fünf Jahren der therapeutischen Begleitung 9,9 % der behandelten Männer wieder eine Sexualstraftat begingen, im Vergleich zu 17,4 % der nicht behandelten Männer. Der Studie zufolge kann man abschließend sagen, dass die aktuellen therapeutischen Behandlungen definitiv zu einer Reduzierung von Sexualvergehen führen, und tatsächlich sind seit 2002 noch größere Erfolge durch einzelne Therapeuten bekannt geworden. Im Lichte dieser aktuellen ermutigenden Forschungsergebnisse ist das von früheren Arbeiten verbreitete öffentliche Fehlurteil dringend zu revidieren, demzufolge eine Behandlung von Sexualstraftätern nichts bringe. Diese früheren Arbeiten stützten sich auf veraltete und unbefriedigende Behandlungsmethoden. Man nimmt an, dass sich dieser Trend fortsetzt, da sich die Behandlungsprogramme seit den 1970er-Jahren beträchtlich verändert haben und die Studien zu den neueren Behandlungsformen erst in letzter Zeit zur Verfügung stehen. Außerdem kann man sagen, dass klerikale Kinderschänder, die sich einer Behandlung unterzogen haben, geringere Rückfallquoten haben als andere Kinderschänder. So geben einige Behandlungszentren die Rückfallquote für katholische Kleriker mit weniger als 3 % an.

Römisch-katholische Kirchenführer sind vielfach in die Falle derer gelaufen, die klerikale Straftäter als eine homogene und sehr rückfallgefährdete Gruppe porträtieren. Dieser Fehler zeigt sich deutlich in der Art und Weise, wie aktuell seitens der Kirchenleitung mit klerikalen Kinderschändern umgegangen wird. Es liegen auch Beweise dafür vor, dass die Kirchenführung Angst vor der Öffentlichkeit und einer immer wachsameren Presse hat und dass Angst einige der getroffenen Entscheidungen beeinflusst. Diese Analyse wird bestätigt durch die kirchliche Politik der Null-Toleranz, die zur endgültigen Entfernung eines Klerikers aus dem Priesterdienst führt, der nur ein einziges Mal zu Recht der sexuellen Misshandlung Minderjähriger beschuldigt wurde. Auch die Tatsache, dass der Umgang mit klerikalen Straftätern von dem „Alle-in-einen-Topf"-Motto bestimmt wird, verstärkt die Ansicht, dass der Kirchenleitung als Grundlage für ihre

Marie Keenan

Entscheidungen nicht aktuelle wissenschaftlich erhobene Daten und erwiesene Fakten dienen, sondern populistisch vertretene Positionen.

Kontrolle des Missbrauchs – Missbrauch der Kontrolle

In vielfacher Hinsicht entwickeln sich die kirchenamtlichen Kontrollmaßnahmen gegen sexuelle Kindesmisshandlungen zu einem regelrechten Missbrauch der Kontrolle durch einige Teile der Führung der katholischen Kirche. Es werden Fehler gemacht im Namen des Kinderschutzes, so wie früher Fehler gemacht wurden im Namen des Kirchenschutzes. Die aktuellen Strategien im Umgang mit Misshandlungsklagen haben bei mehreren Priestern, die zu Unrecht beschuldigt wurden, zu Traumata und unendlichem Leid geführt. Es wurden Strategien und Verfahren in Gang gesetzt, die zweifelsfrei die bürgerlichen Rechte und die Menschenrechte der betroffenen Priester verletzten. Die Beziehungen zwischen Bischöfen und Klerikern werden durch diese Politik und Praxis ebenfalls zerstört – mit Folgen, die sich erst in der Zukunft in ihrer Gesamtheit zeigen werden. Ferner lassen die „Alle-in-einen-Topf"-Methode, die man auf die klerikalen Kinderschänder anwendet, und die Grundsätze, die oft deren streng reguliertes Leben bestimmen, den Schluss zu, dass einige der Prinzipien von Wiedergutmachung und Vergebung, auf denen die katholische Kirche aufbaut, hier selten zur Anwendung kommen.

Die Maßnahmen zur Beurteilung des Risikos, das von den straffällig gewordenen Priestern ausgeht, bedürfen der Balance, und hierzu ist eine verfeinerte Analyse nötig, die in partnerschaftlicher Arbeit den Rat von Fachleuten und Laien verbindet. Obwohl der Schutz der Kinder vor künftigen sexuellen Vergehen lobenswert und wichtig ist, ist auch die Sorge für alle Glieder der Kirche wichtig. Dies schließt auch die sündigen Kleriker ein (und das gilt auch für jene Kirchenführer, die den Anklagen wegen sexueller Kindesmisshandlung nicht nachgegangen sind). Die Übergabe von Tausenden von Dokumenten ohne Rücksicht auf die Rechte zahlloser Individuen – wie es bei einer Untersuchung von Misshandlungsklagen in der Diözese Ferns und in der Erzdiözese Dublin geschah und auch von vielen begrüßt wurde – ist meiner Meinung nach ein weiterer Beweis dafür, dass sich die katholische Kirchenleitung von der öffentlichen Meinung so unter Druck gesetzt fühlt, dass sie keine guten Entscheidungen trifft. Das *Ferns Inquiry Team* berichtete, dass ihm weit mehr als die verlangten Dokumente übergeben worden seien und auch mehr, als irgendein Gericht hätte erzwingen können.

Die für die relevanten Untersuchungen notwendigen Dokumente sollten und könnten den verschiedenen Untersuchungskommissionen auf eine Art und Weise ausgehändigt werden, die die Rechte derjenigen schützt, die nie wollten, dass die Details ihrer leidvollen Erfahrungen jedem beliebigen Gericht oder gar Quasi-Gericht vorgelegt werden. Sie haben nun die Erfahrung von Verrat gemacht. Viele Kleriker und auch Kirchenführer könnten nun das Recht haben, sich verraten zu fühlen durch die Art, wie Verfahren durchgeführt wurden – Verfahren, die man als ungerecht und repressiv im Namen der „Gerechtigkeit" bezeichnen könnte. Ebenso stellten viele Untersuchungen zu sexuellen Kindesmisshandlungen in Großbritannien fest, dass die öffentlichen Anhörungen immer von Schuldzuweisung und Kritik begleitet wurden. Offensichtlich lässt sich diese Verhaltensweise auch bei den Untersuchungen von sexuellen Kindesmisshandlungen in Irland beobachten. Die Berichte scheinen mehr darauf abzuzielen, Urteile zu fällen und unterschiedliche Grade an Schuldzuweisungen vorzunehmen, als aus dem vergangenen Geschehen etwas Konstruktives zu lernen. Auch gehen sie nicht auf die emotionalen und kontextuellen Faktoren innerhalb der professionellen und religiösen Netzwerke ein, die das Urteilsvermögen der betroffenen Kirchenführer und klerikalen Täter massiv beschädigt haben. Der wertende Ton vieler Abschlussberichte erlaubt den Schluss, dass es ihnen weniger darum geht, konstruktive Lehren aus der Vergangenheit zu ziehen mit dem Ziel, ähnliche Tragödien in der Zukunft zu verhindern, als vielmehr darum, Individuen in aller Öffentlichkeit zu demütigen. Mit der Zeit werden die Arbeiten und Berichte der verschiedenen Kommissionen (*Commissions of Inquiry* und *Commissions of Investigation*) zur sexuellen Kindesmisshandlung durch Kleriker und zum Umgang mit Misshandlungsklagen durch die katholische Hierarchie zweifelsfrei wissenschaftlich und kritisch analysiert werden.

Über Schuldzuweisung hinaus heilende Perspektiven anbieten

Sipe bezeichnet die sexuelle Misshandlung Minderjähriger durch römisch-katholische Kleriker als „Spitze des Eisbergs", der aus allen Problemen mit der Sexualität in der römisch-katholischen Kirche gebildet wird. Weil unerlaubte sexuelle Aktivitäten eher wahrscheinlich sind, wenn es nur wenig Offenheit zu diesem Thema gibt oder wenn der sexuellen Ehrlichkeit und der sexuellen Reife nur ein geringer Wert zugesprochen wird, könnte das Thema sexuelle Kindesmisshandlung gut dazu dienen, den allgemeinen Stand der sexuellen Gesundheit und Reife des römisch-katholischen Klerus zu thematisieren. Man könnte sagen, dass das Problem der Kindesmisshandlungen ein auf kleiner Flamme köchelndes Problem angeheizt hat und einen systemischen Anstoß darstellt, klerikale Sexualität auf die kirchliche Agenda zu setzen. Meine Forschungen zur sexuellen Kindesmisshandlung durch Kleriker zeigen, dass diese Misshandlungen vor dem

Hintergrund der Literatur zur Lebensweise „normaler" Kleriker und ihrer Sexualität untersucht werden müssen und nicht als eine zusammenhanglose Sphäre klerikaler Aktivität. Der Bedarf an einer mitfühlenden, Empathie zeigenden Führung war noch nie größer.

Meine Schlussfolgerung ist, dass sexuelle Kindesmisshandlungen durch katholische Kleriker in einem komplizierten Wechselspiel von individuellen und systemischen Faktoren stattfinden. Die Natur des Problems lässt sich nicht aus einer einzelnen Ursache erklären. Während einige Forschungsarbeiten zu diesem Thema dazu tendieren, von der Norm abweichende oder „perverse" katholische Kleriker zu beschreiben, zeigen meine Forschungen, wie gewöhnliche Männer dazu kamen, Kinder und Jugendliche zu misshandeln. Meine Arbeiten verweisen auf die kleinen, vielleicht verständlichen Kompromisse, die gewöhnliche Männer auf dem Weg zur sexuellen Kindesmisshandlung schlossen. Für viele von uns kann mein Ansatz problematischer sein als andere Berichte über sexuelle Kindesmisshandlung, vor allem deshalb, weil es hier nicht mehr nur um „pädophile Priester", sondern möglicherweise um dich und mich geht. Viele öffentliche Kommentare zu diesem Thema konzentrieren sich auf „perverse" Kleriker, psychologische Dysfunktion oder kriminelle Gefahren. Man sucht nach einem umfassenden Charakterzug oder nach einer Persönlichkeitsstruktur, die alles erklärt. Meiner Meinung nach ist diese Suche sinnlos. Eine neue Denkweise ist dringend erforderlich. Wenn wir die sexuellen Kindesmisshandlungen durch Kleriker und die sie bedingenden und systemischen Faktoren ernsthaft untersuchen, könnte das ein Weg sein, zukünftige Verbrechen zu verhindern. Das ist jedoch nicht genug. Falls wir wirklich den Kindern helfen und eine sichere Gesellschaft für alle schaffen wollen, müssen wir über das Stadium der Schuldzuweisung hinausgehen und präventive und heilende Perspektiven anbieten. So könnten wir auch daran arbeiten,

Marie Keenan

eine Vielzahl von Leben zu heilen, die unter der Last der sexuellen Kindesmisshandlung durch katholische Kleriker leiden: Opfer, Täter, ihre jeweiligen Familien, zu Unrecht beschuldigte Kleriker und deren Familien, Priester und Ordensleute und die katholischen Laien und die vielen Bischöfe und Kirchenführer, von denen einige ein Leben voller Angst und als gebrochene Männer und Frauen führen.

Die katholische Sexuallehre – einige Ideen für einen neuen Denkansatz

Tony Flannery

Die Suche nach den Ursachen dafür, warum so viele Menschen, die als Priester oder Ordensleute ihr Leben der Nachfolge Christi gewidmet haben, in sexuelle Kindesmisshandlungen verwickelt sind, veranlasst viele von uns, die traditionelle Sexuallehre der Kirche noch ernsthafter zu hinterfragen, als wir es bisher schon getan haben. Seán Fagan hat in seinem Beitrag einen historischen Überblick über die Entstehung dieser Lehre und über die verschiedenen Einflüsse gegeben, die während ihrer Herausbildung bestimmend waren. Unglücklicherweise waren viele dieser Einflüsse weit entfernt von der Lehre Jesu und führten die Kirche auf Wege, die man heute als schädlich ansehen muss. Donal Darr verwendet zur Beschreibung der traditionellen katholischen Sexuallehre den Begriff „seriously warped" (stark verzerrt). In Marie Keenans Studie zu klerikalen Sexualstraftätern werden ebenfalls Fragen zur Vermittlung der Sexualmoral in den Priesterseminaren gestellt. Meine Hoffnung ist, dass all die Enthüllungen der letzten Jahre über die unterschiedlichsten Formen der Straffälligkeit katholischer Kleriker und Ordensleute die Kirche zu einer Überprüfung ihrer Sexuallehre und dazu bewegen können, eine grundlegende Veränderung einzuleiten. Das Ergebnis

muss eine Sexualmoral sein, die stärker mit Jesu Geistes-
haltung übereinstimmt und die den Anforderungen eines
christlichen Lebens im 21. Jahrhundert entspricht.

Die Enzyklika Humanae vitae – eine Katastrophe für die Kirche

Seit dem Zweiten Vatikanischen Konzil ist auf diesem Gebiet
viel Arbeit geleistet worden, und es haben sich viele neue
Denkansätze herausgebildet, die die harten, wertenden Einstellungen und Lehraussagen der Vergangenheit abmildern.
Aber diese Arbeit war bruchstückhaft und kompliziert. Die
berühmte Enzyklika *Humanae vitae* Papst Pauls VI. zur Empfängnisverhütung (1968) baute wieder Hindernisse auf und
nahm der neuen Bewegung und ihren Arbeiten den
Schwung. Rückblickend neige ich sogar zu der Ansicht, dass
diese Enzyklika wahrscheinlich die größte Katastrophe für
die katholische Kirche im vorigen Jahrhundert war. Und was
die Geschichte wirklich traurig macht, ist, dass die Enzyklika, obwohl sie als sorgfältig durchdachte und gewissen-
hafte Entscheidung präsentiert wurde, mittlerweile von vielen Leuten eher als das Resultat eines Machtkampfes
zwischen denjenigen angesehen wird, die die Reformen des
Konzils weiterführen wollten, und denjenigen, deren Ziel
das Festhalten am Althergebrachten war. Man muss fairerweise sagen, dass es seit damals einen ständigen Kampf, eine
Art Heckenschützenfeuer zwischen den als liberal bezeichne-
ten Moraltheologen auf der einen Seite und den kirchlichen
Autoritäten sowohl auf nationaler als auch auf vatikanischer
Ebene auf der anderen Seite gibt. Im Verlauf dieses Kampfes
sind einige der wagemutigsten oder fantasievollsten Stimmen entweder zum Schweigen gebracht oder an den Rand
gedrängt worden. Ich denke an Leute wie Charles Curran
oder den großen Bernhard Häring in seinen späteren Jahren.

Aufgrund dieser Störungen konnten Änderungen in der katholischen Sexuallehre, von denen einige durchaus bedeutend waren, den einfachen Gläubigen nicht effektiv und wirkungsvoll vermittelt werden. Folglich kamen wissenschaftliche Erkenntnisse und gelebte Erfahrungen der Menschen nicht wirklich in einen gegenseitigen Austausch. Dies war für den weiteren Verlauf der Entwicklung entscheidend.

Die fundamentalistische und dogmatische Versuchung

Damit die christliche Lehre in den unterschiedlichen Lebensbereichen wirkungsvoll werden kann, bedarf es aus meiner Sicht zweier Eigenschaften: 1. Die Lehre der Kirche muss dem Geist und der Lehre Jesu, wie sie sich aus einer wissenschaftlich fundierten Auslegung des Neuen Testaments erschließen, so nahe wie möglich kommen. Jede Form fundamentalistischer Bibellektüre, die ohne Rücksicht auf den Entstehungsprozess der Texte verbindliche Lehraussagen buchstabengetreu aus der Bibel ableitet, ist strikt zu vermeiden. Denn das würde sofort die zweite wesentliche Eigenschaft ausschließen: 2. Die Lehre muss in ständiger Interaktion mit der Erfahrung der Gläubigen weiterentwickelt werden, die versuchen, die Lehre in ihrem täglichen Leben umzusetzen. Falls die Lehre nicht über die erste Eigenschaft verfügt, entstehen solche Probleme, wie sie Seán Fagan in seinem Artikel skizziert hat. Falls die Lehre nicht über die zweite Eigenschaft verfügt, ist sie totes, nutzloses Wissen, das auf einem Bücherregal liegt und Staub ansammelt. Historisch gesehen war das der Schwachpunkt der katholischen Theologie. Sie hatte eine Tendenz zu Dogmatismus, zur Weitergabe der Lehre an gehorsame und gelehrige Gläubige, die alles akzeptierten. Ich weiß, dass es Leute – unter ihnen auch Theologen – gibt, die glauben, es gebe zu diesem oder jenem Thema eine Basislehre, die auf die Bibel zurückgehe und für alle Zeiten fest und unveränderlich sei. Ich sehe das nicht so. Ich denke, dass Jesus uns grundlegende Prinzipien gab, mit denen wir arbeiten sollen. Jede Generation – und hier sowohl die Kirchenleitung als auch alle anderen Kirchenmitglieder – muss mit der Kultur und den Gegebenheiten ihrer Zeit in Austausch treten und herausfinden, wie genau diese Prinzipien zur jeweils gegebenen Zeit und am jeweils gegebenen Ort anzuwenden sind. Manchem mag das wie Relativismus erscheinen, eine Denkweise, die Papst Benedikt XVI. so entschieden ablehnt: Sie führe zu einer Moral à la carte, bei der sich die Menschen auswählen, was sie glauben wollen, und objektive Prinzipien fehlen. Aber wir haben doch ein fundamentales Prinzip, auf das sich all unsere Handlungen gründen müssen: dass die Anhänger Jesu ständig versuchen sollen, einander zu lieben.

Themenfelder für einen Neuansatz der kirchlichen Morallehre

Ich möchte im Folgenden vier Themenfelder beschreiben, in denen meiner Ansicht nach wesentliche Grundlagen für eine neue katholische Sexuallehre geschaffen werden müssen.

Positive Akzeptanz – Sexualität ist gut und nicht sündig

Ein grundlegender Fehler der traditionellen katholischen Sexuallehre ist deren gefühlte Negativität. Wir waren uns immer sicherer, wogegen sie war, als wofür sie stand. Und die allgemeine Wahrnehmung war, dass sie gegen sexuelle Aktivitäten jeglicher Form war und nur das duldete, was der Erhaltung der menschlichen Art diente. Man ließ uns fühlen, dass unsere sexuelle Natur Teil unseres gefallenen Selbst sei und zur Sünde von solcher Schwere neige, dass sie uns zur ewigen Verdammnis führe. Vielleicht war das gar nicht die Absicht der verschiedenen Kirchenlehrer im Laufe der Jahrhunderte, aber es prägte zweifellos die Erfahrung der meisten Menschen. Diese Botschaft wurde verstärkt, indem man die Lebensform des Zölibats als der Lebensform der Ehe überlegen darstellte. Nur zölibatär lebende Kleriker durften predigen, und wir wissen heute, dass diese Prediger genau diejenigen waren, die mit ihrem eigenen sexuellen Verlangen – manchmal erfolgreich, manchmal weniger erfolgreich – kämpften. Wenn wir kämpfen, neigen wir oft zur Überbetonung des Punktes, der uns schwerfällt und an dem wir versagen. Aus diesem Grund stellten die angeblich zölibatär lebenden Prediger die kirchliche Sexuallehre manchmal extrem streng und eng dar. Darum sollte ein wesentliches Charakteristikum einer neuen Sexuallehre die positive Akzeptanz sein: Es gilt, nicht nur die Schönheit und den Wert unserer sexuellen Natur wirklich positiv zu akzeptieren, sondern auch die sexuellen Aktivitäten in zwischenmenschlichen Beziehungen. Die Idee von einer ihrem Wesen nach sündigen Sexualität muss ausgemerzt werden. Das bedeutet eine große Aufgabe. Wenn die Kirche sich dieser Aufgabe stellen würde, bräuchte es eine lange Zeit, bis sie wirklich davon überzeugt wäre, dass Sexualität etwas Schönes und Gutes ist, ein Teil der Wunder der göttlichen Schöpfung. Wie Seán Fagan schreibt, gäbe es eine Menge Ballast, der aus unserem Denken und aus unserer Lehre entfernt werden müsste. Aus meiner Sicht ist die Wende zur positiven Akzeptanz die unverzichtbare Grundlage einer neuen Sexuallehre. Diese Wende muss unternommen werden, selbst wenn es zu ihrer vollen Verwirklichung eines Jahrhunderts oder gar zweier Jahrhunderte bedarf. Unsere sexuelle Natur ist gut, und unsere sexuelle Aktivität ist gut, nicht böse oder sündig. Alles andere sollte hieraus erwachsen.

Tony Flannery

Den engen Zusammenhang zwischen Sexualität und Ehe auflösen

Die zweite Grundlage für eine neue Sexuallehre ist der Bruch mit der ausschließlichen Bindung jeglicher sexuellen Aktivität an die Ehe. Diese ausschließliche Bindung ist seit Langem Teil der traditionellen katholischen Lehre. Doch meiner Meinung nach ist es falsch, daran festzuhalten, dass Sex außerhalb der Ehe immer sündig ist und aus der Gemeinschaft der Kirche ausschließt. Die Ehe ist letztlich eine soziale und weniger eine religiöse Institution. Historisch gesehen diente sie der sozialen Ordnung, war ein Weg, um sicherzustellen, dass Kinder in geordneten Verhältnissen aufwachsen. Die Kirche, die sich damals erstaunlicherweise besser im Einklang mit den Bedürfnissen der Gesellschaft befand als heute, versuchte diese soziale Ordnung dadurch zu stärken, dass sie Sex außerhalb der Ehe zur Sünde erklärte. Zu der Zeit, als sich diese Lehre herausbildete, heirateten die Menschen recht jung. Oft wurden sie schon mit zwölf Jahren verlobt und nach der Pubertät verheiratet. Sie hatten viel mehr Kinder als Paare heute, denn die Kindersterblichkeit war sehr hoch. Um das Überleben von drei oder vier Kindern und deren Entwicklung zu Erwachsenen sicherzustellen, musste eine Frau ungefähr zehn Kinder gebären. Die Lebenserwartung war gering, und die Menschen starben früh, meist gegen Ende dreißig oder in den Vierzigern. Besonders für die Frauen bestand der größte Teil ihres Lebens aus Geburten und Kindererziehung. Vor diesem Hintergrund ergab die traditionelle katholische Lehre, sexuelle Aktivität gehöre ausschließlich in die Ehe und dürfe allein dem Zweck der Fortpflanzung dienen, irgendwie mehr Sinn. Heute ist die Lage völlig anders: Die meisten Menschen heiraten erst mit Ende zwanzig, haben wegen der geringen Kindersterblichkeit weniger Schwangerschaften und haben normalerweise eine Lebenserwartung, die weit über den Zeitraum der Kinderaufzucht hinausreicht. Es macht keinen Sinn zu erwarten, dass eine Lehre, die vor dem Hintergrund kürzerer Lebenserwartung und eines primären Verständnisses der Ehe als Mittel zur Fortpflanzung entstanden ist, auch dann noch als verbindlich akzeptiert wird, wenn sich die Lebensumstände so dramatisch verändert haben. Es ist etwas anderes, heute eine lebenslange Verpflichtung einzugehen, wenn man durch die gesteigerte Lebenserwartung insgesamt fünfzig oder mehr Jahre in einer Ehe leben kann, davon mehr als zwanzig oder dreißig Jahre in einem Haushalt ohne Kinder. Früher dauerte die gemeinsame Zeit in der Ehe realistisch betrachtet ungefähr zwanzig Jahre, fast die gesamte Zeit war durch das Familienleben mit Kindern geprägt. Der große englische Theologe Jack Dominion fragte vor einigen Jahren, ob es nicht realistischer sei, dass sich Menschen für eine bestimmte Zeitspanne binden, z. B. bis die Kinder groß sind, und dann schauen, ob sie ihre Bindung für das nächste Stadium ihres Lebens erneuern sollten. Ich sage nicht, dass es keine moralischen Prinzipien für die Ehe geben sollte. Natürlich soll es welche geben. Engagement, Hingabe, Treue – dies sind alles wesentliche Eigenschaften einer Beziehung, und sie sind heute genauso wichtig wie eh und je. Aber wir verändern uns im Laufe unseres Lebens so sehr, dass die Erwartung, ein Paar werde sich immer bis zum Tod lieben und mögen, unrealistisch ist. Solange wir an der starren Idee der lebenslangen Treue als wesentlicher Norm festhalten, werden wir unausweichlich viele Menschen von der vollen Teilhabe am kirchlichen Leben ausschließen und sie als Versager brandmarken. Man sollte die Idee als Ideal, was sie auch ist, bewahren, aber nicht zur Bedingung für die volle Mitgliedschaft in der Kirche machen.

Falls wir akzeptieren können, dass es auch außerhalb der Ehe Liebesbeziehungen mit entsprechendem und angemessenem sexuellem Ausdruck gibt, werden wir in der Lage sein, die gesellschaftliche Debatte zu beeinflussen, und wir werden bei der Herausbildung ethischer Prinzipien eine Stimme haben. Wir werden freier sein herauszufinden, was genau die Natur des Geschlechtsaktes ist, was er ausdrückt und wo er seine volle Bedeutung findet. Dann können wir anfangen, über die wahre Natur einer Beziehung zu reden, über den Grad des gegenseitigen Engagements der Partner, die echte selbstlose Liebe, und in sie hineinwachsen zu wollen. Und wir können über ihr Verständnis vom Unterschied zwischen andauernder Liebe und romantischen Gefühlen sprechen oder über ihre Sicht vom Unterschied zwischen echter Liebe und purem sexuellem Verlangen, das sich hinter der Maske der Liebe versteckt. Ich sähe gern, dass die katholische Kirche noch einmal etwas Wichtiges zu diesem Thema zu sagen hätte, nur dass es dieses Mal eine positive, lebensbejahende Botschaft für die Menschen von heute sein sollte. Wir würden sicher Gehör finden, denn es gibt auf diesem Gebiet einen großen Mangel an moralischer Orientierung, und das Leben vieler Menschen wird beschädigt oder zerstört. Egoismus ist ein Teil der menschlichen Natur. Weil Sex so starkes Vergnügen bereitet, ist er möglicherweise noch stärker mit Egoismus verknüpft als die meisten anderen menschlichen Aktivitäten. Dieser Egoismus führt zur Trennung von Sex und Liebe und wirkt sich auch zerstörerisch aus. Wenn er in den Kontext einer Liebe eingebunden ist, ist er dem menschlichen Wachstums und der menschlichen Entwicklung förderlich. Wenn die katholische Sexuallehre irgendeine Relevanz haben soll, muss sie die Menschen dabei begleiten, durch ihre sexuellen Beziehungen und in diesen Beziehungen zu wachsen. Sie darf nicht die Ursache für Schmerz oder Selbstzerstörung oder für die Verletzung und Zerstörung anderer sein.

Ein Bruch mit der rigiden Verbindung von sexueller Aktivität und Ehe würde uns auch einen Weg zeigen, wie sich das Problem der Menschen lösen lässt, die sich in einer zweiten Beziehung verbinden. Das Versagen der Kirche in Bezug auf Menschen, die zum zweiten Mal heiraten, ist skandalös. In den meisten Fällen handelt es sich um gute und aufrichtige Leute, und alles, was wir ihnen anbieten können, ist die verständnislose Verweigerung jeglicher religiöser Zeremonien. Es gibt noch nicht einmal einen Segen, und das Ganze ist mit dem meist zwar unausgesprochenen, aber impliziten Glauben verbunden, sie lebten nun in Sünde und wären Gott nicht mehr wohlgefällig. Ich plädiere für eine Veränderung der kirchlichen Haltung zu Menschen in zweiten Beziehungen. Wenn sie es wünschen, verdienen diese Menschen die Feier ihrer Verbindung als Sakrament der Kirche, und sie dürfen niemals von der Eucharistie ausgeschlossen werden.

Empfängnisverhütung akzeptieren

Die dritte von mir angestrebte Grundlage einer erneuerten Sexuallehre besteht in einer fundamentalen Positionsänderung in Bezug auf die künstliche Empfängnisverhütung. Durch die Entwicklung der verschiedensten Methoden der Empfängnisverhütung bedeutet gelebte Sexualität nicht mehr notwendigerweise eine Schwangerschaft. Seit der zweiten Hälfte des vergangenen Jahrhunderts und auch schon länger beklagt die Kirche dies und kämpft mit all ihrer Macht gegen die Verwendung jeglicher Formen der künstlichen Verhütung. Meiner Meinung nach ist das ein Kampf gegen Windmühlen. Frei verfügbare Verhütungsmittel sind Teil der neuen Realität, innerhalb derer eine katholische Sexuallehre Sinn machen muss. Ich bin sehr vielen Menschen begegnet, die der katholischen Kirche völlig ergeben sind, die regelmäßig zur Messe gehen, die glauben, dass die Kirche immer noch fähig ist, die Botschaft Jesu zu vermitteln, die ihre Kinder als voll praktizierende Mitglieder dieser Kirche sehen möchten – die aber künstliche Verhütungsmittel benutzen und damit kein Problem haben. Manchmal frage ich mich, ob diesen Menschen nicht bewusst ist, dass sie nach

Tony Flannery

Aussage der aktuell gültigen Kirchenlehre damit eine Sünde begehen. Und gerade weil das so lächerlich wirkt, hat die Kirche in Bezug auf das Sexualleben und auf alles, was damit verbunden ist, ihre Glaubwürdigkeit verloren. Die kirchliche Lehre hat nun offiziell zugestanden, die Sexualität könne auch noch eine andere Funktion als die der Fortpflanzung haben: die Funktion, die Liebesbeziehung zweier Menschen zu stärken und zu entwickeln. Ich habe immer wieder auf die Bedeutung der Tatsache hingewiesen, dass eine kirchliche Lehre zu ihrer vollen Gültigkeit nicht nur von der Kirche gepredigt, sondern auch von der großen Mehrzahl der Kirchenmitglieder akzeptiert werden muss. Auf die Frage nach der Anwendung künstlicher Verhütungsmittel angewandt heißt das, dass für die Lehre von ihrer Sündhaftigkeit keine volle Gültigkeit beansprucht werden kann. Falls die Kirche diese Revision akzeptieren könnte, könnte sie im nächsten Schritt einen aktiven und ermutigenden Beitrag zum verantwortungsvollen Umgang mit diesen Verhütungsmitteln leisten. Dies würde dazu führen, dass Paare nur dann ein Kind bekommen, wenn sie zur Übernahme dieser Verantwortung bereit und gewillt sind, das Kind beim Heranwachsen verlässlich zu begleiten. Das und nichts weniger ist es, was Kinder verdienen. Für Heranwachsende ist eine bestimmte Form sexueller Unterweisung wichtig. Die Adoleszenz ist die Zeit, in der sie ihre sexuelle Natur entdecken und in der sie mit ihr experimentieren. Es ist eine Zeit, die Eltern Angst machen kann, und viele wissen nicht, wie sie ihren Kindern Unterstützung und moralische Anleitung geben können. Wir wissen, dass ein beträchtlicher Schaden entstehen kann, wenn die sexuelle Entwicklung in der Adoleszenz schief läuft, und wir wissen auch, dass Promiskuität zu diesem Zeitpunkt ebenfalls schlimme Auswirkungen haben kann. Deshalb müssen unsere Kinder geschützt werden. Dieser Schutz ist aber letztlich Aufgabe der Eltern, und niemand, weder Kirche noch Staat, sollte ihnen diese Aufgabe abnehmen.

Der Lebenskompetenz der Menschen vertrauen

Dies bringt mich zur vierten Grundlage einer erneuerten Sexuallehre: Ich erwarte von der Kirche eine fundamentale Positionsänderung im Blick auf die Kompetenzen der Gläubigen. Wir sollten den christlichen Gemeinschaften viel mehr vertrauen, als wir es bis jetzt getan haben. Wir sollten ihrer positiven Grundhaltung vertrauen und darauf, dass sie von Natur aus gut sind. Wir sollten ihrem Wunsch vertrauen, nach richtigen Prinzipien zu leben, ihrer ausgeprägten Intelligenz und ihrem gesunden Menschenverstand. Die Rolle der Kirche auch auf dem Gebiet der Sexuallehre sollte deshalb die der Leitung und Begleitung sein und nicht die des strengen Gesetzgebers, des unerbittlichen Richters und des mit ewiger Verdammnis Strafenden. Auf diese Art und Weise käme in der Gemeinschaft aller Katholiken, so groß und unterschiedlich sie auch sein mag, eine Zusammenarbeit mit guten Prinzipien und Grundeinstellungen zustande. Dies wäre viel gesünder und besser für die Entwicklung des menschlichen Lebens als das, was wir in der Vergangenheit erreicht haben. Eine so auf die Kompetenzen aller aufgebaute Gemeinschaft der Gläubigen wäre bereit, eine erneuerte kirchliche Sexuallehre aufmerksam wahrzunehmen. Diese wohlwollende Aufmerksamkeit wird jedoch ausbleiben, wenn sich am Verhalten der Kirchenleitung und an ihrer geltenden Lehrmeinung nichts ändert.

Zusammengefasst ergeben sich also *vier Grundlagen für eine Erneuerung der kirchlichen Sexuallehre*:

1. Eine grundlegende Wende weg von der Dominanz des Negativen hin zu einer positiven Akzeptanz als dem Ausgangspunkt für jegliche Auseinandersetzung mit Fragen nach der menschlichen Sexualität.

Tony Flannery

2. Eine Positionsänderung weg von der rigiden Verbindung von sexueller Aktivität und Ehe hin zur Akzeptanz angemessener sexueller Beziehungen auch unter Nicht-Verheirateten, wenn dies der Qualität ihrer Beziehung entspricht.

3. Eine Positionsänderung im Blick auf die Verwendung künstlicher Verhütungsmittel in einer Liebesbeziehung. Dies darf in der kirchlichen Lehre nicht länger als Sünde bezeichnet werden.

4. Eine Verhaltensänderung der Kirchenleitung dahingehend, dass sie lernt, den Gläubigen zu vertrauen und ihre Lehraussagen in Partnerschaft mit ihnen zu entwickeln, statt sie in autoritärer Weise zu belehren.

Ich weiß, dass diese vier Punkte einen radikalen Wandel bedeuten. Die Menschen werden sagen, dass sich die Kirche nie ändert. Historisch gesehen stimmt das nicht. Die Kirche hat sich geändert und manchmal auch viel radikaler, als ich es hier vorgeschlagen habe. So wandte sie sich zu guter Letzt gegen die Sklaverei, hörte mit der Duldung der größten Exzesse der Inquisition auf und akzeptierte nach Jahrhunderten, dass sie Galileo Galilei Unrecht getan hat.

Die Chance zu einem radikalen Wandel nutzen

In unserer Kirche geschieht nichts schnell. Und dennoch habe ich im Laufe meines Lebens enorme Veränderungen beobachtet, die allmählich zu echten Änderungen in der Lehre führten. Das Leben hat mich die Macht der Ideen gelehrt und wie etwas, das unerhört ist, allmählich Teil des Gedankengutes werden kann. Die Enthüllungen von sexuellen Kindesmisshandlungen durch Kleriker und Ordensleute und die Bemühungen der Autoritäten, sie zu vertuschen, haben wirklich die gesamte Landschaft verändert. Aus Bösem kann auch etwas Gutes erwachsen. Es besteht nun die Möglichkeit, dass die alten Strukturen und Denkprozesse der Kirche ins Wanken geraten und dass neues Denken, neue Energie und neues Leben in sie kommt.

Tony Flannery

Homophobie und Homosexualität in der römisch-katholischen Kirche

Peter Bürger

„Damit begann ich: ich verlernte das Mitgefühl mit mir!"
(Friedrich Nietzsche)[*]

Eine schier unglaubliche Befreiung für Lesben, Schwule, Bisexuelle und homophobe Heterosexuelle ist im letzten Vierteljahrhundert Wirklichkeit geworden. In den 1980er-Jahren begriffen kluge Politiker wie Rita Süssmuth, dass eine wirksame HIV-Prävention in einem Klima der Angst und Verächtlichmachung nicht möglich ist. Die Regenbogenbewegung fand mit ihren Anliegen in der Gesellschaft ein offenes Ohr. Das damals allerorten zur Schau gestellte Mitleid zeigte nur die eine Seite der Medaille. Im Hintergrund stand anfänglich auch ein ganz rationales gesundheitspolitisches Kalkül. In der Folgezeit wurden angstfreie Wahrnehmungen von Lebenswirklichkeiten ermöglicht, die zuvor namenlos und unsichtbar gewesen waren. Die abstruse Ursachenforschung, die fast durchgängig zur Pathologisierung der Homosexualität gedient hatte, interessierte bald nur noch die Wissenschaftshistoriker. Heute sind die Menschen- und Bürgerrechte von Lesben und Schwulen fester Bestandteil der europäischen Rechtsordnung.

---

[*] Bruchstücke zu den Dionysos-Dithyramben 1882–1888

Ich habe diesen Befreiungsweg seit meiner Abmeldung als Priesteramtskandidat im Jahr 1986 förmlich am eigenen Leib miterlebt. In den dreizehn Berufsjahren als Krankenpfleger auf einer AIDS-Station und als psychosozialer Begleiter von HIV-Positiven lagen Weinen und Lachen oft nahe beieinander. Als schwuler Mann, Theologe und Autor habe ich versucht, die Befreiungserfahrungen homosexuell Liebender unter Christen und in kirchlichen Gremien zu vermitteln. Angesichts der zivilisatorischen Herausforderungen des dritten Jahrtausends war das dann kein brennendes Thema mehr für mich. Noch im Buch *Die fromme Revolte* schlage ich vor, die resistente Homophobie speziell der römisch-katholischen Kirche vorerst einfach „sein zu lassen" und sich den zentralen Fragen einer Zukunft von Menschheit und Christentum zuzuwenden (Bürger 2009). Doch ist es zulässig, die eigene biografische Müdigkeit bezogen auf das Thema in dieser Form zu verallgemeinern? Eine angstfreie Sicht der homosexuellen Liebe zu entwickeln, das wäre eine Hausaufgabe des letzten Jahrhunderts gewesen. Ein weiteres Aussitzen wird unserer Kirche nur noch mehr Schande und Schaden einbringen. Das Verdrängte und Unerledigte wird sich immer wieder melden, wie nicht zuletzt die Debatte über sexualisierte Gewalt in der Kirche zeigt.

Die homophobe Gewalt in der Kirchengeschichte

Die Beschämung und Verfolgung der homosexuellen Liebe ist zunächst selbst Teil einer gewalttätigen Kirchengeschichte. Die Bibel – da haben die „bibeltreuen" Fundamentalisten aller Konfessionen recht – fordert eindeutig die Todesstrafe. Wer bei einem Manne liegt wie bei einer Frau, den soll man gemäß Heiligkeitsgesetz aus dem Volk mit der Axt herausbeilen und auf blutige Weise totmachen (Lev 18,22; 20,13). Jesus verliert über das Thema kein Sterbens-

Peter Bürger

wörtchen. Bei Paulus hingegen ist das gleichgeschlechtliche Begehren geradezu Symptom und göttliche Strafe für die Vertauschung von Schöpfer und Geschöpf (Römer 1,25–27). Seine ganze Theologie kreist um die Erkenntnis, dass kein Mensch sein eigenes Gutgeheißen-Sein durch die Erfüllung von Normen und Gesetzen erkaufen kann. Allein die bedingungslose Annahme durch Gott, so übersetzt er Jesu Botschaft, ruft uns ins Leben. Der Römerbrief enthält nun die einzige bedeutsame Stelle des Neuen Testamentes zur Homosexualität. Auf der Grundlage moderner Anthropologie kann die Exegese heute nur sagen: Paulus versucht, mit dem Phänomen „homosexuelles Begehren" das Zentrum seiner Verkündigung zu illustrieren. Da der Apostel im Gegensatz zu uns von Homosexualität nur ganz oberflächlich etwas wissen konnte, muss sein Illustrationsversuch rückwirkend als missglückt betrachtet werden. Mit der Gnadenbotschaft vom rein geschenkten Leben sind die besagten Verse des Römerbriefes aus heutiger Sicht schier unvereinbar.

Lehre der Kirchenväter:
„Schlimmer als Mörder und Tierbeischläfer"

Viel mehr als ein Sammelsurium von Kuriositäten gibt im Kontext der antiken Naturrechtsphilosophie auch die Lektüre der Kirchenväter nicht her. Clemens von Alexandrien lehnt den Verkehr unter Männern rigoros ab, denn das männliche Geschlecht sei von Natur aus nicht zur Aufnahme, sondern zum Samenerguss bestimmt. Lactantius hält homosexuelle Praxis für eine Erfindung des Teufels. Johannes Chrysostomos bewertet sie als den abscheulichsten aller Frevel, für den keine Höllenstrafe groß genug sein kann. Die widernatürlichen Männerbeischläfer sind schlimmer als Mörder. Ihre Begierden und ihr Leben sind satanisch bzw. diabolisch. Für Augustinus wird die von Gott geschaffene

Natur durch Homosexualität erniedrigt, wobei er es als besonders schändlich erachtet, dass Männer beim naturwidrigen Geschlechtsverkehr eine weibliche Rolle einnehmen. Sodomiten und ihre Dulder sollen bei jeder Gelegenheit streng bestraft werden. Im 11. Jahrhundert drängt besonders Petrus Damianus mit fanatischem Verfolgungseifer auf Maßnahmen wider die homosexuelle „Teufelsbeute", die für ihn gefährlicher als die „Tierbeischläfer" ist. Maßgeblich bis heute bleibt jedoch die aristotelisch inspirierte Naturrechtslehre des Thomas von Aquin. Dieser Kirchenlehrer behandelt in seiner Summa theologiae die sexuellen „Sünden wider die Natur" (Selbstbefriedigung, heterosexuellen Oral- und Analverkehr, gleichgeschlechtliche Handlungen). Diese seien die allerschlimmsten, denn durch sie werde Gott selbst in seiner Eigenschaft als Ordner der Natur beleidigt. Die Konsequenzen dieser im Grunde biologistischen Anschauung, die auf einer, wissenschaftlich betrachtet, restlos überholten Sexualauffassung fußt, sind fürchterlich. Heterosexuelle Vergehen wie Inzest oder Vergewaltigung, bei denen der „natürliche Fortpflanzungszweck" gewahrt bleibt, sind am Ende weniger gravierend als einvernehmliche gleichgeschlechtliche Liebesakte oder Onanie (zu den Wortungetümen der Scholastik gehört die Rede von einem „vernunftgemäßen Gebrauch der Geschlechtsorgane"). Die Ausweglosigkeiten eines solchen Systemdenkens blockieren bis heute die gesamte Sexualethik in der römisch-katholischen Kirche, betreffen also keineswegs bloß Schwule und Lesben.

Feuertod und Konzentrationslager

In der nachkonstantinischen Staatskirche blieben die Ausführungen der Theologen keineswegs nur graue Theorie. Bereits im Jahr 390 beruft sich der christliche Kaiser Theodosius in einem Dekret auf das mosaische Gesetz und verfügt die Verbrennung von homosexuell praktizierenden Männern. Der oströmische Kaiser Justinian stempelt unter Rückgriff auf die Sodom-Geschichte (Gen 19,1–22) die Homosexuellen im 6. Jahrhundert zu Sündenböcken. Im Kontext von Katastrophen und Staatskrise wird über sie die Todesstrafe verhängt, um göttliches Strafgericht vom Volk abzuwenden. Im fränkischen Reich sehen die gefälschten „Karolingischen Kapitulare" des Benedictus Levita den Feuertod für Homosexuelle vor. Diese Strafform ist auch noch in der „Peinlichen Gerichtsordnung" Karls V. (1532) vorgesehen. In den Zeiten des Teufels- und Hexenwahns dominiert ein satanisches Deutungsmodell der Homosexualität. Die Todesstrafe für das Delikt gleichgeschlechtlicher Handlungen, die seit der Aufklärung zunehmend als unangemessen empfunden wird, behält man in manchen christlichen Ländern bis ins 19. Jahrhundert hinein bei. Zur mörderischen Verfolgung unter den Faschisten schweigen die Kirchen später und unterlassen jegliche Hilfe. Wer als Katholik nach Verurteilung gemäß § 175 StGB im Konzentrationslager landet, verfällt nach dem damals gültigen Kirchenrecht zugleich dem kirchlichen Ehrverlust (*infamia iuris*). Für die gnadenlose, z. T. tödliche Polizeijagd auf Homosexuelle während der katholischen Adenauer-Ära beruft man sich wiederum auf die Sittenlehre der Kirche.

Roms Feldzug gegen die Homosexualität

Die Kirche des II. Vatikanischen Konzils entdeckt wieder die Liebe als Zentrum menschlicher Sexualität, doch schon die Naturrechts-Enzyklika *Humanae vitae* (1968) zeigt auf tragische Weise, wie im Hintergrund konzilsfeindliche Kräfte den Lernprozess von Anfang an blockieren. Gleichwohl kommt es in Kirche und Theologie zu einem ganz neuen Umgang mit Homosexualität und homosexuell liebenden

Menschen. Erst unter dem Glaubenspräfekten Joseph Ratzinger wird dieser Gesprächsweg dann abrupt abgebrochen. Wie eine Hysterie nimmt sich der ganze Komplex aus. Er reicht kontinuierlich vom Schreiben der Glaubenskongregation *Über die Seelsorge für homosexuelle Personen* (1986) bis hin zum Novum eines Priester-Berufsverbotes für alle homosexuellen Männer direkt nach dem Amtsantritt von Benedikt XVI., dessen – womöglich rückwirkende – Umsetzung in eine pastorale Katastrophe führen würde.

Die vor allem im Schreiben der Glaubenskongregation und im *Weltkatechismus* von 1993 (2357–2359) dokumentierte kirchenamtliche Lehre lässt sich im Wesentlichen so zusammenfassen: Die „spezifische Neigung der homosexuellen Person" ist bereits „objektiv ungeordnet", da sie der Tendenz nach auf ein sittlich schlechtes Verhalten ausgerichtet ist. (1975 hatte eine Vatikanerklärung lediglich festgestellt, die homosexuelle Neigung sei „in sich nicht sündhaft". Beim Essener Bischof Franz-Josef Overbeck wird es dann 2010 schon zur Sünde, „homosexuell zu sein".) Homosexuelle Handlungen „verstoßen gegen das natürliche Gesetz", da sie die Fortpflanzung ausschließen, und sind ausnahmslos Sünde. (Im Juli 2004 saß ich auf einer Podiumsveranstaltung neben einem – zölibatären – Lehrstuhlinhaber für Moraltheologie, der mir – wörtlich – die fehlende „biologische Leistungserbringung" von Homosexuellen entgegenhalten wollte.)

Weiterhin verkündet das Lehramt: Homosexuelle Menschen müssen ein Leben in vollständiger Enthaltsamkeit führen, sollen die daraus erwachsenden Schwierigkeiten „mit dem Kreuzesopfer des Herrn" vereinen und werden zum häufigen Empfang des Beichtsakramentes angehalten. Von emanzipatorischen Gruppen haben sie sich fernzuhalten. Die sexuelle Identität soll im sozialen Leben nicht nach außen mitgeteilt werden. Besonders peinlich für uns römisch-katholischen Christen ist es, dass beide Dokumente

Peter Bürger

auf die wirkungsgeschichtlich so folgenreiche „Sodom-Geschichte" (Gen 19,1–21) verweisen. Welche Exegeten konsultiert man in Rom? Schon Jesus sah die Sünde der Männer Sodoms in der Verletzung des Gastrechtes (Mt 10,15). Ob die Gottesboten („Engel"), die sie vergewaltigen wollten, männlich oder weiblich waren, das sagt rein gar nichts aus über das schändliche Ansinnen der Männer aus Sodom.

Mitleid, Takt und „gerechte Diskriminierung"

Der Katechismus ermahnt nun ausdrücklich dazu, den „homosexuellen Personen" „mit Achtung, Mitleid und Takt zu begegnen" und sie nicht „ungerecht zurückzusetzen". Derweil unterbreitet die römische Kirchenleitung in Anweisungen an nationale Bischofskonferenzen und einem eigenen Schreiben (1992), welche gerechten Diskriminierungen von Homosexuellen sie für notwendig erachtet. Vor allem im Bereich der Arbeitsverhältnisse wird ein kirchliches Sonderrecht beansprucht. Als Frauen- und Männerpaare in Europa endlich Rechtssicherheit beim Eingehen fester Partnerschaftsformen erlangt hatten, sprach Kardinal Joseph Ratzinger wiederholt – mit großer Theatralik – von einem „Austritt aus der gesamten moralischen Geschichte der Menschheit" und einer gravierenden „Auflösung des Menschenbildes". Ein eigenes Dokument von 2003 bezeichnet gleichgeschlechtliche Lebensgemeinschaften als „für die gesunde Entwicklung der menschlichen Gesellschaft schädlich", wobei die Leser unwillkürlich an das unselige Konzept von „Volksgesundheit" erinnert werden. Einen Bündnispartner beim Kampf gegen die „Homoehe" fand Papst Benedikt XVI. in George Bush jun., dessen Angriffskriege und Folterpraxis er an keiner Stelle mit Klartext verurteilt hat.

In fast allen Kirchen der Reformation hat sich in nur wenigen Jahrzehnten eine neue Sicht der homosexuellen Liebe den Weg gebahnt, was auch ganz praktisch mit einer Beseitigung herkömmlicher Benachteiligungen einhergeht. Zusammen mit bibelfundamentalistischen Protestanten gehört die römische Kirche in Europa zu den letzten Bastionen, die für sich das Un-Recht einer Verächtlichmachung und Diskriminierung homosexuell Liebender reklamieren.

Der große Schatten

Man ahnt es schon, dass hinter den pathetischen Weltuntergangsbeschwörungen beim Thema Homosexualität ein mächtiger Schatten im Hintergrund stehen muss. Das Nächstliegende ist für jeden einsichtig. Homosexuell – gleichgeschlechtlich – im soziologischen Sinn ist die Hierarchie der römischen Kirche auf jeden Fall. Frauen, Mütter und – zumindest offiziell – Väter sind hier ausgeschlossen. Zivilisatorisch geht es in unserem Jahrhundert um die Lebensgrundlagen künftiger Generationen, doch Eltern von Kindern kommen in der Kirchenleitung nirgendwo vor (die sonst so feierlich verteidigte „Ethik der Lebensweitergabe" spielt im Bereich des Amtes keine Rolle). Zum Thema „Frauenpriestertum" gibt es seit der Ära Wojtyla/Ratzinger gar ein amtliches Diskussionsverbot. Ein durchgreifend neues Verhältnis der Geschlechter gehört zu den Grundvoraussetzungen, unter denen die Menschheit ihre Überlebensfragen überhaupt meistern kann. Doch Rom mobilisiert gegen den modernen Gender-Diskurs eine alte Naturrechtsmetaphysik, zu der ein denkbar trauriges Frauenbild gehört. In diesem Zusammenhang will man gar eine „Bewahrung der Schöpfung" anmahnen. Hier und schon im Licht der anfangs referierten Kirchenväter-Argumentationen wird ansichtig, dass Homophobie und Frauenfrage in der Kirche unlösbar zusammengehören. Tiefenpsychologisch ist die römische Hierarchie als ein reiner Männerbund unter der Dominanz des Archetyps

Peter Bürger

der „Großen Mutter" zu betrachten. In dieser Konstellation kann es niemals eine gleichberechtigte Partnerschaft der Geschlechter geben.

Klerikale Travestie oder Evangelium?

Nun werden prominente Vertreter der kirchlichen Homophobie bis in allerhöchste Ränge hinein in der Öffentlichkeit ja keineswegs als besonders „männlich" wahrgenommen. Auf viele wirken sie vielmehr eher feminin. Gleichzeitig fördert der von Traditionalisten, restaurativen Bischöfen und römischer Kurie forcierte Rückgriff auf die feudale Kleiderkammer ausgesprochen feminine Accessoires zutage: Seidenröckchen mit Spitzen, Käppchen, Fellbehang, lang wallende Capa Magna, Handschühchen, Pantöffelchen, glitzernden Umhängeschmuck und dergleichen mehr. All das, so möchte man ausrufen, gehört in eine gute Travestie-Show, doch nicht in die Kirche Jesu. Die Vorliebe für besonders extravagante, teure Paramente wird spätestens seit Oscar Wilde mit Homosexualität assoziiert. Stefan Andres (1971) stellt sich im Anschluss an eine Klage des Kirchenvaters Hieronymus über feines Zeug aus Arras und Laodicea bestimmte Kleriker schon der Alten Kirche in seinem Synesios-Roman so vor:

Wie Kurtisanen und Millionärswitwen laufen sie umher: in Stöckelschuhen, die Löckchen vorne in die Stirn gekämmt, hinten um die Tonsur herumgelegt, und duften nach Rosen und Sandelholz – diese Nachkommen der Märtyrer!

Auch die Liebhaber des Reformkonzils verachten schöne liturgische Gewänder keineswegs. Doch ihre Ästhetik unterscheidet sich erheblich von jenem Tand, der für Eugen Drewermann weitere Hinweise liefert auf „eine geheime Komplizenschaft zwischen der katholischen Kirche und gewissen Formen der Homosexualität" (Drewermann 1989, 586). Warum, so sollten wir fragen, mangelt es uns an Hirten, die wie der brasilianische Franziskanerbischof Luiz Flávio Cappio mit intellektueller Kraft, Prophetie und Warmherzigkeit den Finger in die Wunden unserer Zivilisation legen? Warum spielt das Zeugnis eines einfachen, solidarischen Lebensstils keine Rolle mehr? Wo wird uns der evangelische Machtverzicht vorgelebt, der das Ohr für Gott und die Menschen öffnet?

Was alle Welt weiß

Dass der prozentuale Anteil von Homosexuellen im Priesterberuf deutlich über dem gesellschaftlichen Durchschnitt liegt, darüber kann es bei Kenntnis des kirchlichen Lebens und längst vorliegender Studien keinen Zweifel geben (Bürger 2005; Müller 2010). Ob nun die länderspezifischen Anteile bei 20, 30, 40 oder gar – aktuell in einigen Priesterausbildungsstätten – bei 50 % liegen, darüber lässt sich lange streiten. Möglicherweise führt die Dominanz „homophiler Stile" oftmals sogar zur Abschreckung heterosexueller Kandidaten (Kiechle 2009). Vor diesem Hintergrund kommt der offizielle römisch-katholische Umgang mit Homosexualität, der alle Erkenntnisfortschritte und Lernprozesse der Gesellschaft hartnäckig ignoriert, für die Kirche einer tickenden Zeitbombe gleich. Denn die amtliche Homophobie stellt Meldungen über Callboys und Seminaristenprostitution im Vatikan (Welt Online, 7.3.2010), Enthüllungen über Netzwerke in Konvikten (z. B. St. Pölten), Homogazetten mit Berichten über Kleriker oder Kalender mit „gut aussehenden Priestern" im schwulen Buchladen in ein anderes Licht. Bisweilen aber wird auch die Öffentlichkeit Zeuge, wie die Karriereleiter eines konservativ angepassten Priesters bei Bekanntwerden seiner doppelten Lebensbuchführung jäh abbricht. Wissen ist Macht. Im Fall des Falles kann es unter Umständen über eine Bischofsbesetzung oder die Beibehaltung eines Bischofssitzes entscheiden.

Erpressung und Anpassung als System

David Berger, habilitierter Theologe mit einer beachtlichen Karriere im rechtskatholischen Intellektuellenmilieu, hat aufgrund seiner eigenen Erfahrungen anschaulich beschrieben, wie das System von Heimlichkeit und Unwahrhaftigkeit funktioniert (Berger 2010). Geflissentlich wird die Homosexualität im Raum der Kirche übersehen, solange die betreffenden Personen die eigene Identität verbergen, angepasst bleiben und enorme Arbeitsleistungen erbringen. Bei ersten Abweichungen deutet man diskret an, dass man durchaus vom wunden Punkt in der Persönlichkeit des Gegenübers weiß. Durch solche erpresserischen Methoden werden Schwule im Raum der Kirche dahin getrieben, sich selbst zu verraten und im Zuge eines Kompensations-Konservatismus der herrschenden Linie besonders bereitwillig Folge zu leisten.

Der „Berufswahl Priester" von Homosexuellen liegen – zumindest bislang – meist unbewusste Prozesse bzw. Verdrängungen zugrunde, also keine hellwachen und freien Lebensplanungen. Entsprechend laufen auch die Anpassungsmechanismen oft unbewusst ab. Theologiestudenten oder Priester ahnen, dass in ihnen eine Orientierung zum gleichgeschlechtlichen Eros schlummert. Solange dies unter dem Vorzeichen von Angst geschieht, fühlen sie sich wertlos und sündig. Schon die bloße Neigung ist ja dem Katechismus zufolge ein objektiver Persönlichkeitsdefekt. Und so geschieht es, dass Menschen, denen in der Kirche niemand Mut macht, den eigenen Lebensreichtum zu entdecken und als Geschenk anzunehmen, sich verkaufen (bzw. ihre Annahme erkaufen). Sie stützen dann ein Klerikalgebäude, das mit der Botschaft des Jesus von Nazaret schon lange nichts mehr gemeinsam hat. Natürlich betreffen die Anpassungsmechanismen auch solche Amtsträger, die sich sehr berechnend in einem möglichst bequemen Doppelleben einrichten.

Homosexuelle Priester gehören zu unserem Reichtum

Ein großes Problem für die gesamte Kirche ist der hohe Anteil unerlöster homosexueller Amtsträger, deren christliches Zeugnis im Gefängnis einer unfreien Persönlichkeitsentwicklung verbleibt. Ich glaube, dass hier eine bedeutsame Ursache für die Blockade hinsichtlich der Freigabe des Zölibats, der Gleichberechtigung von Frauen und anderer drängender Fragen der Kirchenreform vorliegt. Das Problem sind aber selbstredend nicht per se homosexuelle Priester. Unsere Kirche wird reich beschenkt durch homosexuelle und heterosexuelle Seelsorgerinnen und Seelsorger. Ob ein Christ zum Dienst in der Gemeinde Jesu berufen ist, das hängt nicht von seiner sexuellen Orientierung ab. Ich halte deshalb auch nicht viel vom Rekurs auf ein besonderes „schwules Priestercharisma". Viele homosexuelle Priester haben als Geburtshelfer für andere gewirkt und durften selbst oft das verheißene Land der Befreiung nur von Ferne schauen. Ihre Gaben sind nicht mysteriös, sondern menschlich verstehbar. Die britische Theologin Elizabeth Stuart meinte mit Blick auf solche Seelsorger, Menschen, die selbst Schuld, Selbsthass, Abweisung und Einsamkeit erfahren und überwunden hätten, wüssten, wie notwendig der Aufbau einer liebenden Gemeinschaft sei, in der Menschen sich willkommen fühlen könnten.

Peter Bürger

Männliche Homosexualität und sexualisierte Gewalt

Die Entstehung der Homosexualität, so heißt es im Welt-katechismus, sei „noch weitgehend ungeklärt". Auf jeden Fall wollen die Autoren aber wissen, dass es sich um einen psychischen Entstehungszusammenhang handelt. Das Na-turrechtskonstrukt der lehramtlichen Theologie würde ja in sich zusammenfallen, wenn eines Tages womöglich ein maß-geblich genetischer oder jedenfalls vorgeburtlicher Hinter-grund von Homosexualität erwiesen würde. Wie könnte ein Mensch, der seiner von Geburt an vorgegebenen sexuellen Orientierung folgt, allein dadurch den Schöpfer beleidigen?

Der „böse Feind" am Werk?

Immerhin, mit Psychologisierung wäre zumindest das uralte dämonische Ursachenmodell ad acta gelegt. Die Anforde-rungen der Glaubenskongregation an Geistliche in der „heiklen Aufgabe" der Homosexuellenpastoral erinnern nämlich fast an jene, die den bevollmächtigten Exorzisten gestellt werden (Bürger 2005, 24). In seinem letzten Buch fragte Johannes Paul II. angesichts der Anerkennung homo-sexueller Partnerschaften in Europa, „ob nicht hier – viel-leicht heimtückischer und verhohlener – wieder eine neue Ideologie des Bösen am Werk ist". Zum Abschluss des Pries-terjahres 2010 erklärte Benedikt XVI. auf dem Petersplatz: Es war zu erwarten, dass dem bösen Feind dieses neue Leuch-ten des Priestertums nicht gefallen würde, das er lieber aus-sterben sehen möchte, damit letztlich Gott aus der Welt hinausgedrängt wird. Darf man bei einer solchen Deutung der „Missbrauchsskandale" ganz arglos bleiben?

Der Kanon der „Sündenböcke", die für die sexualisierte Gewalt in der Kirche verantwortlich gemacht werden, reicht von der „sexuellen Revolution" (Walter Mixa) bis hin zum letzten Konzil, das ohnehin seit geraumer Zeit als Ursache aller Übel herhalten muss. Im April 2010 erklärte nun Kardinal Tarcisio Bertone bei einer Pressekonferenz in Chile, dass es „keinen Zusammenhang zwischen Zölibat und Pädophilie" gebe – hingegen aber sehr wohl „einen Zusammenhang zwischen Homosexualität und Pädophilie". Obgleich er der „zweite Mann im Vatikan" ist, kam aus Rom prompt ein Dementi. Man wusste wohl sehr genau, was für ein Fass da aufgemacht worden wäre. Die sexuelle Fixierung einer nicht geringen Anzahl von Klerikern auf noch nicht geschlechtsreife Kinder lässt sich nicht hinwegreden. Man sollte allerdings auch die Hinweise auf homosexuelle Täter und männliche Jugendliche auf der Opferseite gründlich beachten. Sie stützen keineswegs die Schlussfolgerungen des Kardinalstaatssekretärs (vgl. Müller 2010, 142–158).

Glückselig unter „blühenden Jünglingen"

Männliche Homosexualität hat mit einer Vorliebe für kleine oder heranwachsende Jungen so viel oder so wenig zu tun wie männliche Heterosexualität mit einer Vorliebe für kleine oder heranwachsende Mädchen. Hingegen haben z. B. „Ersatzhandlungen" in Form sexualisierter Gewalt an Kindern und Schwächeren sehr wohl etwas mit Werdegang, Reifegrad und Lebensbedingungen der Täter zu tun. Und an dieser Stelle muss – neben der Frage nach einer möglichen Anziehungskraft des zölibatären Priesterberufes für Pädosexuelle – auch das Thema „Homosexualität" zur Sprache kommen.

Wo liegen die Grenzen? Ein Ordensgeistlicher, der von der Schwulenbewegung nichts hält und für Priester ein „orthodoxes Lebensumfeld" empfiehlt, erklärt im anonymen Zeitungsinterview: „Mich hat neben der christlichen Kultur die griechische geprägt. [...] Keuschheit aber wird einem nicht geschenkt, sie muss errungen werden. Als Lehrer unter blühenden Jünglingen konnte ich dennoch gleichzeitig schwimmen im Glück und stolz sein auf die Distanz, zu der ich fähig bin" (Badde 2010). Junge Menschen, die das 18. Lebensjahr noch nicht erreicht haben, können für sehr viele Erwachsene attraktiv sein. Darüber sollte man angstfrei reden können. Hier muss in den allermeisten Fällen gar keine „ephebophile Fixierung" (Fixierung auf Jugendliche) vorliegen, wie man sie wohl bei dem zitierten Ordensmann vermuten darf. Ein reifer, selbstbewusster Erwachsener kann die Grenzen, die das Strafrecht für den Umgang mit Jugendlichen ab dem 16. Lebensjahr vorgibt, ohne Kraftakte wahren. Er würde sich – zumal im Rahmen verantwortlicher Fürsorgebeziehungen – schämen, die mannigfachen Projektionen von Jüngeren auszunutzen, um auf Kosten der Integrität seines Gegenübers eigene sexuelle Fantasien zu befriedigen.

Die Kultur der Angst in der Ära Joseph Ratzingers

Genau diese Reife liegt aber bei nicht integrierten Homosexuellen, die sich selbst in einem zentralen Bereich ihrer Persönlichkeit fremd bleiben, sehr oft nicht vor. In einem solchen Stadium ist ein homosexueller Kandidat zweifellos ungeeignet für die Seelsorge. Während die vatikanischen Richtlinien Verdrängung und Heimlichkeit fördern, wäre in der Priesterausbildung das genaue Gegenteil – die offene Selbstannahme – unabdingbar. Weniger depressive und sich ungeliebt fühlende Priester, das wäre ein gutes Ziel. Nur angedeutet sei, dass der kirchliche Komplex „Homosexualität und Gewalt" viel mehr Bereiche umfasst. Dazu gehören selbstredend auch respektlose Grenzüberschreitungen gegenüber volljährigen Mitmenschen, Selbstmorde von Gläubigen, Theologiestudenten und Priestern bis in die jüngste

Vergangenheit hinein, das unsäglich traurige Schicksal AIDS-kranker Priester oder die Zumutungen für männliche Partner von Klerikern, die ähnlich ausfallen wie bei „Priesterfrauen".

Mit seinem homophoben Feldzug hat speziell Joseph Ratzinger über einen sehr langen Zeitraum systematisch eine angstfreie Kultur der Offenheit, Wahrhaftigkeit, Reifung und Selbstfindung im Raum der Kirche unmöglich gemacht. Jegliches Fortschreiten nach dem Reformkonzil – in Moraltheologie, Pastoral, Priesterausbildung und Gemeindeleben – sollte spätestens ab Mitte der 1980er-Jahre wieder abgewürgt werden. Zum Großteil ist dies leider gelungen. In den schwul-lesbischen Kirchengruppen der USA, so konnte ich 1987 in Baltimore miterleben, herrschte seit dem Schreiben der Glaubenskongregation ständige Panik. Frauen und Männer aus Universitätstheologie und Seelsorge wurden gemaßregelt. Genau dieses Klima der Angst in der Kirche ist einer der Nährböden für Unwahrhaftigkeit und sexualisierte Gewalt! In keiner Weise führte der ganze Komplex zu weniger homosexuell orientierten Kandidaten in bischöflichen Einrichtungen des zweiten Bildungsweges, Konvikten, Klöstern etc. Gefördert wurden lediglich Denunziationen, Spitzeltum, Paranoia, Misstrauen und die Entwicklung raffinierter Überlebensstrategien.

Am Altar der Danksagung und Verwandlung

Wenn ich meinen eigenen Weg ins bischöfliche Konvikt heute nicht mit den Augen der biografischen Not, sondern unter dem kirchlichen Anspruch auf reife Seelsorger betrachte, muss ich zugeben: Im Nebel meiner Gefühle beinhaltete der Priesterweg das geheime Versprechen, mich selbst nicht kennenlernen zu müssen und auch in der Begegnung mit anderen mit einer geliehenen Persönlichkeits-

Peter Bürger

maske auszukommen. Ohne einen klugen Beichtvater hätte ich den Ausstieg aus dieser Lüge nicht geschafft. Es folgte ein langer und z. T. sehr schmerzhafter Weg des Wachsens. Ich lernte als Erwachsener schrittweise, was Gleichaltrige längst erfahren hatten: die Öffnung gegenüber nahen Menschen, den Schutz der eigenen Persönlichkeit und die Überwindung der Angst vor Autonomieverlust in einer intimen Beziehung, die Wahrnehmung eigener Wünsche und den vom Gefühl geleiteten Respekt vor meinem Gegenüber, die lustvolle Hingabe in der Sexualität und auch die Grenzen erotischer Glücksverheißungen.

Zahlreiche reifungs- und beziehungsfähige schwule Priesteramtskandidaten und Priester gingen unter den neuen Bedingungen der gesellschaftlichen Emanzipation zusammen mit den heterosexuellen Heiratskandidaten weg. Es blieben z. T. vor allem solche Theologen, die – prädestiniert für ein gespaltenes Persönlichkeitsprofil und bereitwillige Funktionstüchtigkeit innerhalb des Systems – sich nicht in der Lage sahen, ihre Dunkelkammern zu erhellen und außerhalb des Amtes den eigenen Weg zu finden. Doch das gespaltene Dasein, in welchem das eigene Leben nicht ungeteilt am Altar der Danksagung und Verwandlung dargeboten werden darf, gehört zu den größten Dramen des Priesterberufes.

Wo Homosexualität im Bereich der sexualisierten Gewaltausübung eine Rolle spielt, sind Homophobie, Restriktionen, Priester-Berufsverbot etc. nicht nur nutzlos, sondern im Endergebnis extrem gewaltfördernd. Wem hier an Prävention gelegen ist, der wird sich in der Kirche ganz speziell auch für einen Bruch mit der tradierten Homophobie und für eine gleichsam amtliche Annahme aller gleichgeschlechtlich Liebenden (mit oder ohne Amt) einsetzen.

Ich selbst war nach der Theologie tätig in einem Beruf, zu dem ein Machtgefälle von Gesunden und Kranken gehört. Wenn es im Krankenhaus Patienten gab, die auf mich eine erotische oder sexuelle Anziehungskraft ausübten, habe ich mit Kolleginnen oder Kollegen darüber gesprochen und sie bisweilen gebeten, alle intimeren Pflegehilfen zu übernehmen. Vergleichbares ist nur möglich in vertrauensvollen Teams und in einem Klima, das angstfreien und offenen Austausch über Sexualität ermöglicht. Ein anderes Heilmittel gegen mangelnden Respekt und gegen sexualisierte Gewalt gibt es nicht.

Aussicht auf Befreiung?

Homo- und bisexuelle Orientierungen bilden eine anthropologische Konstante quer durch alle Zeiten und Kulturen. Je nach soziokulturellem Umfeld werden sie allerdings sehr unterschiedlich gelebt und akzeptiert. Es handelt sich nicht um therapiebedürftige Krankheiten. Versuche einer Umpolung von Schwulen oder Lesben bringen statt „Heilung" nur Heuchelei, unglückliche Biografien, tragische Ehen und einen Anstieg der Selbstmordraten hervor. In einem Großteil der Weltgesellschaft werden Schwule und Lesben in ihrer Umwelt angenommen wie jeder und jede andere auch. Besondere Toleranzbekundungen wirken heute eher peinlich. In schwul-lesbischen Kirchengruppen und Theologenwerkstätten arbeitet niemand mehr an der alten Rechtfertigungsthematik. Nach meinen Erfahrungen in einem streng römisch-katholischen Herkunftsmilieu gibt es auch unter Katholiken nur noch eine verschwindend kleine Minderheit, die ernste Probleme im Umgang mit Homosexualität hat. Trotz neuer Phänomene der Diskriminierung (Bürger 2005, 218–229), die sich gerade aufgrund von Emanzipation und Offenheit ergeben, wird es kaum zu einer Umkehrung dieser gesamten Entwicklung kommen.

Peter Bürger

Heilung für unsere Kirche

Es ist nun wirklich an der Zeit, dass auch die amtliche römische Kirche sich von der Angst vor der Homosexualität und von einer rein männlichen Hierarchie befreien lässt. Sie würde auf diese Weise von der eigenen Gewalttätigkeit gegen Schwule und Lesben und vom Schatten einer großen Unwahrhaftigkeit erlöst. Eine keineswegs nebensächliche Ursache der kirchlichen Reformunfähigkeit würde hinfällig. Für die Entwicklung einer nachhaltigen Prävention gegen sexualisierte Gewalt in der Kirche sind ein Abschied von der Homophobie und ein öffentlich bekundeter Rückhalt für homosexuelle Priester und Bischöfe unverzichtbar.

Die Ideologie eines förmlich vergötzten Fortpflanzungszweckes ist keinem lebenserfahrenen Menschen mehr vermittelbar. Wir brauchen ein gemeinsam entwickeltes Ethos von Beziehungen und Sexualität, das Menschen zum Lieben ermutigt und wirklich hilft (Robinson 2010). Jenseits von Macht- und Gehorsamsstrukturen, die der Botschaft Jesu widersprechen, muss die Kirche im Geist des letzten Konzils wieder zur Sache aller Getauften werden. Die sich im Gesamtzusammenhang ergebenden Fragen zu Macht, Ausschluss der Frauen oder Zölibat stehen auf der Tagesordnung, das wissen auch viele leitende Amtsträger.

Das „göttliche Konzept der Liebe" zum Blühen bringen

Gibt es Aussicht auf eine Befreiung von der Homophobie? Im Weltkatechismus wird behauptet, gleichgeschlechtliche Beziehungen würden nicht aus einer „wahren affektiven Ergänzungsbedürftigkeit" entspringen. Im Gegensatz zu den Autoren solch gruseliger Texte hat ein Mann wie Kardinal Basil Hume dem leibhaftigen Leben in unserer Welt zugehört. Er forderte schon 1995, dass „unsere Kirche homosexuelle Frauen und Männer nicht nur als vollwertige Menschen anerkennen soll", sondern „in ihren aufrichtigen Liebesbeziehungen auch eine Liebe zu akzeptieren bereit sein muss, die das göttliche Konzept zwischenmenschlichen Zusammenseins anreichert und zur höchsten Blüte führen kann" (zit. nach Migge 1993; vgl. auch Bürger 2005, 139 u. 141 f.). Im April 2010 plädierte der Wiener Kardinal Christoph Schönborn für einen Wandel hin zu einer „Moral des Glücks" und konkretisierte dies so: „Beim Thema Homosexualität etwa sollten wir stärker die Qualität einer Beziehung sehen. Und über diese Qualität auch wertschätzend sprechen." Solche Differenzierungen aus dem Mund eines Ratzinger-Schülers sind immerhin etwas Neues. Mit den Memoiren von Rembert Weakland (USA) liegt inzwischen auch das offenherzige Zeugnis eines homosexuellen Bischofs vor. Ob in unserer Kirche zeitig der Aufbruch gelingt, das weiß ich nicht. Ich meine aber, Christen sollten unverbesserliche Optimisten sein.

In Eros und Sexualität werden vorzüglich unsere Schönheiten und gleichermaßen auch unsere Abgründe offenbar. Wie groß ist die Versuchung, vor solchem Zwiespalt in das Mönchsideal eines engelgleichen Lebens zu entfliehen! Wir können jedoch wissen, dass dort, wo man die Sexualität verteufelt, die „Dämonen" oft ein leichtes Spiel haben. Auch hat sich schon so manche vermeintliche Einflüsterung des Widersachers im Laufe eines Lebensweges als Botschaft eines Engels erwiesen.

Arroganz der Macht

Strukturelle Sünden der katholischen Kirche

Hanspeter Heinz

Am 28. Januar 2010 hat der Jesuit Klaus Mertes, Direktor des angesehenen Canisius-Kollegs in Berlin, einen Dammbruch ausgelöst. Ein Tabu hat er gebrochen, über das ein Machtschweigen verhängt war: sexueller Missbrauch von Priestern an Minderjährigen und dessen Verschleierung durch Mitwisser und Vorgesetzte. Hierzu konnte und wollte dieser mutige Mann nicht länger schweigen, er musste den Opfern endlich eine Stimme verleihen. Seitdem ist keine „Normalität" eingetreten, und sie ist auch nicht zu erwarten. Die neue Welle der Kirchenaustritte spricht für sich.

Die zweite Schuld

Außer seinem eigenen Bischof, Kardinal Sterzinsky, hat sich kein deutscher Bischof hinter diesen mutigen Ordensmann gestellt. Mertes hat Initiative ergriffen; Bischöfe und Papst reagierten stets defensiv, erst durch den Druck von außen waren sie zum Sprechen zu bringen. Mertes ging an die Öffentlichkeit; die Bischofskonferenz und ihr Vorsitzender verhielten sich wochenlang stumm, überließen den Medien die Meinungsführung und die irritierten Katholiken sich selbst. Mertes nimmt sich seit Monaten alle Zeit und Kraft für die

Bearbeitung der Krise; die Bischofskonferenz hat fast ein halbes Jahr für die im März zugesagte Überarbeitung ihrer Leitlinien zum Umgang mit sexuellem Missbrauch gebraucht. Mertes fordert ein, auch die kirchlichen Strukturen gründlich dahingehend zu überprüfen, inwieweit sie Tätern einen Schutzraum bieten und das Verschweigen und Vertuschen der Oberen begünstigen; Bischöfe und Papst gehen bis heute dieser Frage aus dem Weg. Im Gegensatz zu Bischöfen und Papst drängt Mertes auf die Bearbeitung der eigenen Schuldgeschichte seines Ordens und seiner Kirche, damit den Opfern die Bearbeitung ihrer Leidensgeschichte und den Tätern die Auseinandersetzung mit ihrer Schuldgeschichte nicht allein überlassen wird.

Mit der Verleihung der „Verschlossenen Auster" prangert die Journalistenvereinigung „Netzwerk Recherche" jedes Jahr schlechte Kommunikation und Missachtung der Öffentlichkeit an. Im Jahr 2010 hat sie den Negativ-Preis der katholischen Kirche zugesprochen. Die Laudatio von Heribert Prantl belegt, dass sich die Preisträgerin diese Auszeichnung redlich verdient hat (Süddeutsche Zeitung vom 12.7.2010): „Die Kirche war nicht die Täterin des sexuellen Missbrauchs. Aber sie war und ist die Heimat der Täter. Sie hat ihnen die heiligen Räume zur Verfügung gestellt, in denen sie so geschützt agieren konnten und in denen die Opfer so ungeschützt waren", heißt es dort. Und weiter: „Ausgerechnet die Kirche als Fachinstitution für Benennen und Eingestehen von Verfehlungen, für Schuldbekenntnis, Buße, Reue und Vergebung musste von den Opfern und Medien gezwungen werden, Stellung zu beziehen." Thomas Leif, der Vorsitzende von „Netzwerk Recherche", sagte in der Tagesschau: „Die katholische Kirche hat nur selten Bereitschaft zur Aufklärung gezeigt und stattdessen recherchierende Journalisten behindert, auch mit rechtlichen Mitteln wie Abmahnungen und Auflösungserklärungen." (Tagesschau.de/inland/verschlosseneauster102.html)

Der eine Skandal, der der katholischen Kirche angelastet wird, sind die Missbrauchsfälle, die zumeist in den 1970er- und 1980er-Jahren geschehen sind. Das ist die erste Schuld. Der andere Skandal ist der heutige Umgang der Verantwortlichen mit der erst jüngst aufgedeckten Schuld der Vergangenheit. Das Versagen gegenüber dieser Aufgabe ist die zweite Schuld, die nicht weniger schwer wiegt als die erste. Denn heute wissen wir, dass nichtbearbeitete Schuld ebenso über Generationen nachwirkt wie nichtbearbeitetes Leid. Das Krisenmanagement der Kirchenleitung war denkbar schlecht. Dabei gibt es genügend der katholischen Kirche gegenüber loyal gesinnte Experten, die die Bischöfe hätten zurate ziehen können. Sie haben es nicht getan.

Der steinige Weg der kirchlichen Bußordnung

In der Tradition der Kirche gibt es von alters her ein bewährtes, strenges Verfahren für Umkehr und Versöhnung nach schwerer Verfehlung. Die jüdische Tradition verpflichtet übrigens genau auf dieselben Schritte der Umkehr (Maimonides, Hilchoth T'schuwa). In meiner Schulzeit in den 1950er-Jahren haben wir für die Beichte die fünf „b" gelernt: besinnen – bereuen – bekennen – (um Vergebung) bitten – büßen. Die Bußordnung gilt zunächst für persönliche Schuld, sinngemäß aber ebenso für geschichtliche Schuld.

Besinnen erfordert die gründliche und ehrliche Erforschung der individuellen Sünde sowie ihrer Ursachen; das betrifft in unserem Fall nicht nur die persönliche Verantwortung der Täter und Vertuscher, sondern auch die Überprüfung der kirchlichen Strukturen, die Frage nach dem Versagen der Kirche als Institution. Das Unkraut muss mit der Wurzel ausgerissen werden. Andernfalls sind die nächsten Schritte, Reue und Bekenntnis, nicht radikal genug, sondern frommer Selbstbetrug oder wohlfeiles Lippenbekenntnis.

Schließlich ist die Übernahme einer angemessenen Buße unverzichtbar, um den Schaden, soweit möglich, wiedergutzumachen und einer Wiederholung wirksam vorzubeugen. Ohne die vier anderen „b" wäre die Bitte um Vergebung, an Gott und die Opfer gerichtet, zu billig, ja eine neue Beleidigung der Opfer und Hohn auf ihre Leiden.

Zur Illustration ein Beispiel für das halbherzige, unglaubwürdige Verhalten der römischen Kirchenleitung, das beim 2. Ökumenischen Kirchentag 2010 in München im überfüllten Forum über sexuellen Missbrauch aus dem Plenum gemeldet wurde: Der heute 79-jährige Kardinal Bernard Francis Law musste 2002 als Bischof von Boston zurücktreten, weil er wegen der Entrichtung zahlreicher Schweigegelder und anderer Vertuschungsmethoden nicht länger im Amt zu halten war. Er wurde in den Vatikan versetzt, wo die US-amerikanischen Gerichte ihn nicht erreichen können. Papst Johannes Paul II. hat ihn zum Erstpriester der Basilika Santa Maria Maggiore bestellt und zum Mitglied mehrerer vatikanischer Kongregationen ernannt, darunter der Klerus- und der Bischofskongregation, die weltweit für die Ernennung von Bischöfen zuständig ist. Ist das etwa eine angemessene Buße für ein solches Verbrechen?!

Wo liegen die Gründe dafür, dass sich die katholische Kirche, insbesondere die Kirchenleitung, so unsäglich schwertut, zügig und konsequent ihre Bußordnung anzuwenden zur Überwindung der aktuellen Krise, die in Deutschland und weltweit einen alarmierenden Vertrauensverlust der Kirche zur Folge hat? Die Ursachenforschung für diesen Skandal muss einerseits das gestörte Verhältnis der katholischen Kirche zur Sexualität kritisch beleuchten, zum anderen ihren problematischen Umgang mit Macht und Autorität. Dieser Beitrag beschränkt sich auf den zweiten Komplex. Für die andere Fragestellung sei verwiesen auf das Buch *Verschwiegene Wunden* von Wunibald Müller, einem anerkannt erfahrenen

Psychotherapeuten und theologischen Experten auf diesem Gebiet (Müller 2010). In beiden Feldern zeigt sich, dass es nicht genügt, individuelle Täter und Vertuscher namhaft zu machen. Es müssen auch kirchliche Strukturen aufgedeckt werden: verbreitete Denk- und Verhaltensmuster, gängige theologische Paradigmen sowie geschriebene und ungeschriebene Regeln für den Umgang mit Macht bzw. Sexualität.

Bigotte Spiritualität

Ein Charakteristikum der katholischen wie auch der orthodoxen Theologie und Spiritualität ist die Liebe zur Kirche. Darum ist es für diese Christen verletzend, tut es ihnen geradezu physisch weh, wenn Kirche distanziert als Institution betitelt oder wenn auf lieblose, gehässige Weise Kritik an ihr und ihren Repräsentanten geübt wird. Die Kirche ist doch die Braut Christi! Und einer Braut schaut man ins Gesicht und blickt ihr ins Herz, anstatt an den schmutzigen Füßen und dem staubigen Gewand der Pilgerin Anstoß zu nehmen. Sie ist die heilige Kirche, nicht weil sie selbst makellos wäre, sondern weil Gott in ihr da ist und wirkt.

Durch die Gegenreformation wurde dieser Zug katholischer Frömmigkeit noch verstärkt und einseitig überbetont. Der barocke Prunk der Kirchenbauten, der Liturgie und der bischöflichen Insignien rückte die Kirche als Abbild des himmlischen Jerusalem zu sehr in die Nähe Gottes, des Alleinheiligen. Die Abstrahlung dieses Glanzes führte zu einer bigotten Verehrung der heiligen Ämter von Papst, Bischöfen und Priestern. Die Klerikalisierung, die derzeit beispielsweise in der päpstlichen Liturgie wiederauflebt, verstärkt den Nimbus der Unantastbarkeit, der die Amtsträger der Sphäre des Profanen entzieht.

Fataler Ausdruck dieser Spiritualität ist die übergroße *Sensibilität für die Heiligkeit der Kirche*, die nicht infrage gestellt werden darf, und für die Würde des priesterlichen Amtes, das nicht durch Sünde befleckt werden darf. Die Kehrseite der Medaille ist die von Johann Baptist Metz beklagte sträflich vernachlässigte Sensibilität für das Leid in der Welt. Typisch für dieses Verhalten ist ein streng geheimes Schreiben des Heiligen Offiziums (Vorgängerin der Römischen Glaubenskongregation) von 1962 an die Bischöfe über die strenge Maßregelung von Priestern, die sich durch einen sexuellen Übergriff am heiligen Sakrament der Buße versündigt haben. Das Leid der Opfer wird mit keinem Wort erwähnt. Ebenso wenig ist von der Einschaltung der weltlichen Justiz die Rede (vgl. S. 213–218).

Dieses Denk- und Verhaltensmuster – das ist ein erstes strukturelles Element – wird theologisch fundiert durch eine *platonische Ekklesiologie*, die von Papst Johannes Paul II. und Kardinal Joseph Ratzinger als Präfekt der Glaubenskongregation konsequent vertreten wurde. Nach ihr kann die heilige Kirche überhaupt nicht sündigen, sondern nur ihre Glieder. Aber wer oder was ist denn „die Kirche", wenn man von ihren Gliedern, Organen und Handlungen absieht? Etwa eine hinter oder über ihr schwebende Idee im platonischen Ideenhimmel? Wieder ein Beispiel: 1998 veröffentlichte die „Vatikanische Kommission für die religiösen Beziehungen zum Judentum" nach zehnjähriger Arbeit das Dokument „Wir erinnern uns. Nachdenken über die Schoa". Mehrfach wird mit großem Ernst die christliche Pflicht zur Erinnerung an die Schoa eingefordert. Trotz beachtlicher historischer und theologischer Äußerungen vermisst man aber ein klares Wort zur Mitschuld und Verantwortung der Kirche. Es genügt nicht, nur die „Fehler der Söhne und Töchter der Kirche" zu erwähnen. In Anknüpfung an das Zweite Vatikanum (*Lumen Gentium*, 8) haben die deutschen Bischöfe 1988 anlässlich der 50. Wiederkehr der Reichspogromnacht zu Recht betont, „dass die Kirche, die wir als heilig bekennen und als Geheimnis verehren, auch eine sündige und der Umkehr be-

dürftige Kirche ist" (Die Last der Geschichte annehmen, 2).
Es haben sich nämlich auch Konzile an der Diskriminierung
der Juden schuldig gemacht, zumal das Vierte Laterankonzil
im Jahr 1215 und das Baseler Judendekret von 1434. Angesichts der römischen Ekklesiologie wundert es nicht, dass
im zitierten vatikanischen Dokument die Aussagen zum Verhalten kirchlicher Persönlichkeiten in der Zeit des National-
sozialismus unzureichend bis irreführend sind. Dies gilt besonders für die Kardinäle Faulhaber und Bertram und für
Papst Pius XII. Des Näheren vergleiche man die Erklärung
des Gesprächskreises „Juden und Christen" beim Zentralkomitee der deutschen Katholiken vom 6.7.1998 „Nachdenken
über die Schoa. Mitschuld und Verantwortung der katholischen Kirche" (http://www.zdk.de).

Zusammen mit dem Stolz auf die eigene Macht und die
großen Leistungen der Kirche im Laufe der Geschichte verführt eine platonische Theologie zur Selbstbespiegelung und
Selbstverliebtheit der katholischen Kirche und zur Verharm-
losung ihrer Mitschuld und Verantwortung.

Niederhalten von Kritik

Die letzten Monate zeigen, dass Fremdkritik, wenn sie öffentlich, publikumswirksam in den Medien geübt wird, bis in die
höchsten kirchlichen Instanzen oft als Hetze, Verleumdung
und maßlose Übertreibung angeprangert wird. Doch die
Pose der Opferrolle wirkt angesichts der im Großen und Ganzen fairen Berichterstattung wenig überzeugend. Auch Kritik
von innen, d. h. von Bischöfen, Theologen und kirchlichen
Gremien, wird insbesondere von der römischen Kirchenleitung beargwöhnt. Sie tut alles, um sie von vornherein zu vermeiden oder möglichst bald wieder zu unterdrücken.

Ein bewährtes Instrument zur Systemerhaltung ist die
päpstliche Personalpolitik. Männer, die sich zu (fehlbaren)

Lehräußerungen des kirchlichen Lehramtes kritisch in der Öffentlichkeit geäußert haben, werden nicht Bischof. Wird in einem Bistum eine von Rom als problematisch bewertete Pastoral entwickelt, setzt man in der Regel beim Bischofswechsel einen Nachfolger ein, der die Entwicklung rückgängig macht. Man denke etwa an den Passauer Pastoralplan „Gott und den Menschen nahe". Der Leitbild- und Qualitätsentwicklungsprozess in Passau wurde in einem breit angelegten Dialogprozess über Jahre erarbeitet und einmütig verabschiedet. Zusammen mit den Vorsitzenden der diözesanen Räte wurde er von Bischof Franz Xaver Eder als dessen letzte Amtshandlung zu Pfingsten 2000 unterzeichnet. Bis Ende 2002 waren 50000 Exemplare beim Seelsorgeamt bestellt worden. Ein solcher Erfolg, der weit über die Diözese hinaus wirkte und in Presse und Fachkreisen beachtliche Resonanz und Zustimmung fand, wurde keinem anderen synodalen Prozess einer deutschen Diözese seit der „Würzburger Synode" (1971–1975) zuteil. Der Nachfolger Eders, Bischof Wilhelm Schraml, stellte sich zwar nach Amtsantritt offiziell hinter die „Pastorale Entwicklung Passau", durch seine Maßnahmen aber brachte er sie konsequent zum Erliegen. Dieses Beispiel ist typisch, keine Ausnahme. Man denke etwa an die Nachfolger der berühmten Konzilsgestalten Kardinal Franz König in Wien oder Dom Hélder Câmara in Recife/ Brasilien oder jüngst an den Nachfolger von Bischof Franz Kamphaus in Limburg, einem Bistum mit einer einzigartigen synodalen Verfassung.

Auch gegen *Kritik der theologischen Wissenschaft* sucht sich die römische Kirchenleitung abzuschirmen. „Im Mai 1990 ist seitens der Glaubenskongregation eine ausführliche ‚Instruktion über die kirchliche Berufung der Theologen' erfolgt. Sie äußert zwar Verständnis für die theologische Forschung und auch für mögliche Konflikte zwischen intellektuellen Einsichten von Theologen und dem Lehramt, von dem jedoch gesagt wird, dass es den ‚definitiven Charakter'

Hanspeter Heinz

des Glaubensgutes ‚vor Abweichungen und Irrtümern zu schützen hat'. Dass sich nicht wenige von dessen Aussagen als unhaltbar erwiesen haben, wird mit keinem Wort erwähnt, vielmehr erneut die loyale Zustimmung gefordert" (Lill 2006, 220 f.).

Ein weiteres Disziplinierungsinstrument sind die *Nihilobstat-Normen*, die Regelung der kirchlichen Mitwirkung bei der Berufung von Theologieprofessoren und -professorinnen. Die Überarbeitung der Normen von 1983 im März 2010 enthält zwar einige Verbesserungen des bisherigen Verfahrens, das mit dem Rechtsempfinden und den Rechtsgrundsätzen einer modernen Gesellschaft unvereinbar war. Aber sie gewährleistet keineswegs „ein für alle Beteiligten transparentes Verfahren", wie Erzbischof Robert Zollitsch behauptet. Das bestätigt auch eine Podiumsdiskussion, zu der der deutsche Wissenschaftsrat Vertreter der verschiedenen Religionen und Konfessionen im Juni 2010 nach Berlin eingeladen hatte. Dort hat Kardinal Lehmann als Vertreter der katholischen Kirche geschildert, wie ein Bischof mit der neuen Regelung durchaus zurechtkommen könne, um qualifizierte Bewerber und Bewerberinnen gegen unberechtigte römische Bedenken erfolgreich in Schutz zu nehmen. Man müsse eben mit den geltenden Normen pfiffig genug umgehen. Im Klartext: Mit einem theologisch so versierten und verhandlungserfahrenen Bischof wie Lehmann lässt sich trotz der geltenden Normen eine gerechte Entscheidung durchsetzen. Aber was bleibt Bewerbern oder Bewerberinnen übrig, die auf einen Bischof angewiesen sind, der das nicht kann oder nicht will? Denn dem Ortsbischof kommt die entscheidende Rolle in diesem Verfahren zu. Eine (wirksame) Berufungsinstanz gegen ihn gibt es nicht.

Ein weiteres Disziplinierungsinstrument zur Botmäßigkeit von Bischöfen und Theologen bzw. Theologinnen ist der *Treu-Eid* der Römischen Glaubenskongregation von 1989.

Der Text enthält „die Verpflichtung auf die gesamte ‚authentische' Lehre des Papstes und des Bischofskollegiums, d. h. auch auf die Enzykliken, obwohl denen keine ‚unfehlbare' Verbindlichkeit zugesprochen ist. Der neue Eid schließt die Disziplin der Gesamtkirche und aller kirchlichen Gesetze ein ..." (Lill 2006, 220). Dieser Eid ist Missbrauch einer heiligen, spirituellen Handlung zur Einforderung von Gehorsam.

Wie der Hofstaat eines absolutistischen Fürsten

2001 veröffentlichte der Politikwissenschaftler Hans Maier einen aufsehenerregenden Beitrag mit dem Titel „Braucht Rom eine Regierung?". Seine Diagnose lautet, man könne „die bis heute bestehende päpstliche Herrschaftsausübung mit der ‚Regierung aus dem Kabinett' der späten europäischen Könige des 18. Jahrhunderts vergleichen" (Maier 2001, 147–160, hier 152).

Der absolutistische Fürst regiert nicht mit seinem Kabinett, mit der Ministerrunde, die er regelmäßig zur Festlegung der Grundlinien seiner Politik zusammenruft. Er regiert aus dem Kabinett heraus, von seinem Amtszimmer her. Zutritt zu ihm haben nur solche, die seine Gunst genießen oder die er rufen lässt. Der Fürst ist nicht verpflichtet, sich mit anderen abzustimmen, ihre Meinung zu erfragen. Er ist durch nichts und niemanden in der Ausübung seiner Gewalt gebunden. Genauso wie dieses antiquierte Regierungsmodell verhält es sich mit dem Papst. Die Restauration unter Johannes Paul II. hat die ausgleichenden Momente der päpstlichen Amtsführung während der Konzilszeit wieder auf den vorkonziliaren Stand zurückgeführt. Diese *strukturelle Verfassung der Kirche als Institution* ist die Wurzel für alle bisher genannten Ärgernisse und Einseitigkeiten. Wenn zudem ein Papst aufgrund seiner Persönlichkeitsstruktur zu einem selbstherrlichen Herrschaftsstil neigt, kann niemand ihn in Schranken weisen, und die Kirche gerät in eine noch gefährlichere Schräglage. Korrektive, wie sie demokratische Verfassungen aufweisen und die auf vergleichbare Weise auch der Kirche gut anstünden, gibt es im vatikanischen Hofstaat nicht: Gewaltenteilung zwischen Legislative, Judikative und Administration, Forum für innerkirchliche öffentliche Meinungsbildung, Abstimmung der Ressortchefs u. a. m.

Dazu wieder einige Beispiele: Gegen die Überzeugung und fünfjährige Praxis von 26 von insgesamt 27 deutschen Diözesanbischöfen ordnete der Papst 1999 den Ausstieg der Kirche aus der staatlichen Schwangerschaftskonfliktberatung an, weil sie seiner Meinung nach als Mitwirkung der Kirche an Abtreibungen missverstanden werden könnte. Steht dem Papst zur Einschätzung eines Ärgernisses etwa ein besseres Urteilsvermögen zu als den Bischöfen und Laien vor Ort?, fragten sich die meisten. Die Bischöfe sind – anders als in der Konzilszeit – wieder zu päpstlichen Statisten degradiert worden, wie etwa die Fotos vom Weltjugendtag 2005 in Köln anschaulich dokumentieren. Wenn ein Bischof wegen seiner skandalösen Amtsführung untragbar geworden ist, kann und darf ihn einzig und allein der Papst zur Rechenschaft ziehen. Kein päpstlicher Nuntius, keine Bischofskonferenz ist dazu befugt. Als die Affäre um Bischof Walter Mixa schon landesweit hohe Wellen schlug und deshalb die Erzbischöfe Marx und Zollitsch es wagten, ihren Kollegen zum Rücktritt zu bewegen, wurden sie für diese hilfreiche Tat vom Papst öffentlich gerügt. Das stand ihnen nicht zu. Im Juli 2010 hat die Augsburger Bistumsleitung aus den Medien (!) erfahren, wen der Papst zum Nachfolger von Bischof Mixa ernannt hat.

Ist ein solcher Regierungsstil nicht *Arroganz der Macht*? So empfinden es immer mehr engagierte Kirchenmitglieder und andere Zeitgenossen in unserem Land. Immer mehr selbstbewusste Laien und kirchliche Gremien von der Gemeinde- bis zur Diözesanebene können weder ein autoritäres Vorgehen von Pfarrern, Bischöfen oder Papst verstehen, noch sind sie gewillt, es länger tatenlos hinzunehmen. Unmut und Widerstand wachsen und scheinen kämpferischer zu werden. Was mit „unserer" Gemeinde, „unserer" Diözese geschieht, wollen sie mitberaten und mitentscheiden, nicht allein von oben herab entscheiden lassen!

Für Hans-Joachim Meyer, den ehemaligen Präsidenten des Zentralkomitees der deutschen Katholiken, ist die gegenwärtige Krise nicht zuletzt die Folge einer „allgemeinen Intransparenz kirchlicher Entscheidungen ... Bei der Besetzung leitender Ämter herrschen Undurchschaubarkeit und Willkür – ob in den Bistümern oder in Rom" (Frankfurter Rundschau vom 22.7.2010). Werden von der Amtskirche die bisherigen mentalen, theologischen und rechtlichen Strukturen weiterhin aufrechterhalten, obwohl sie weder gesellschaftlich akzeptabel noch theologisch zu rechtfertigen sind, so werden Transparenz, Kontrolle und Partizipation nach wie vor be- oder verhindert. Das aber ist gerade der Nährboden für die jüngsten Missbrauchsskandale: Räume, in denen Täter Schutz finden und Mitwisser sich ausschweigen können. Und die Opfer waren jahrzehntelang in Stummheit gefesselt.

Hanspeter Heinz

Missbrauch von Menschen – Missbrauch der Rolle – Missbrauch der Institution

*Fragen an die Organisationskultur
der katholischen Kirche*

Werner Tzscheetzsch

Die öffentliche Wahrnehmung und Diskussion der sexuellen Übergriffe von Priestern auf junge Menschen hat die quälenden Konsequenzen für die Opfer ans Tageslicht gebracht: Gefühle der Wertlosigkeit, von Schuld und Scham, des Ekels vor sich selbst führen zu Störung, wenn nicht gar Zerstörung des Selbstwertgefühls. Dazu kommen die Erfahrungen, dass bei Erzählungen über die Tat den Darstellungen der Opfer nicht geglaubt wird – und sie noch einmal durchleiden müssen, dass erwartetes Vertrauen und Verständnis nicht aufgebracht werden. Das Gefühl, mit der eigenen Verletzung völlig allein zu bleiben, verstärkt sich. Tiefe Depressionen können die Folge sein. Der Missbrauch wirkt ein ganzes Leben lang nach.

In der Öffentlichkeit entstand lange – zu lange – der Eindruck, dass die Bistumsleitungen sich nur zögerlich darauf einlassen, die Missbrauchsfälle offensiv mit jeder Form der Hilfe für die Opfer und mit der notwendigen Härte gegen die Täter aufzugreifen. Manche Reaktionen der kirchlichen Verwaltungen auf die Missbrauchsfälle ließen die Frage danach stellen, warum die Reaktionen so ausfallen, wie sie ausfallen. So wurde mehrfach die merkwürdige Takt- und Gedankenlosigkeit des Dienstgebers Kirche offenbar, die betroffenen Täter in ihrem Arbeitsfeld zu belassen in der Hoffnung, die Missbrauchsgeschichten sprächen sich nicht herum bzw. eine Wiederholung einer solchen Tat sei – auf das Wort des Betroffenen hin – für die Zukunft auszuschließen. Auch die Kirche hatte offenbar eine Verdrängungsstrategie erfasst, die eng mit den Entwicklungen der modernen Gesellschaft verknüpft ist. So wurde deutlich, wie sehr Kirche und Gesellschaft ähnliche Haltungen und Handlungsstrategien ausprägen. Im Blick auf den Umgang mit den Missbrauchsfällen muss gefragt werden, ob für die versuchte Verdrängung der Grund darin zu suchen ist, „dass dem gegenwärtigen Zeitbewusstsein der Sinn für den Ernst der Schuld und der Wirklichkeit der Vergebung immer mehr abhanden kommt. Wo das Wort der Vergebung nicht mehr gehört wird, führt ein unheilvoller Entschuldigungsmechanismus geradezu zwangsläufig dazu, dass auch der Anspruch der Wahrheit verdrängt werden muss. Der Zwang zur Selbstrechtfertigung vor dem eigenen Gewissen und dem Urteil der Öffentlichkeit lässt es nicht mehr zu, der eigenen Schuld und dem eigenen Versagen ohne tiefe Angst und Verunsicherung ins Auge zu blicken. Die Einsicht der modernen Psychoanalyse in die langfristigen Wirkmechanismen der menschlichen Seele lehrt zur Genüge, dass die Verdrängung des Unrechtsbewusstseins weder in der individuellen Lebensgeschichte noch im kollektiven Zusammenleben eines Volkes zu einer annehmbaren Lösung moralischer Konflikte führen kann" (Schockenhoff 2000, 326). Und man wird wohl ergänzen müssen: Auch im institutionellen und organisatorischen Zusammenhang der Kirche ist Verdrängung keine Lösung.

Werner Tzscheetzsch

Kirche und Gesellschaft – im Verdrängen geübt

Vielleicht waren für manche Verdrängungsstrategien auch Ängste ursächlich, die Missbrauchsfälle könnten erneut vereinfachende und holzschnittartige Diskussionen über den Zölibat als Lebensform und über die Homosexualität von Priestern befördern. Um es in aller Klarheit zu sagen: Beide Themen stehen mit den Missbrauchsgeschichten in keinem ursächlichen Zusammenhang. Hetero- und homosexuelle Menschen können Menschen sexuell missbrauchen, und Kindesmissbrauch erfolgt durch verheiratete wie durch ehelose Personen.

„Längst ist klar, dass die Ursache für den Kindesmissbrauch nicht in der Lebensform liegt, sondern in der Nichtintegration der Sexualität in die Persönlichkeit. Dieser Satz ist unumstößlich. Wer seine Sexualität nicht in seine Persönlichkeit integriert hat, ist und bleibt ein pastorales Risiko." (Zulehner/Hennersperger 2001, 137)

Die Frage ist nun, ob eine Kirche, die sich erfolgreich im Verdrängen geübt hat, den Raum für eine Priesterausbildung eröffnen kann, die die Integration der Sexualität in die Gesamtpersönlichkeit fördert. Ich gehe davon aus, dass institutionelle Klarheit und Transparenz ihren Beitrag dazu leisten, dass Verdrängungen erschwert werden, weil sie nicht mehr zum Systemerhalt notwendig sind. Deshalb will ich den Blick darauf lenken, welche Elemente und Dimensionen der Organisationskultur der Kirche der Verdrängung Vorschub leisten. Organisationskultur lässt sich nach Edgar H. Schein in drei Ebenen differenzieren: die Oberflächenebene der erkennbaren Verhaltensmuster, der Architektur und der verwendeten Technologie; die Ebene der ausdrücklich gemachten Ziele und Werte und schließlich die Ebene der un- und vorbewussten Grundprämissen (Schein 1995). Gerade diese Grundprämissen sind nur schwer zu erkennen. Es sind gewissermaßen „geheime", aber doch sehr wirksame Wahrnehmungen, Gedanken und Gefühle, die Handlungsweisen maßgeblich beeinflussen. Besonders in Krisen werden die Grundanschauungen und Wertvorstellungen der Leitung durch das Leitungshandeln erkennbar. Es ergibt sich also eine paradoxe Situation: Durch das auf Verdrängung ausgerichtete öffentliche Handeln der Führungskräfte in Missbrauchsfällen wird genau das Gegenteil dessen erreicht, was beabsichtigt ist. Die Glaubwürdigkeit der Institution wird nicht gekräftigt, sondern erschüttert.

Im Folgenden will ich einige von mir vermutete Grundprämissen benennen, die für den Umgang mit Missbrauchsfällen wirksam gewesen sein könnten. Es handelt sich dabei nicht um Behauptungen, sondern um Suchbewegungen. Diese Suchbewegungen erstrecken sich auf folgende Bereiche: auf den Umgang der Kirche mit öffentlichen Skandaldebatten, auf die Vergemeinschaftung der Priester in einer Art Männerbund, auf den Umgang mit Macht in der Kirche und auf die notwendige Suche nach Rollenklarheit.

Kirche und öffentliche Skandaldebatten

„Vor allem Unternehmen, berufsspezifische Organisationen und nicht-staatliche Institutionen werden in den öffentlichen Debatten über Skandale, Fehlentscheidungen oder anderweitiges Versagen als ethisch verantwortliche Akteure angesehen, die auch als solche belangt werden können" (Schockenhoff 2000, 327). Dieses Belangen reicht bis hin zu den Schadensersatzforderungen in Missbrauchsfällen, die amerikanische Diözesen an den Rand des finanziellen Ruins zu bringen vermochten. Nun scheint die Kirche vor solchen Skandaldebatten eine gewisse Scheu zu haben. Nicht zuletzt mag diese Scheu darin begründet sein, dass manche Medien weniger an differenzierten und problemangemessenen Darstellungen als an umsatzsteigernden Skandalvermutungen

Werner Tzscheetzsch

Interesse zu haben scheinen. Beim Umgang mit den Medien kommt die Kirche angesichts der Missbrauchsfälle in eine spezifische Klemme: Sie, die sie hohe Verhaltenserwartungen an die Menschen im Horizont der Reich-Gottes-Botschaft formuliert, muss nun eingestehen, dass Mitarbeiter im Kernbereich genau gegen diese Verhaltenserwartungen massiv verstoßen. Wie nun damit umgehen? Die Kirche als Dienstgeber hat unbestritten für ihre Mitarbeiterinnen und Mitarbeiter eine Fürsorgepflicht. Diese verbietet das leichtfertige oder voreilige Verbreiten von Tateinzelheiten, Namen und Orten. Sie verbietet aber nicht die klare Aussage, dass es solche Taten im Raum der Kirche gegeben hat und gibt. Diese Aussage fällt natürlich schwer in einer Institution und Sinnagentur, die lange Zeit gerade in Fragen der Sexualität übertrieben viele Details zu normieren suchte und auch deshalb an gesellschaftlicher Glaubwürdigkeit verlor. Die Kirche konnte wenig erkennbar machen, dass es ihr mit diesen Regelungen um den Schutz der Würde personaler Beziehungen geht. Die Wertvorstellungen, die mit diesen Normen zu schützen waren, traten in den Hintergrund.

Es geht um Täter und Opfer

Im Umgang mit den Missbrauchsvorwürfen schien die Kirche wieder so zu verfahren, dass ihr am Schutz der Täter mehr gelegen schien als an einer rückhaltlosen Aufklärung. Um den Schutz der Würde – der Opfer und der Täter – geht es in den Missbrauchsfällen. Die Würde der Opfer wird dort verletzt, wo die Taten – bewusst und unbewusst – verharmlost und ihre Folgen verniedlicht werden. Die Würde der Täter dort, wo sie durch falsche Informationen diffamiert werden. Es hilft aber niemandem und erst recht nicht dem Ansehen der Kirche in unserer Gesellschaft, wenn Tatsachen um des lieben Friedens willen vertuscht werden. Angesichts der Missbrauchsfälle könnte die Kirche zeigen, dass Christinnen und Christen Spannungen wahrzunehmen und auszuhalten in der Lage sind, ohne sich durch verfehlte Spannungsreduktionen, Verharmlosen und Vertuschen trügerische Ruhe zu verschaffen. Hätte die Kirche nicht auch eine Chance zu zeigen, dass sie in der Lage ist, ohne Verteufelungen so mit Schuld umzugehen, dass Vergebung zu einer erfahrbaren Kategorie wird, die nicht zu Lasten der Opfer geht? Sie könnte auf diese Weise auch die Irritationen bei ihren Mitgliedern ausräumen, die erschrocken vor der entdeckten Realität stehen.

Priester – eine männerbundartige Gemeinschaft

Eine zweite vermutete Grundprämisse: Der Priesterberuf und die Vorbereitung auf ihn sind so gestaltet, dass eine entfernte Ähnlichkeit zur Sozialform von Männerbünden nicht ganz von der Hand zu weisen ist. Die Einweisung und Aufnahme in diesen Beruf ist mit genau bestimmten Initiationsriten und den dazu notwendigen Vorbereitungs- und Ausbildungszeiten verbunden. Dazu dient die zeitweilige räumliche Trennung der jungen Männer von den alltäglichen Lebenswelten. Zu weiteren Merkmalen der Männerbünde zählt, dass sie aus freier Entscheidung gewählt werden und „auf Akzeptanz gemeinsamer Normen und geistiger Ziele beruhen" (Blazek 2001, 19).

In einer Gesellschaft, in der die Geschlechtsrolle der Frau wesentlich stärker als die Geschlechtsrolle des Mannes im Wandel ist und Mann-Sein – mangels einer wirklich breiten gesellschaftlichen Neuorientierung der Männerrolle – meistens in Abgrenzung zur Frau definiert wird, spielen diese Bünde eine eigene Rolle in der Sozialisation ihrer Mitglieder. Sie stellen „gerade die Befriedigung von Bedürfnissen, die die Männersozialisation den Jungen verweigert, in Aussicht,

Werner Tzscheetzsch

indem sie – widersprüchlicherweise – die weibliche, soziale Einstellung hochhalten, und zwar in Form von Werten wie Treue, Zusammenhalt und freundschaftlichem Umgang mit gleichgesinnten Männern. Darüber hinaus versuchen Männerbünde durch gefühlsbetonte, mehr oder minder ekstatische Gruppenerlebnisse die durch die Männersozialisation hervorgerufenen emotionalen Blockaden zumindest zeitweise aufzulösen" (Blazek 2001, 21).

Das männerbundartige Verhalten, das bis heute in manchen Priesterkreisen zu beobachten ist, äußert sich z. B. in der Verweigerung der offensiven Auseinandersetzung mit der modernen Lebenssituation. An die Stelle der Überwindung etablierter Fantasielosigkeit durch pastorale *brain trusts* tritt der gefühlvolle und selbstmitleidige Austausch über die vermeintliche Ergebnislosigkeit pastoraler Bemühungen. Lässt sich die Situation im gemeinsamen Klagen leichter ertragen? Unterstützt wird diese Beobachtung durch den Befund der Studie Priester 2000: „Es herrscht unter Priestern zumindest in Westeuropa keine Aufbruchsstimmung. Auch in Ostdeutschland ist die Lage unter Priestern eher depressiv. Es sind (viel zu) wenige, welche überzeugt sind, dass sich die Kirche in den nächsten zehn Jahren erholen wird. Das priesterliche Führungspersonal lässt auf wenig Entwicklung hoffen" (Zulehner 2001, 39). Das emotionale Sich-Verstehen in vertrauter Runde als Reflex auf die Herausforderungen modernisierter Gesellschaft kann auch die Erfahrung kaschieren, sich nicht wirklich austauschen zu können. Dem Männerbund kommt dann die Bedeutung einer „Zufluchtsstätte" zu, „die den Einzelnen nicht nur vor sozialer Isolierung bewahrt, sondern auch einen wenigstens zeitweisen Schutz vor der voranschreitenden Verwischung der Trennlinie zwischen Privatsphäre und Öffentlichkeit gewährt" (Blazek 2001, 339 f.) – einen Schutz, auf den Priester einen Anspruch haben. Diese Zufluchtsstätte wird konturiert durch den Rückblick auf gleiche Ausbildungsstätten, auf die gleichen Initiationsriten, auf ähnliche Erlebnisse – kurzum auf Lebensumstände, die nahelegen, dass man sich auch ohne große Worte „unter Männern" versteht. Ein solches Sich-Einlullen trägt dann dazu bei, dass die Störungen der selbst gewünschten vermeintlichen Eintracht durch Missbrauchs-fälle geflissentlich übersehen werden müssen. Es gibt dann einen geheimen Zwang zum Wegsehen, der gerade das Gegenteil von dem produziert, was von ihm erhofft wird: dass wirklich Ruhe einkehrt. Das Problem verschärft sich insofern, als ja auch die Vorgesetzten Mitglieder des Männerbundes sind und sich auf seine Spielregeln einlassen. Ob aber die Form des Männerbundes den angemessenen und erwarteten oder ersehnten Schutz wirklich bietet, kann getrost infrage gestellt werden.

Macht- und Rollenmissbrauch

Der sexuelle Missbrauch ist eine spezifische Form des Machtmissbrauchs. Derjenige, von dem erwartet wird, dass er bei der Entwicklung einer lebendigen Gottesbeziehung, einem entsprechenden spirituellen Wachstumsprozess, Unterstützung anbiete und zu dem deshalb eine besondere Vertrauensbeziehung aufgebaut wird, missbraucht diese Beziehung, um eigene – die Intimsphäre des Sich-Anvertrauenden massiv verletzende – Interessen zu verfolgen. Aus dem Unterstützer, Förderer, Begleiter wird ein vergewaltigender Täter. Kurzum: Die berufliche Rolle wird missbraucht. Diese Beschreibung veranlasst mich zu einer dritten vermuteten Grundprämisse: Der Umgang mit Macht ist in der Kirche oft tabuisiert, und die Arbeit an Rollenklarheit wird als unproduktive Zumutung verstanden, womit unklares Verhalten evoziert wird. Besonders gefährlich wird es dort, wo Macht nach dem Muster „in der Kirche gibt es keine Macht, sondern nur Vollmacht" sozusagen wegspiritualisiert wird. Her-

Werner Tzscheetzsch

mann M. Stenger hat eindrucksvoll gezeigt, dass pastorales Handeln immer positiv angenommenes und bejahtes, reflektiertes machtvolles Handeln sein kann, wobei sich die Handelnden der gegebenen Ambivalenz von Machtausübungen bewusst sein müssen (Stenger 2000, 205–221).

Machtausübung braucht Selbsterfahrung

Um mit Macht verantwortungsbewusst umzugehen, brauchen Menschen Selbsterfahrung. Dazu gehört das Bewusstwerden der Spannung zwischen den Ansprüchen und Idealen der Reich-Gottes-Botschaft und der je eigenen – oft entfremdeten – Verwirklichung in den eigenen Lebensvollzügen. Das bedeutet das Zulassen von Zweifeln, das Wahrnehmen der Spannungen als Krisen und als Wachstumschancen in einem. Insofern gehört zur Ausbildung der Priester das Angebot zur Selbsterfahrung. Die Annahme der Rollenerwartung, ein warmherziger, verständnisvoller Seelsorger zu sein, setzt Erfahrungen mit den damit verbundenen Emotionen voraus – bei sich und bei den Begleitung oder Rat Suchenden. Die Zusammenarbeit mit Menschen ist immer Beziehungsarbeit. Zur Professionalität der Priesterrolle gehört die Kompetenz, Beziehungen zu gestalten, das heißt auch, Grenzen ziehen zu können. Und das muss erlernt und ständig reflektiert werden.

Rollenklarheit kann dadurch erarbeitet werden, dass die wechselseitigen Beziehungen zwischen beruflicher Rolle, eigener Lebensgeschichte und den Zielen und der Botschaft der katholischen Kirche immer wieder selbstreflexiv und handlungsorientiert bearbeitet werden. Diese Reflexion bewahrt vor Überforderung. Die Angebote zur Selbsterfahrung und zur Supervision sind Maßnahmen einer Personalentwicklung in der Kirche, die die anspruchsvollen Aufgaben ihrer Priester wahrnimmt und den Priestern die Möglichkeit bietet, die unterstützenden Maßnahmen zu konsultieren, die sie aus eigener Einschätzung brauchen: „Denn gute Supervision entlastet, ermutigt, erhält die Handlungsfähigkeit lebendig, führt in Krisen Energien zu, hilft Konflikte durchzuarbeiten und Lösungsmöglichkeiten auszukundschaften" (Zulehner 2001, 44).

Alle diese Maßnahmen werden nicht davor bewahren, dass es immer wieder einzelne Täter geben wird. Die Freiheit zur bösen Tat kann nicht wegtrainiert werden. Aber durch diese Maßnahmen der Personalentwicklung kann der Raum geöffnet werden, der eine vorurteilsfreie, aber auch vorbehaltlose Kommunikation über die Missbrauchsdelikte ermöglicht. Das ist ein Beitrag zu einer lernenden Kirche, die es den Opfern ermöglicht, über das ihnen zugefügte Leid frühzeitig sprechen zu lernen, zu erkennen, dass nicht sie daran schuld sind, dass es ihnen schlecht geht. Das kann eine wirkliche erste Befreiung sein: Die Schweigespirale wird durchbrochen.

Personalentwicklung wird zur Organisationsentwicklung

Im Umgang mit den Opfern von Misshandlungen hat die katholische Kirche zunächst Verhaltensmuster an den Tag gelegt, die angesichts der Herausforderungen ungeeignet waren, wirkliche Lösungen zu bewirken. Diese Muster entsprachen bestimmten Grundprämissen, die unhinterfragt ihr wirksames Eigenleben entwickelt hatten. In der Sprache der Organisationssoziologie sind das „Mythen", die ein gewünschtes, aber illusionäres Bild der Organisation aufrechterhalten. Sie verstellen den Blick auf die Wirklichkeit und verhindern Entwicklung. Dort, wo diese Funktion der Mythen jedoch durchschaut wird, wird Veränderung möglich. Die Institution wird nicht mehr dazu missbraucht, Wirklichkeit zu verdecken. Das „So-Tun-als-ob" wird weniger notwendig.

Werner Tzscheetzsch

Lernende Kirche: Spannungen annehmen

Ohne Zweifel hat die Kirche in den letzten Jahren lernen müssen, dass das Vertuschen und Verdrängen von Missbrauchsfällen wenig dazu dient, die Glaubwürdigkeit der Kirche zu stützen. Sie hat lernen müssen, dass ihr Umgang mit den Opfern geradezu zynisch schien, während ihr Umgang mit den Tätern mehr darauf gerichtet schien, deren Arbeitskraft weiter zu nutzen. Durch die Einführung verbindlicher Regelungen im Umgang mit Tätern und Opfern, das Bereitstellen qualifizierter Hilfsangebote, das Benennen von Ansprechpartnern sind wichtige Schritte getan – allerdings, vor allem in den USA, mehr auf innerinstitutionellen Druck von oben durch den Papst und auf Druck von außen durch die Presse oder durch angerufene Gerichte. Dabei darf Kirche nun nicht erleichtert stehen bleiben. Als Lernaufgabe hat sich die Klärung der Frage gezeigt, welchen Stellenwert die Integration der Sexualität in die Gesamtpersönlichkeit im Kontext der Priesterausbildung haben kann. Weiter aber reicht die Frage, wie die Kirche zu einem Kommunikationsraum werden kann, in dem Klarheit zu einem Qualitätsmerkmal wird. Dabei geht es nicht in erster Linie um eine Frage der Organisation, sondern um eine Frage des angemessenen Umgangs mit der der Kirche anvertrauten Botschaft, die enorme Konsequenzen für die Beziehungsgestaltung hat. Es geht um das Lernen von beziehungsstiftenden Haltungen, die der Reich-Gottes-Botschaft entsprechen. Die Reich-Gottes-Botschaft aber ist im wahrsten Sinne des Wortes eine spannungsreiche Botschaft – ausgespannt zwischen dem „schon" und dem „noch nicht". Kirche kann den Raum anbieten, gemeinsam darüber nachzudenken und Perspektiven zu entwickeln, wie diese Spannkraft ausgehalten werden kann: Die Spannung zwischen dem Anspruch des Evangeliums und der alltäglich-mühsamen – und immer wieder gebrochenen – Realisierung muss thematisierbar werden.

Menschen zu Gott führen lernen

Anmerkungen zum Priesterbild und zur Priesterausbildung

Stefan Kiechle

In der Zeit nach dem Zweiten Vatikanischen Konzil wurde der Priester vor allem als Gemeindepfarrer gesehen, der mit Laien zwar zusammenarbeitete, aber zugleich als Leiter und Seelsorger ganz im Mittelpunkt seiner überschaubaren Ortsgemeinde stand. Die eine Gemeinde des einen Hirten blieb oft, trotz mancher gegenteiliger Bekenntnisse, noch recht priesterzentriert. Dieses Bild geriet schon deswegen in die Krise, weil durch den Priestermangel der einzelne Pfarrer meist mehrere Gemeinden zu „übernehmen" hatte und so eine seelsorgerliche Omnipräsenz des Pfarrers nicht mehr möglich war – und an der Leitung ausschließlich durch Priester hält die Kirche ja nach wie vor fast überall fest. Aus diesem und anderen Gründen – gesellschaftlichen, kirchlichen usw. – spricht man seit einigen Jahren von einer Priesterkrise. Diese Rede hat sich, seit ab Ende Januar 2010 die massive sexuelle Gewalt durch Priester öffentlich wurde, verstärkt. Ich beginne mit einigen Wahrnehmungen zum krisenhaft veränderten Priestersein, mache dann theologische Anmerkungen zum Priesterbild und schließe mit Hinweisen zur Priesterausbildung.

Stefan Kiechle

Wahrnehmungen

Mehr Arbeit – weniger Beziehungen

Die Arbeit der Priester wird immer mehr, ihr Leben beschleunigt sich, die Beziehungen werden – wegen der größeren pastoralen Räume – anonymer, die zunehmende Bürokratie bindet Energien und lähmt, Erreichbarkeit fast rund um die Uhr wird erwartet, die Anforderungen an die Qualität der Predigt, der Liturgie und der seelsorgerlichen Begleitung wachsen ebenfalls stetig. Auch die Anteile der Arbeit haben sich verschoben: Katechese und seelsorgerliche Begleitung sind fast ganz von Laien übernommen worden, der Priester hat sich auf Liturgie und Leitung/Verwaltung zu konzentrieren. Weil nur er diese Aufgaben „kann" oder darf, haben sich die weniger werdenden Priester auf diese unverzichtbaren Felder zu beschränken und alles andere zu delegieren. Allerdings: Was den Arbeitsdruck, die Beschleunigung und die Anonymität betrifft, erleben Priester nur das, was sich überall in der Arbeitswelt – und vielerorts noch viel heftiger – findet. Empfinden sie dies auch deshalb als besonders drückend, weil ihre Realität sich immer weiter abkoppelt von einem hohen und stetig höher geschraubten Ideal?

Strittige Lebensform

Hinzu kommt die strittige Lebensform: Zölibatäres Leben in einem meist prächtigen Pfarrhaus befremdet viele Menschen; sie finden diese Lebensweise anstößig, gestrig, sinnenfeindlich, unmenschlich. Die Kritik kommt nicht nur aus einer profanen Gesellschaft, die nicht mehr versteht, wie man aus religiösen Gründen auf gelebte Sexualität verzichten kann, sondern auch zunehmend – und das verunsichert noch mehr – aus dem Binnenraum der Kirche: „Wenn er sich nur eine Freundin – oder einen Freund – sucht: Ich verstehe das; meinen Segen hat er dazu; das wird ihm gut-tun", so redet, nicht nur hinter vorgehaltener Hand, man-cher engagierter Katholik über seinen Pfarrer. Wen wundert es, dass der Zweifel an der Lebensform auch im Herzen man-ches Priesters nagt und seine Berufszufriedenheit unter-gräbt? Mancher geht Kompromisse ein, meist noch recht heimlich, aber das Doppelleben führt zu innerer Spaltung und zu Unfrieden. Die Kirchenleitungen schweigen dazu, und dass verheiratete Männer oder gar Frauen zur Priester-weihe zugelassen werden, scheint ferner denn je. Und warum ist man bei homosexuell veranlagten Priestern, die Kompromisse in ihrer Zölibatsverpflichtung eingehen, im Durchschnitt toleranter als bei heterosexuellen? Weil die ge-nerelle Tabuisierung und Verdrängung dieses Themas noch-mals erleichtert, dass die abgespaltene Wirklichkeit ein Ei-genleben führt?

Mehr Zusammenarbeit mit Laien

Priester müssen heute viel mehr als früher mit Laien koope-rieren. Waren sie früher – so wurden sie ja erzogen – in den Gemeinden oft Einzelkämpfer und „Mädchen für alles", so braucht es heute in den sehr viel größeren und komplexeren „pastoralen Strukturen" ein Zueinander und Miteinander verschiedener Charismen und Kompetenzen. Dies kann ei-nerseits die Priester entlasten, denn sie brauchen nicht mehr alles zu können und alles selbst zu machen, anderer-seits fordert es in viel größerem Maß die Fähigkeit und die Bereitschaft zur Wertschätzung anderer Charismen, zur De-legation, zur respektvollen Zusammenarbeit usw. Einige Priester tun sich mit diesen Umständen leichter, andere tun sich jedoch schwerer, und die Ausbildung hat sich auf diese gewandelten Ansprüche noch nicht genügend eingestellt.

Stefan Kiechle

Überzogene Erwartungen aufgeben

Muss der Priester ein heiliger Mann sein? Diese Erwartung kommt einerseits aus kirchlich konservativen Kreisen, die ein überhöhtes Priesterbild pflegen, andererseits von ganz kirchenfernen Menschen, die im allgemeinen moralischen Zerfall die Sehnsucht nach Vollkommenheit und Integrität auf den ihnen lebensweltlich sehr fernen geweihten Mann projizieren. Mit diesem idealisierten Rollenbild und dem Erwartungsdruck muss sich der Priester auseinandersetzen. Dann wieder erlebt er das Gegenteil: Viele erwarten vom Priestern überhaupt nichts mehr, schon gar nicht das moralische oder religiöse Vorbild. Weil sie fest überzeugt sind, dass der Priester ein schwacher oder gar ein unreifer, aufgrund seiner Lebensweise verquerer Mensch ist, nehmen sie ihm den moralischen Anspruch nicht nur nicht ab, sondern unterstellen ihm von vornherein, unglaubwürdig zu sein oder gar ein Doppelleben zu führen, und verachten ihn dafür. Wie soll ein Priester zwischen diesen widersprüchlichen und in ihren Extremen immer falschen Erwartungen seine Rolle finden und gesunde menschliche Beziehungen aufbauen?

Seit Bekanntwerden der Missbrauchsfälle kommt eine generelle Verdachtslogik gegen Priester hinzu: Ein Pfarrer erzählt, dass er regelmäßig seinen Kindergarten besucht. Vor allem die Buben drängen sich dann um ihn und möchten – meist nur kurz und völlig harmlos – mit ihm „kuscheln", was auch damit zusammenhängt, dass viele von ihnen ohne Väter aufwachsen und kaum männliche Bezugspersonen erleben. Wie soll er sich verhalten? Lässt er das Kuscheln zu, zieht er die misstrauischen Blicke der Erzieherinnen und Mütter auf sich und muss Angst vor einer Anzeige haben, die ihn sofort und brutal aus seinem Beruf reißen würde. Wehrt er es ab, würde er den Kindern nicht gerecht werden und als verklemmt gelten. Wie soll man in diesem Umfeld pastoral arbeiten?

Rückzug ins sakrale Ghetto

Manche Priester ziehen sich angesichts dieser Anfeindungen auf einen alten – und zugleich neuen – Klerikalismus zurück: Der Priester ist kraft seiner Weihe „höher", heiliger, Welt und Menschen enthoben, er hat sakrale und also nicht hinterfragbare Autorität, fordert daher Gehorsam ein, und wenn er kritisiert wird, so stellt das einen per se unberechtigten Angriff einer verdorbenen und dem Liberalismus verfallenen Welt dar, mit dem er sich nicht weiter zu beschäftigen braucht. Komplexität und Ungesichertheit machen Angst, hingegen beruhigen vermeintlich sichere Bastionen der Lehre, der Moral und der Ordnung. Weil manche Katholiken gerne zu idealisierten Männern aufschauen und genau diese sichere Autorität und Ordnung suchen, applaudieren sie diesen Priestern, was jene wiederum in ihrer Haltung bestärkt – eine sich selbst verstärkende Spirale. Der Rückzug auf diese angeblich wahre katholische Lehre wird jedoch erkauft mit geistiger Verarmung – die Begriffe dieser Lehre sind bei Weitem nicht so klar, wie sie zu sein behaupten –, mit einer biblisch nicht gedeckten Verachtung der „Welt", mit einer überzogenen Hierarchisierung – in Christus sind wir doch auch alle Schwestern und Brüder –, mit dem Rückzug ins Ghetto. Und zwischen solchen „wahren" und den anderen, den „offenen" – oft älteren und vom Konzil geprägten – Priestern herrschen meist Misstrauen und Sprachlosigkeit.

Die Kandidaten für das Priesteramt

Ziehen die Priesterseminare nur noch mittelmäßige Kandidaten an? Dieser Eindruck drängt sich auf, ist aber sicherlich nur teilweise richtig. Es gibt ausgezeichnete Kandidaten, die intelligent, menschlich und spirituell sehr reif sind und sich

Stefan Kiechle

mit großer Hingabe und bewundernswerter Selbstlosigkeit in diesen schwierigen Zeiten auf einen keineswegs attraktiven und angesehenen Beruf vorbereiten. Zugleich gibt es jedoch Kandidaten, die zwar fromm und kirchlich, aber auch unreif und überfordert wirken und letztlich den Eindruck machen, dass sie vor etwas fliehen und nun im Priesterberuf Karrierechancen wittern, die sie in der normalen Berufswelt nicht hätten. Und weil es bei Weitem zu wenige Kandidaten gibt, entsteht bei den Verantwortlichen – auch unbewusst – ein großer Druck, ungeeignete Kandidaten zuzulassen. Fatal ist der Brauch einiger Bischöfe, vorschnell und ohne Rückfragen Kandidaten anzunehmen, die an anderen Stellen nach gründlicher Prüfung abgewiesen wurden; um die Weihezahl zu erhöhen und vor den Mitbewerbern gut dazustehen, wird die Vorschrift des Kirchenrechts gebrochen, dass man für diese Bewerber bei der Stelle, die ihn entlassen hat, ein Zeugnis einholen muss.[1] Die Weihe ungeeigneter Kandidaten zeigt übrigens eine schlechte Theologie an: Wenn nach dem alten scholastischen Satz die Gnade die Natur voraussetzt und vollendet, kann man nicht jemanden, dem erwiesenermaßen die „natürlichen" Voraussetzungen für das Weiheamt fehlen, mit der Weihegnade bedenken in der Hoffnung, diese würde die „natürlichen" Defizite kompensieren.

Krise auch in den Orden

Und die Ordenspriester? Mancher Interessent am Priesterberuf und auch mancher Kaplan überlegt sich, in eine Ordensgemeinschaft einzutreten. Wenn der Beruf des Pfarrers und das Alleinleben zu unattraktiv erscheinen, legt sich diese Alternative nahe. Gründlich ist zu prüfen, ob der Wechsel vor allem als Flucht motiviert ist oder ob eine echte Ordensberufung vorliegt; diese zeigt sich darin, dass man von der Lebensweise und vom Auftrag des jeweiligen Ordens angezogen ist. In den Ordensgemeinschaften leben junge Mitbrüder oft in überalterten Konventen, was eigene Mühen mit sich bringt. Auf Fragen der Homosexualität muss man in Ordensgemeinschaften sehr genau achten, denn in einer Männergemeinschaft sexuell enthaltsam zu leben fordert von einem homosexuellen Mann noch mehr an innerer Kraft und Hingabe. Auch die Orden sind in einer massiven Krisen- und Umbruchsphase, sodass ein Leben in einer Ordenskommunität nicht leichter ist als das eines Diözesanpriesters; die Arbeitsanforderungen sind zwar oft geringer, dafür fordern das enge Zusammenleben, die größere Verfügbarkeit für verschiedene Aufgaben und die Klarheit der „evangelischen Räte" – man gelobt ausdrücklich und für immer Armut, Keuschheit und Gehorsam – oft mehr.

Priesterbild und Theologie

Geschichtliche Entwicklung

Im Volk Israel gibt es nach dem Alten Testament, übrigens auch nach jüdischer Theologie, drei Ämter: den König (*rex*), der gesalbt wird und als von Gott Geweihter das Volk führt und leitet; den Propheten (*propheta*), der im Auftrag Gottes das Wort verkündet, zugleich fordernd und heilend, kritisch und aufbauend; den Priester (*sacerdos*), der im Tempel stellvertretend betet, für das Volk das Opfer darbringt und es so mit Gott versöhnt. Diese drei Ämter schließen sich in dem einen Amt des Messias (Christus) zusammen, der König, Prophet und Priester ist. Wir Christen sehen in Jesus dem Christus dieses eine Amt des Messias verwirklicht. Das Priestertum im Sinn des alttestamentlichen Opferpriesters (*sacerdos*) wird, nach dem Hebräerbrief, durch Christus abgeschafft, denn durch seine Lebenshingabe am Kreuz hat er endgültig und unwiderruflich alle Opfer überwunden. Sie sind nicht

Stefan Kiechle

mehr nötig, denn die Menschheit ist durch ihn schon ganz mit Gott versöhnt.

Der Dienst der Jünger und Apostel Jesu wurde in der jungen Kirche zunächst nur als Dienst der Leitung und der Verkündigung gesehen, nicht sazerdotal, denn zum einen wurde dies nach Christus nicht mehr gebraucht, zum anderen wollte sich die junge Christenheit vom Opferkult des Jerusalemer Tempels absetzen; auch gibt es keine Hinweise darauf, dass der Vorsitz beim Herrenmahl eng oder gar exklusiv mit dem Jünger- oder Aposteldienst verbunden war. Erst später wurde das Amt des Vorstehers, also Bischofs, auch priesterlich gedeutet, mit Bezug zum Vorsitz der Eucharistie, in der sich nun die Lebenshingabe Jesu, das eine Opfer Christi, immer wieder vergegenwärtigt. Grundlegend ist dabei, dass die ganze Kirche als Kirche Jesu Christi königlich, prophetisch und priesterlich ist (vgl. 1 Petr 2,9), erst sekundär beziehen sich diese „Ämter" auf das geistliche Amt in der Kirche, vor allem auf das des Bischofs.

Der Bischof und abgeleitet davon der Priester repräsentieren damit in der Kirche Christus mit dessen dreifachem Amt. In der Geschichte gab es immer wieder Verengungen und Verkürzungen dieses Bildes: Im Spätmittelalter etwa reduzierte sich das Priesteramt auf das Kultisch-Sakramentale und auf die Verwaltung und den Verzehr von Pfründen; Verkündigung und Seelsorge verfielen weitgehend, denn der Klerus war dafür weder gebildet noch motiviert. Die Reformation und auch die „katholische Reform" des 16. Jahrhunderts betonten dagegen wieder die Seelsorge: im evangelischen „Pastor" als Prediger und Hirten und ähnlich im katholischen Priesterbild des Trienter Konzils. Dieses Konzil ordnete an, dass nach dem Vorbild der Jesuitenkollegien Priesterseminare eingerichtet werden, die für die Weltpriester das jesuitische Priesterbild umzusetzen versuchten. Dieses ist ganz vom *animas iuvare*[2] – „den Seelen helfen", wobei „Seele" hier den ganzen Menschen meint – geprägt, richtet den Priester also wieder mehr auf Verkündigung und Seelsorge aus. Neu war, dass man dazu sowohl vom evangelischen Pastor wie vom katholischen Seelsorgepriester vor allem eine gründliche spirituelle und intellektuelle Ausbildung forderte.

Die Seelsorge wiedergewinnen

Das Zweite Vatikanische Konzil vertiefte ausdrücklich vor allem die Theologie des Bischofsamtes als Dienst der Heiligung, der Lehre und der Leitung; wieder findet sich die alte Dreigestalt, die sich im Priesteramt fortsetzt. Heute sind wir, zumindest in den deutschsprachigen Ländern, in Gefahr, in die Einseitigkeit des Spätmittelalters zurückzufallen: Der Priester feiert immer häufiger Liturgie, außerdem verwaltet und leitet er kirchliche Institutionen, hingegen kommen die Verkündigung und Seelsorge zu kurz; er ist *sacerdos* und *rex*, aber kaum noch *propheta*. Wie kann der Priester die Seelsorge wiedergewinnen? Und könnte er sie wiedergewinnen – vielleicht nach Änderung der Zulassungskriterien dadurch, dass es wieder mehr Priester gibt –, so stellt sich die Frage, welches dann das theologische Profil der pastoralen Laienberufe sein soll. Diese Fragen sind kaum gelöst, und man hat den Eindruck, dass in der Leitung der Kirche wenig Sensibilität für ihre Brisanz vorhanden ist.[3]

Männerbünde isolieren

Der Klerus hat ja etwas eigenartig Männerbündisches. In Polizei und Militär wurde dies schon stark aufgesprengt, aber in der Priesterschaft bleibt es bestehen. Eng ist der Zusammenhang mit dem Zölibat: Er verbindet und schweißt zusammen, auch weil für Priester mangels eigener Familie Männerfreundschaften wichtiger werden. Wann werden die

Stefan Kiechle

an sich guten, persönlich stützenden und theologisch wertvollen, da Zeugnis gebenden Freundschaftsbande gefährlich? Wenn sich Priester von den Menschen abschotten und weltfremd werden; wenn sie ein theologisch legitimiertes überzogenes Erwählungsbewusstsein pflegen; wenn ihr Führungs- und Lebensstil patriarchalisch und wenig kooperativ ist; wenn sie andere Menschen, besonders Frauen, geringschätzen; wenn eine abgrenzende und andere diskriminierende Binnensprache gepflegt wird; wenn homophile Stile dominant und ausgrenzend werden; wenn sie die böse und verdorbene Welt als Feindbild aufbauen und dieses zur inneren Stabilisierung brauchen – diese Tendenzen gibt es wirklich, und allzu häufig werden sie nicht problematisiert.

Der evangelische Theologe Friedrich Wilhelm Graf schreibt, wohlgemerkt über beide deutsche Großkirchen: „Die deutschen Kirchen sind stark vermachtete und verfilzte Organisationen mit viel Pfründenwirtschaft zur Alimentierung von Funktionären, die gern unter sich bleiben und miteinander in einem verquasten Stammesidiom kommunizieren, das für Außenstehende unverständlich bleibt – der ideale Nährboden für Schweigekartelle und Wagenburgmentalität."[4]

Dass der katholische Klerus zum Schweigekartell wird, ist zum einen nur natürlich, denn Männer, die sich oft als abgearbeitet, bisweilen vereinsamt und in ihrer Identität vielfältig angefeindet erleben, neigen dazu, sich zusammen- und abzuschließen und sich gegenseitig bei Verfehlungen oder Angriffen zu decken. Wer wollte ihnen solches verübeln? Erstaunlich ist doch eher, wie dennoch die Kirche für Kleriker seit Jahrhunderten ein eigenes, inneres Strafrecht entwickelt hat. „Sündige" Kleriker müssen danach angezeigt werden, ihr Fall wird untersucht und je nach Schwere bestraft. Diese Justiz funktioniert diskret, aber doch auch effizient, in der Geschichte oft besser und gerechter als manche schlechte staatliche Gerichtsbarkeit.

Schweigekartelle aufbrechen

Zum anderen ist es jedoch in unserer aufgeklärten und moralisch anspruchsvollen Kultur dringend angesagt, Schweigekartelle aller Art zu durchbrechen. Für die Kirche sprach man nach dem Aufdecken des breitflächigen Missbrauchs davon, dass nun eine „kopernikanische Wende"[5] ansteht: vom Schweigen und Zudecken zu Offenheit und Transparenz; von der Verteidigung der Institution zur Opferperspektive; von der Sorge vor allem um die Täter – diese ist natürlich bleibend wichtig – zur verstärkten und durchaus schmerzhaften Sorge um die Opfer; von dem Fingerzeig auf „die böse Welt da draußen" zum klaren Bekenntnis, dass sich das Böse in der Mitte der Kirche findet und dort zu bekämpfen ist; vom Denken in Kategorien der Macht – hierin war die Kirche immer wieder schamlos weltlich – zu christlicher Demut und Umkehr.

Glaubwürdigkeit ist das stärkste Argument

Das Priesterbild wird und muss sich wandeln: Krankhafte Pädophilie entsteht in der Pubertät und ist lebenslang nicht heilbar; also führt eine später – meist im Alter zwischen 20 und 35 – getroffene Entscheidung zur zölibatären Lebensweise nicht zu Pädophilie. Dennoch ist deutlich, dass der Zölibat Männer anziehen kann, die sexuell unreif sind und ihre Probleme mit der Sexualität damit loswerden wollen, dass sie als Zölibatäre vermeintlich die Sexualität selbst los werden. Fatal ist, dass sich in der Vergangenheit die Erwartung besonderer Heiligkeit des Priesters mit dem Zölibat verband: Er liebt keine Frau, sondern ausschließlich Gott und sei ihm also näher und ganz von ihm durchdrungen – warum wird meist vergessen, dass nicht der Zölibat ein Sakrament ist, sondern die Ehe? Hinter diesem Priesterbild

Stefan Kiechle

steht auch eine jahrhundertealte Sexual- und Leibfeindlichkeit der Kirche, die zwar in einigen Texten der Bibel Anhaltspunkte findet, aber im Grunde doch heidnischen, nämlich griechischen Ursprungs ist. Wie kann man in diesem emotional und theologisch befrachteten Feld alle Idealisierung und Ideologisierung des Priesterbildes abbauen?

Die Heiligkeit des Priesters, von den Menschen gesucht und in der Weihe sakramental eingeprägt, muss sich heute vor allem in seiner Glaubwürdigkeit zeigen, also nicht primär durch eine äußere Lebensform, durch ein Amt oder durch amtliches Gepränge, sondern durch gelebtes Christentum: Überzeugen wird der Priester durch praktizierte Barmherzigkeit, durch freundliche Zuwendung zu allen – auch zu den Schwierigen, zu den leiblich oder seelisch Kranken, zu den Ausgegrenzten –, durch hingebungsvolles Arbeiten, durch Treue in Beziehungen und durch Wahrhaftigkeit, durch die Fähigkeit zu vergeben, durch Lebensklugheit und Muße, durch Mitleiden mit den Leidenden, aber auch durch Witz und Humor, Geist und innere Freiheit.

Zur Priesterausbildung

Anregungen

In den letzten zehn oder zwanzig Jahren hat sich einiges verändert: Die Zulassung zur Weihe nach klaren Kriterien der Eignung ist – oft mit psychologischen Gutachten – in den meisten Bistümern und Ordensgemeinschaften professioneller und genauer geworden. Die Begleitung und Betreuung der Kandidaten wurde persönlicher und existenziell tiefer – was nicht zuletzt an der kleineren Zahl liegt. Vielerorts gibt es ein „Propädeutikum", also vor dem Theologiestudium eine meist einjährige und oft recht fordernde persönlichkeitsbildende und spirituelle Schulung. Die nach dem Studium angesiedelte pastoralpraktische Ausbildung wurde gründlicher und wirklichkeitsnäher. Die Ausbildung hat sich also bereits vielfach verbessert – sicherlich könnte die Kirche diese neue Qualität besser der Öffentlichkeit kommunizieren. Dennoch bleibt einiges weiterzuentwickeln, und man hat den Eindruck, die Verhältnisse ändern sich so schnell, dass Reformen immer einige Schritte nachhinken und kaum nachkommen. Einige Anregungen dazu:

Junge Priester frei und mutig machen

Junge Priester sind eine Minderheit. Sie leben ein den meisten Altersgenossen unverständliches Leben und müssen ständig gegen den Zeitgeist anrennen – was attraktiv sein kann, immer aber zugleich hart sein wird. Das erfordert Selbstbewusstsein und Kraft, Mut und Glaubensstärke – der Versuchung, sich dem Konflikt durch Rückzug ins Ghetto zu entziehen, dürfen sie nicht erliegen. Nun kann ja niemand seine Identität ausschließlich aus einer Gegnerschaft, etwa gegen die Kultur der Zeit, ziehen. Was kann helfen, dass Kandidaten frei und mutig ihren Weg gehen? Sicherlich braucht es in Gemeinden und in der Kirche wieder vermehrt ein Klima, das Priesterberufungen nicht belächelt oder abwertet, sondern schätzt und fördert und außerdem dem Priester Akzeptanz und Geborgenheit vermittelt, ohne ihn auf der anderen Seite zu verklären oder zu überhöhen. Die ganze Kirche muss erkennen, dass sie Ausbilderin von Priestern ist und darin zu wachsen und zu reifen hat.

Reife Sexualität

Sexualität muss in der Priesterausbildung entschieden mehr zum Thema werden. Ein zugleich diskretes und offenes Re-

Stefan Kiechle

den über die damit zusammenhängenden und oft sehr intimen Fragen sollte eingeübt und eingefordert werden; die dafür notwendige klare Sprache ist in der Kirche noch zu wenig verbreitet. Dies gilt nicht nur wegen der Herausforderungen des Zölibats, sondern es würde auch gelten, wenn verheiratete Männer oder – eines Tages – Frauen zur Weihe zugelassen werden, denn Sexualität ist selbstverständlich immer prägend für die Persönlichkeit und ihre Reife, für den Umgang mit anvertrauten Menschen etwa in der Seelsorge, für das geistige und spirituelle Leben. Erst wenn sexuelle Empfindungen nicht als bedrohlich oder sündhaft erlebt werden, sondern als Quelle von Freude und Hingabe, gelingt ein menschlich-spirituell integriertes Priestersein für andere oder – anders gesagt – ein umfassender Dienst der Lehre, der Heiligung und der Leitung. Zu dieser Integration helfen verschiedene Formen der Supervision, der geistlichen Begleitung, eventuell auch der Therapie, des Unterrichts und des geistlichen Gesprächs. Ziel sollte sein, dass kein „Bereich" des Daseins als „privat" abgespalten und tabuisiert wird, sondern alles in die eine priesterliche Existenz einfließt. Das wird niemals ohne Verzicht und Schmerz gelingen, aber in einer guten Askese – der Kultur des Ja- und Neinsagens – liegt der Schlüssel zu gelingenden Beziehungen und zur Ganzhingabe an Gott und an den Dienst am Menschen.

Kommunikative Grundhaltung erforderlich

Weiter zu verbessern ist die Ausbildung zur Kommunikation: Wenn Christsein vor allem Beziehung ist und christliches Zeugnis nur über den guten Umgang mit Menschen gelingt, muss der amtliche Zeuge Christi vor allen anderen Dingen lernen zu kommunizieren. Der Einzelkämpfer früherer Zeiten, der sich vor allem über das Geben – von Sakramenten, von Lehre, von Führung ... – definierte, muss zu einem

Kommunikator werden, der immer zugleich gibt und empfängt – oder besser: empfängt und gibt – und in diesem Hin- und Herfließen zum Zeugen wird. Kommunikation kann man lernen, indem man geistlichen Austausch, seelsorgerliches Gespräch, Teamsitzungen, Konferenzen usw. regelmäßig praktiziert und selbstverständlich in Trainings und mit Supervision ausdrücklich sich dafür aus- und fortbildet. Professionalität in der Kommunikation bedeutet auch: kluge Nähe und kluge Distanz sowohl zu Mitarbeitenden wie zu Seelsorgs-„Kindern"; klare Unterscheidung – nicht radikale Trennung, aber auch keine unsaubere Vermischung – von privaten und beruflichen Beziehungen; eine innere Askese, wenn man sich einsam oder leer fühlt und Nähe und Geborgenheit ersehnt ...

Elementare Spiritualität einüben

Wo bleibt das spirituelle Profil?[6] Kamen früher die Priesterkandidaten aus volkskatholischen Milieus und lebten meist auf natürliche Weise eine tiefe persönliche Frömmigkeit, so bringen heute viele Kandidaten kaum eine spirituelle Praxis für den Ausbildungsweg mit. Diese muss daher noch viel elementarer eingeübt werden, mit Zeiten des Schweigens und des Rückzugs und mit methodischer Schulung – und das in einer Epoche, in der in allem die Hektik größer und die Anforderungen etwa an Ausbildungs- und Studiengänge höher und komplexer geworden sind. Mehr innere Stille bei größerem äußeren Druck: Diese Quadratur des Kreises wird nur schwer gelingen. Die Verlängerung der Priesterausbildung, u. a. durch das erwähnte Propädeutikum, ist dafür ein kostspieliger – an Zeit und Energie und Geld –, aber sicher ein lohnender Schritt. Spirituell wachsen kann man nur mit Elementen der Unterbrechung des Alltags, der räumlichen Distanz zu ihm und des einfachen Lebensstils; das Bewusst-

Stefan Kiechle

sein dafür und die Wertschätzung müssen den Kandidaten eigens vermittelt werden.

Was die spirituellen Formen angeht, so ist die frühere einseitige Festlegung auf das Stundengebet heute kaum mehr ausreichend. Um in einer komplexen und oft widersprüchlichen, aber auch faszinierenden und großartigen Welt tief mit Gott verbunden zu sein, braucht es Weisen des persönlichen Betens, die Gefühle und Leidenschaften, Fragen und Sehnsüchte, auch Dunkles und Krisenhaftes lebendig sein lassen und Gott hinhalten. Dieses Gebet gilt es einzuüben, einzeln in der schweigenden Intimität mit Gott und gemeinschaftlich in der verbalisierten und rituellen Hingabe an ihn. Die Priesterausbildung kann ein intensives Gebetsleben der Kandidaten nicht „machen", aber sie kann dazu motivieren und disponieren.

Wo wird der Ort sein, an dem Überhöhung verhindert wird und zugleich Freiräume entstehen, sodass der Geist die Chance bekommt zu wirken? Mit kommunitärem Realismus und in doktrinärer Nüchternheit[7] kann das Priesterseminar dafür eine Hilfe sein, allerdings wird der Priesterkandidat auch außerhalb des Seminars, in der Praxis eines selbst organisierten und selbst verantworteten Lebens mitten in der „Welt", sich in menschliche und spirituelle Vollzüge einüben müssen. Was ist Ziel der Priesterausbildung? Sie darf künftig nicht mehr so sehr – überspitzt gesagt – Funktionäre einer Institution heranbilden, die perfekt eine Rolle ausüben, die zugehörige „Lehre" verkörpern und verbreiten und in ihrem Wirken immer die Institution zu fördern suchen. Vielmehr soll sie Männer zu Priestern ausbilden, die in einer bunt-vielfältigen, bisweilen wirren und feindlichen Umwelt sich in Freiheit ganz dem Herrn so hingeben, dass sie aus der Barmherzigkeit und Liebe Gottes leben und diese – im Auftrag der Kirche und in der Gemeinschaft aller Christen – durch ihr Sein und Tun den Menschen vermitteln.

Vorbeugung ermöglichen

Ohne Gehorsam ist der Herr nicht möglich

Die Großen sind nicht durch sich selbst groß, sondern durch die Andern, durch alle die, denen es ein Entzücken bereitet, sie als groß zu erklären. Durch vieler Leute Würdelosigkeit entsteht diese eine überragende Ehre und Würde. Durch vieler Leute Kleinheit und Feigheit entsteht diese auf einem Punkt aufgehäufte Summe von Größe und durch vieler Leute Verzicht auf Macht diese gewaltige Macht. Ohne Gehorsam ist der Befehlshaber und ohne Diener ist der Herr nicht möglich.
(Robert Walser)[*]

---

* Aus Pauli und Fluri, in: Robert Walser, Träumen (sämtliche Werke in Einzelausgaben, Bd. 16, 179)

Die katholische Kirche Irlands und sexuelle Gewalt gegen Minderjährige

Beschreibung der Krise und Entwurf einer theologischen Agenda

Eamonn Conway

Einleitung

Die katholische Kirche Irlands versucht schon seit fünfzehn Jahren, mit dem Verbrechen sexueller Kindesmisshandlungen durch Priester und Ordensleute fertigzuwerden. Im Folgenden werde ich einige der in diesem Zeitraum aufgekommenen Themen und Probleme umreißen. Ich werde dies unter besonderer Berücksichtigung der Aspekte tun, die vor dem Hintergrund der irischen Erfahrungen des theologischen Engagements und der Reflexion bedürfen. Ich beginne mit einem kurzen Überblick über zentrale Aspekte der irischen Erfahrungen und werde dann die durch sie aufgeworfenen theologischen Fragestellungen untersuchen.

Die irischen Erfahrungen mit Jahren der Enthüllung

Im Jahr 1992 wurde der plötzliche Rücktritt eines der angesehensten und beliebtesten katholischen Bischöfe zu einem Schlüsselereignis für die katholische Kirche Irlands: Der Bischof von Galway, Eamon Casey, floh bei Nacht und unter

Schimpf und Schande aus Irland, nachdem bekannt geworden war, dass er in den Vereinigten Staaten einen Sohn im Teenageralter hatte, dessen Unterhalt er mit Kirchengeldern bestritt. Mit diesem Ereignis begann für viele Iren ein Prozess der Desillusionierung im Blick auf die Institution römisch-katholische Kirche, eine Institution, die bis dato in einer Position von einzigartigem Prestige und beispielloser Macht wahrgenommen worden war.

Obwohl Bischof Casey eine verletzliche erwachsene Frau missbraucht und heimlich Bistumsgelder für den Unterhalt des Kindes ausgegeben hat, wird seine Untreue heute in den Medien oft als „normal" und „annehmbar" beschrieben im Vergleich zu den fast unvorstellbaren Verbrechen sexueller Kindesmisshandlungen durch Priester und Ordensleute, die danach bekannt geworden sind. 1994 folgte die erste Konfrontation mit einem Fall schwerer sexueller Kindesmisshandlung durch einen Priester, als die nordirische Polizei in der Republik Irland die Auslieferung eines Angehörigen des Prämonstratenserordens, Pater Brendan Smyth, beantragte. Smyth wurde dann sowohl in der Republik Irland als auch in Nordirland wegen jahrzehntelanger schrecklicher Kindesmisshandlungen verurteilt und starb später im Gefängnis. Seit diesem Zeitpunkt gibt es in Irland kaum ein Bistum oder eine Ordensgemeinschaft ohne Angeklagte und Verurteilte.

Die katholischen Bischöfe Irlands erließen 1996 in Zusammenarbeit mit den Zuständigen der Orden und Kongregationen erarbeitete Richtlinien über die Verfahrensweise beim Vorwurf sexueller Vergehen an Minderjährigen. Ein entscheidender Punkt darin ist die für alle kirchlichen Autoritäten geltende Verpflichtung, solche Anschuldigungen staatlichen Stellen zu melden (Child Sexual Abuse, 1996). Diese Richtlinien wurden 2005 durch ein umfassenderes Dokument mit dem Titel „Unsere Kinder, unsere Kirche" ersetzt. Ziel war die Vereinheitlichung des Vorgehens aller Diözesen und Einrichtungen kirchlichen Lebens in Irland bei sexuel-

Eamonn Conway

ler Gewalt gegen Minderjährige. Auf diesem zurzeit gültigen Dokument basiert die einheitliche nationale Vorgehensweise der katholischen Kirche Irlands bei der Beobachtung und Behandlung von Fragen des Kinderschutzes. Dieses Dokument stimmt mit den Direktiven überein, die der irische Staat für den Kinderschutz in Krankenhäusern, Schulen etc. erlassen hat. Während sich die kirchlichen Richtlinien von 1996 nur mit sexueller Kindesmisshandlung beschäftigten, bezieht sich das aktuelle kirchenamtliche Dokument auf alle Formen der Kindesmisshandlung, seien sie körperlicher oder seelischer Art, einschließlich generalisierter Vernachlässigung. Tatsächlich hat es kritische Stimmen gegeben, die dies für zu umfassend halten. Man befürchtete, Priester könnten jetzt wegen praktisch jeden Fehlverhaltens der Strafverfolgung genauso ausgesetzt sein, als hätten sie sich der schlimmsten sexuellen Kindesmisshandlung schuldig gemacht. Es wurde auch Besorgnis darüber geäußert, dass die Akzeptanzschwelle der Prima-facie-Glaubwürdigkeit einer Anschuldigung so niedrig ist, dass dem fälschlich beschuldigten Priester irreparabler Schaden zugefügt werden kann (vgl. Conway u. a., 2006). Doch das hieraus entstehende Gefühl der Verletzlichkeit, das Priester erfahren, wird als der Preis akzeptiert, der gezahlt werden muss, wenn der Schutz des Kindes die höchste Priorität haben soll.

Seit 2005 sind enorme finanzielle Mittel in den Kinderschutz geflossen. So wurde in einigen Bistümern spezielles Personal zum Kinderschutz eingestellt. Ferner wurden obligatorische Kinderschutzprogramme für das gesamte kirchliche Personal und eine obligatorische Überprüfung der Priester durch die Polizei eingeführt sowie für eine finanziell gut ausgestattete kirchliche Infrastruktur mit weitreichender Vollmacht zur Beobachtung und Überwachung der kirchlichen Richtlinien gesorgt.

Die Kirche bleibt die einzige nicht-staatliche Körperschaft, die verlangt, dass alle Vorwürfe sexueller Kindesmisshandlungen den staatlichen Stellen gemeldet werden und dass ihr gesamtes Personal – unabhängig davon, wie lange es im Amt ist – polizeilich überprüft wird. Die überwiegende Zahl der Fälle sexueller Kindesmisshandlungen durch Kleriker, die in den letzten Jahren verhandelt wurden, liegt mehrere Jahrzehnte zurück, und alle fairen, öffentlichen Kommentatoren erkennen und bestätigen, dass die zurzeit in der katholischen Kirche Irlands gültigen Maßnahmen zum Kinderschutz beispielhaft sind.

Bedeutende Meilensteine

Seit 1996 gibt es eine Anzahl bedeutender Meilensteine im Umgang mit Misshandlungsskandalen, wobei die meisten Verfahren durch investigativen Journalismus in Großbritannien und Irland beschleunigt wurden. Im Jahr 2002 trat der Bischof von Ferns, einer kleinen ländlichen Diözese in Südirland, im Anschluss an eine Fernsehdokumentation zurück. Ihm waren Fehler bei der Behandlung einer Reihe von Fällen sexueller Kindesmisshandlungen vorgeworfen worden. Es wurde sofort ein apostolischer Administrator eingesetzt, der die beschuldigten Priester schnell aus dem aktiven Dienst entfernte und ihre Rückversetzung in den Laienstand betrieb. Auf Druck einiger Opfer wurde auch eine staatliche Untersuchung unter dem Vorsitz eines höheren Richters durchgeführt, die 2005 abgeschlossen wurde. Der Abschlussbericht ergab, dass zwischen 1962 und 2002 über hundert Anschuldigungen gegen 21 Priester geäußert worden waren. Die Untersuchung zeigte, dass man bis 1980 von den Priestern, die sich der sexuellen Kindesmisshandlung schuldig gemacht hatten, gedacht hatte, sie litten an einem moralischen Problem, und dass man sie nach einer Zeit der Reue als weiterhin geeignet für ihr Amt und für eine Wiedereinstellung gehalten hatte. Nach den 1980er-Jahren spielten

Eamonn Conway

psychologische Urteile und therapeutische Fürsorge eine Rolle. Dennoch gab es weiterhin Fälle, in denen Priester gegen professionellen Rat wieder in ihr Amt eingesetzt wurden. Diözesane Autoritäten werden auch dafür kritisiert, dass sie Priester nicht schnell genug aus dem Amt entfernten, obwohl die Anschuldigungen glaubwürdig waren. Es gibt auch Beweise dafür, dass die irische Polizei bis in die 1990er-Jahre bei ihren Untersuchungen im kirchlichen Umfeld alles andere als gründlich vorgegangen ist. Der Ferns-Bericht enthielt auch eine Anzahl von Empfehlungen, besonders was die schnelle Entfernung eines glaubwürdig beschuldigten Priesters aus dem aktiven Dienst betrifft. Diese Empfehlungen wurden in die Richtlinien von 2005 eingearbeitet.

Zeitgleich mit der Ferns-Untersuchung führten auch die bischöflichen Verwalter des Nationalen Seminars am St. Patrick's College eine Untersuchung durch (2002–2005). Sie beschäftigten sich mit dem Vorwurf des Fehlverhaltens gegen ein Mitglied des Lehrkörpers, Michael Ledwith. Es ging um die sexuelle Belästigung von Seminaristen. Als Präsident des Colleges musste Monsignore Ledwith 1994 zurücktreten, nachdem Anschuldigungen sexueller Kindesmisshandlungen öffentlich bekannt geworden waren. Die Untersuchung ergab, dass man den Anschuldigungen der Seminaristen, die vor der Berufung von Ledwith zum Präsidenten geäußert worden waren, nicht angemessen nachgegangen war und dass sie auch nicht von den zuständigen Bischöfen entsprechend untersucht worden waren. Monsignore Ledwith, der ein international anerkannter Theologe und auch einmal Mitglied der päpstlichen Internationalen Theologischen Kommission gewesen war, wurde schlussendlich in den Laienstand zurückversetzt.

Im Jahre 2008 musste der Bischof von Cloyne, John Magee, der drei Päpsten als Päpstlicher Sekretär in der Römischen Kurie gedient hatte, von der Bistumsleitung zurücktreten. Ein anderer Bischof wurde zum Päpstlichen Administrator des Bistums bestimmt, als das kirchliche *Child Protection Office* (Kinderschutzbüro) behauptete, er sei nicht den kirchlichen Richtlinien zur prompten Weitergabe von Missbrauchsbeschuldigungen an staatliche Stellen gefolgt und habe somit potenziell Kinder gefährdet. Bischof Magee trat im Jahr 2010 zurück, und seine Diözese ist zurzeit Gegenstand einer staatlichen Untersuchung.

Im Jahr 2009 verschob sich durch die Veröffentlichung des Ryan-Report zeitweise die öffentliche Aufmerksamkeit weg von der Reaktionsweise der bischöflichen Autoritäten hin zu den Ordensgemeinschaften. Die Untersuchungskommission hatte in diesem Fall formal legalen Status, da sie auf einen Parlamentsbeschluss aus dem Jahr 2000 zurückgeht. Es sollten in erster Linie Kindesmisshandlungen unterschiedlichster Form in fast 100 von der katholischen Kirche geleiteten Erziehungseinrichtungen untersucht werden. Der Ryan-Report umfasst fünf Bände, die zum größten Teil Erklärungen und Zeugnisse der Opfer enthalten (vgl. www.childabusecommission.ie/). Die Lektüre macht krank.

Der Ryan-Report kommt zu dem Schluss, dass von Mitte der 1930er-Jahre bis 1970 körperliche und seelische Kindesmisshandlungen und generalisierte Vernachlässigungen das Charakteristikum dieser kirchlichen Einrichtungen waren und dass in vielen Erziehungsheimen für Jungen manchmal sexueller Missbrauch stattfand. Der Report beschuldigt die Orden, dass sie die Heime aus finanziellen Gründen einrichteten und am Leben erhielten und gelegentlich sogar den Staat um Einweisung von Kindern baten, um die Zahl ihrer Zöglinge zu erhöhen.

Der Ryan-Report fand heraus, dass sowohl in den von männlichen als auch in den von weiblichen Ordensleuten geführten Einrichtungen ein Klima der Angst vorherrschte. Dieses Klima wurde erzeugt durch exzessiv ausgeübte körperliche Züchtigungen, die regelmäßig und willkürlich vorgenommen wurden. Es zeigte sich, dass in Jungenschulen sexueller Missbrauch systemisch und endemisch vorkam. Es liegen unwiderlegbare Beweise dafür vor, dass Opfer, die sich beschwerten, ignoriert oder sogar bestraft wurden, und dass es bei der Vertuschung der Verbrechen ein Zusammenspiel von Kollegen und Vorgesetzten der Täter gab. Es gab auch eine „Tradition" von sexuellen Misshandlungen in Jungenschulen, die darin bestand, dass jüngere Schüler Opfer der älteren wurden.

In Bezug auf den Vorwurf der generalisierten Vernachlässigung fand der Ryan-Report heraus, dass die Lebensbedingungen sehr hart waren. Die Kinder wurden nur unzureichend ernährt und gekleidet, und sie mussten oft frieren. Der Report ergab, dass die Ursache für diese schweren Missstände nicht fehlende finanzielle Mittel der Orden als Träger dieser Schulen waren. Der Report fand auch heraus, dass die schulische Ausbildung der Kinder mangelhaft war. Oft wurden sie als billige Arbeitskräfte zur Steigerung des Schulvermögens eingesetzt, wenn sie eigentlich im Klassenzimmer hätten sein sollen.

Im Ryan-Report wurde auch der Staat kritisiert, weil er die Misshandlungsanschuldigungen ignoriert habe oder ihnen nicht angemessen nachgegangen sei. Der Report wirft dem irischen Staat auch seine zu unterwürfige Haltung gegenüber den Ordenseinrichtungen vor. Staatliche Inspektionen seien nur selten und wenn, dann mangelhaft durchgeführt worden, und selbst wenn Kindesmisshandlungen den staatlichen Stellen bekannt geworden seien, seien sie selten eingeschritten.

Der Murphy-Report

Ende 2009 wurde der Abschlussbericht der jüngsten Regierungsuntersuchung zu Vorgängen im Bistum Dublin, Irlands größter Diözese, veröffentlicht: der Murphy-Report. Dieser Bericht beschäftigt sich mit 46 repräsentativen Fällen von insgesamt rund 180, in denen Priester im Bistum Dublin zwischen 1975 und 2004 der sexuellen Kindesmisshandlung beschuldigt worden sind. Es ist in diesem Zusammenhang aufschlussreich, dass im gesamten Zeitraum fast 2 800 Priester in dieser Diözese tätig waren. Der Bericht stellt fest, dass „das Erzbistum Dublin in Fällen des sexuellen Missbrauchs von Kindern mindestens bis in die Mitte der 90er-Jahre hauptsächlich daran interessiert war, Dinge zu verschweigen, Skandale zu vermeiden, den Ruf der Kirche zu wahren und ihre finanziellen Mittel zu schützen. Alle anderen Überlegungen (einschließlich des Wohles der Kinder und der Gerechtigkeit für die Opfer) waren demgegenüber zweitrangig. Das Erzbistum wandte sein eigenes Kirchenrecht nicht an und versuchte nach besten Kräften, der staatlichen Gesetzgebung zu entkommen" (Murphy Report 1.15).

Der Murphy-Report kam in einigen Fällen zu detaillierten negativen Ergebnissen bezüglich des Verhaltens aktiver Würdenträger im betreffenden Zeitraum. Unter ihnen waren mehrere Erzbischöfe und Kardinal Desmond Connell. Seit der Veröffentlichung des Berichts haben fünf Bischöfe, die in jener Zeit als Weihbischöfe im Erzbistum Dublin tätig waren, beim Heiligen Stuhl ihren Rücktritt eingereicht.

Wir warten noch auf die Veröffentlichung weiterer Abschnitte des Murphy-Reports. Sie wurden noch nicht freigegeben, um laufende Verfahren nicht zu stören. Wir warten ebenso noch auf die Ergebnisse der Untersuchung im Bistum Cloyne. Inzwischen gibt es in den Opferhilfsgruppen und in den Medien ständig Forderungen nach staatlichen Ermittlungen in allen Bistümern des Landes. Die Polizei in Nordirland hat in diesem Zusammenhang eine eigene Sonderkommission zur Untersuchung entsprechender Vorwürfe gebildet.

Die finanziellen Folgen

Die finanziellen Folgen der sexuellen Kindesmisshandlungen für die katholische Kirche Irlands können nur schwer beziffert werden. Die Regierung hat ein Entschädigungssystem für Opfer institutioneller Misshandlungen eingerichtet. Das Gesamtvolumen könnte sich auf etwa 1,36 Milliarden Euro belaufen. Betroffene Ordensgemeinschaften sind vom Staat aufgefordert worden, bis zu 50% der Gesamtsumme zu diesem Fonds beizusteuern. Weil die Schadensersatzregelungen bei Straffälligkeit von Diözesanpriestern vertraulich gehandhabt werden, ist es schwierig, in Bezug auf diese Personengruppe Schätzungen vorzunehmen. Man kann jedoch von bis zu 50 Millionen Euro ausgehen. Hinzu kommen die beachtlichen Kosten für ein extensives Kinderschutzprogramm, das in Einzelfällen auch dazu führte, dass kirchlichen Laienorganisationen ihre Aufgaben entzogen wurden. Wenn man zusätzlich berücksichtigt, dass durch die Rezession Aktien und Grundbesitz einiger Diözesen sehr an Wert verloren haben, kommt man zu dem Ergebnis, dass die finanzielle Lage der katholischen Kirche Irlands sehr prekär geworden ist.

Die Auswirkungen auf die Opfer

Wir müssen uns darüber klar sein, dass im Normalfall die Opfer die misshandelnden Priester kannten, dass sie sie bewunderten und ihnen ein kindliches und unschuldiges Vertrauen entgegenbrachten. Dieses Vertrauen wurde völlig ausgenutzt, manipuliert, zerstört und verraten. Wir müssen, wenn wir Vergleiche mit sexuellen Kindesmisshandlungen durch Mitglieder anderer Berufsgruppen anstellen, auch berücksichtigen, dass Priester die privilegierteste Gruppe innerhalb der seelsorglichen und heilenden Berufe bilden. Sie tragen Verantwortung für das geistige Wohl ihrer Schutzbefohlenen und verfügen diesbezüglich über allgemein akzeptierte Autorität. Aus diesem Grund hat man kirchliche Sexualstraftäter „Seelenmörder" genannt (vgl. Rossetti 1996).

Blickt man speziell auf Irland, so ist auch zu bedenken, welche praktisch unangreifbare Position ein römisch-katholischer Priester in einer Gesellschaft hatte, in der fast jeder Mitglied der katholischen Kirche war. Rückblickend mag es seltsam erscheinen, wie nachgiebig sich die Polizei gegenüber dem Klerus und den kirchlichen Autoritäten verhielt, aber damals war das erklärbar.

Um noch einmal deutlich zu machen, welchen unermesslichen Schaden sexueller Missbrauch durch einen Priester in einer traditionell katholischen Gesellschaft anrichten kann, sei auf die Wortwahl eines Traumaexperten verwiesen, der vor der richtungweisenden Bischofskonferenz der amerikanischen Kirche in Dallas 2002 den sexuellen Missbrauch durch Priester als eine Form von Inzest bezeichnete: „Eines muss ganz klar sein: Die sexuelle Schändung eines Kindes oder eines Heranwachsenden *ist* Inzest. Hier hat der Vater der erweiterten Familie des Kindes sexuelle und Beziehungsnormen gebrochen; ein Mann, dem mehr als allen (nach Gott) zu trauen das Kind von Geburt an gelernt hat. Missbrauch durch Priester *ist* Inzest" (Frawley-O'Dea 2002, 2).[1]

So schrecklich die Erfahrung sexueller Misshandlung auch gewesen sein mag, für viele Opfer war die Reaktion der offiziellen Stellen, an die sich zu wenden sie endlich den Mut fanden, ein weiterer und in Einzelfällen noch schlimmerer Vertrauensbruch. Ein Opfer empfand die Behandlung als „kalt, abweisend, unehrlich, bedrohlich, juristisch spitzfindig". Man verwies sie an einen Anwalt, sagte ihr, sie sei wohl selbst schuld an dem Verhalten des Täters, hielt sie für einen Störenfried, eine Bedrohung, einen Feind (Collins 2004, 251–258).

Einigen Seelsorgern missriet auf tragische Weise vollkommen das, was eigentlich ihre Stärke sein sollte: der seelsorge-

Eamonn Conway

rische Umgang mit einem verletzten, hilfebedürftigen Menschen. Die schändliche Reaktion einiger Amtsinhaber war es, sich in erster Linie um die angeblichen Interessen der Institution zu kümmern. In den meisten Fällen zeigten sie sich wenig bekümmert nicht nur um die Rechte der Opfer und um Gerechtigkeit für sie, sondern auch um deren seelsorgliche Begleitung und seelisches Wohlergehen. Ich spreche von „angeblichen" Interessen der Institution, weil man den wirklichen Interessen einer Einrichtung, die dem Evangelium dient, nur gerecht werden kann, wenn jede in ihrem Namen ausgeführte Tat durch Gerechtigkeit, Wahrheit und Liebe bestimmt ist. Der Verrat an den Opfern war auch ein Verrat an der Kirche.

Die Auswirkungen auf die Gemeinschaft der irischen Katholiken

Am angemessensten beschreibt man die Auswirkungen all dieser Beschuldigungen, Untersuchungen und Enthüllungen auf die irischen Katholiken mit Begriffen wie Kummer und Verlust. Hinzu kommen Gefühle wie Verdrängung, Wut, Angst etc. Die Kirche als Institution hat unter allen ihren Mitgliedern, einschließlich der Kleriker, extrem an Vertrauen verloren, auch wenn sich „vor Ort" viele Menschen weiter zu ihrem Glauben bekennen und großes Vertrauen zu ihren Ortsgeistlichen haben. Bischöfe, die sich seit fünfzehn Jahren hauptsächlich mit Fällen sexueller Kindesmisshandlungen beschäftigen mussten, fühlen sich ausgebrannt, überwacht und sehr hilflos wegen der ständigen Geschichten in den Medien.

Hauptsächlich bestand die Reaktion der Institution Kirche auf die Beschädigung ihrer Glaubwürdigkeit darin, ganz praktische Maßnahmen zu ergreifen: Wie kann man den Schutz von Kindern am besten gewährleisten? Wie erzeugt man Transparenz im Umgang mit den Straftätern? Wie stellt man Verantwortlichkeit gegenüber den Behörden des Staates her? Welche Kommunikationsstrategien gibt es? So sinnvoll diese Bemühungen als solche auch sein mögen, treffen sie doch nicht den Kern der Sache. Die eigentliche Ursache der aktuellen Krise der katholischen Kirche in Irland ist darin zu suchen, dass die übergroße Mehrheit ihrer Mitglieder einem Modell von Kirche und Spiritualität gefolgt ist, in dem Priester und Ordensleute als eine fast übermenschliche geistige Elite angesehen wurden. Auf dieser Grundlage wurden dieser Elite ein besonderer Status und zahlreiche Privilegien zugestanden. Im Gegenzug lernten die nicht geweihten Katholiken, sich selbst als eine im besten Fall zweitrangige geistige Klasse zu sehen. So lebten sie gleichzeitig voller Bewunderung und voll Abneigung denen gegenüber, die sie als im spirituellen Sinne überlegen ansahen. Heute fühlen sich besonders ältere Katholiken vielfach getäuscht und betrogen. Gefühle wie Enttäuschung, Verlust, Zorn und Verletzung sind bei einfachen Katholiken deutlich spürbar (vgl. Waters 2010). Neben den vielen praktischen Maßnahmen, die im Interesse der Sicherheit der Kinder in der Kirche angewandt werden, ist eine tiefgreifende Reflexion dringend erforderlich. Sie muss diese Gefühle aufnehmen, die sowohl von der übergroßen Mehrheit der Gläubigen im Lande als auch von Bischöfen, Priestern und Ordensleuten Besitz ergriffen haben. Hierzu kann eine Beobachtung von Gerald Arbuckle hilfreich sein, die im australischen Kontext entstand:

„Die wirklichen Hoffnungsträger in der Kirche geben dem Schmerz des Chaos und dem grenzenlosen Verlust einen Namen. Wenn der Schmerz einen Namen bekommen hat, kann man ihn loslassen, um Raum zu schaffen für das unmögliche Neue. Dieser Trauerprozess [...] kann jedoch auf verschiedene Arten gestoppt werden. Wenn wir einmal angefangen haben zu trauern, können wir solche Angst vor der

Eamonn Conway

dürren Machtlosigkeit der Dunkelheit bekommen, dass wir Zuflucht nehmen zu den Sicherheiten weltlicher Visionen. Oder die Gemeinschaften, zu denen wir gehören, sind so matt und introvertiert, dass sie sich sogar weigern, den öffentlichen Ausdruck von Schmerz zuzulassen. Oder da gibt es diejenigen in der Kirche, die überhaupt keinen Schmerz oder kein Chaos sehen. Sie bieten den Menschen Hoffnung an in Gestalt der Restauration. Das ist der unkritische Versuch, die Kirche zu ihren vorkonziliaren Symbolen und Strukturen zurückzuführen, weil man nicht akzeptieren will, dass sich authentische Hoffnung auf das Eingeständnis unserer inneren Machtlosigkeit gründet" (Arbuckle 1996, 387–393).

Die unverhältnismäßige öffentliche Aufmerksamkeit für Kindesmisshandlungen durch Kleriker

Im irischen Kontext wird allgemein angenommen, dass in nur 3,2 % aller angezeigten Fälle sexueller Kindesmisshandlung Priester oder Ordensleute oder andere Mitarbeiter kirchlicher Einrichtungen die Täter sind (vgl. SAVI-Report 2002). Doch aufgrund der dominanten Position, die die katholische Kirche in Irland seit der Staatsgründung (1937) einnimmt, ziehen die relativ wenigen Misshandlungsfälle durch kirchliches Personal größere öffentliche und mediale Aufmerksamkeit auf sich.

Während einige Menschen in verheerender Weise körperlich und auch sexuell von kirchlichem Personal misshandelt wurden, erlebte eine viel größere Zahl von Menschen Formen von spirituellem Missbrauch. Hiermit meine ich, dass viele Menschen die Kirche als eine Macht erlebten, die ihr spirituelles Leben auf eine Art und Weise kontrollierte, die ihnen jeden Sinn dafür nahm, gesegnet und schön, geliebt und gehegt vor Gott zu sein. Stattdessen lehrte man sie zuallererst, ängstlich und sorgenvoll und voller Skrupel im Blick auf den Zustand ihrer Seele zu sein. Der Klerus präsentierte und repräsentierte nicht den liebenden Gott, sondern einen strafenden. Die Mitglieder des Klerus wurden selbst als jenseits menschlicher Fehler und Sündhaftigkeit lebend dargestellt. So von menschlichen Schwächen frei, setzten sie sich bei Gott für die sündige Menschheit ein. Ich vermute, dass der Diskurs über sexuelle Kindesmisshandlungen ein Ventil sein kann, um dieser viel häufigeren Erfahrung von „Missbrauch", nämlich eines Missbrauchs von Macht, Ausdruck zu geben.

Dabei sind allerdings beide Seiten zu bedenken: Die Priester genossen oft ihre gehobene Stellung, und die Leute wollten Kleriker als menschliche Wesen sehen, die wie Engel oder Heilige als Idole, um nicht zu sagen Ikonen einer perfekten Menschlichkeit erschienen, denen man nacheifern konnte. Durch die Aufdeckung der von Klerikern begangenen sexuellen Kindesmisshandlungen brach in der allgemeinen Wahrnehmung eine Ordnung der göttlichen Wirklichkeit in sich zusammen und ließ die Menschen mit einem Gefühl der Verletzung und der Trostlosigkeit zurück.

Sexuelle Kindesmisshandlung und Homosexualität

In den letzten Jahren ist die Frage nach der Beziehung zwischen „Pädophilie" und Homosexualität vielfach gestellt worden, zuletzt Anfang dieses Jahres vom römischen Kardinalstaatssekretär Tarcisio Bertone.[2] Während persönliche Daten der Opfer klerikaler Täter in Irland nicht leicht zugänglich sind, haben wir einige sehr detaillierte Aufzeichnungen aus den USA (vgl. Goode u. a. 2003; US Catholic Conference of Bishops 2004). Ferner wurden in den letzten Wochen von der Römischen Glaubenskongregation wertvolle Informationen der Öffentlichkeit übergeben.[3] In den letzten neun Jahren hat sich die Glaubenskongregation mit ungefähr 3000 Anschuldigungen wegen verschiedener Vergehen von Klerikern in den letzten fünfzig Jahren beschäftigt. In nur 10% dieser Fälle lagen sexuelle Übergriffe gegenüber präpubertären Kindern vor, was per definitionem der „Pädophilie" entspricht. Der Terminus wird oft unpräzise verwendet, so auch zur Bezeichnung sexueller Vergehen an Minderjährigen während und nach der Pubertät. In 60% aller Fälle, in denen Kleriker die Täter waren, waren laut Glaubenskongregation die Opfer männliche Heranwachsende. Diese Beobachtung der Glaubenskongregation wird gestützt von den Ergebnissen des *US National Review Board* von 2002 und auch von Connors (1999), der feststellte, dass 90% der klerikalen Täter „Heranwachsende" missbrauchten, „die ihre eigene emotionale Entwicklung nicht bedrohten. In klaren psychodynamischen Worten ausgedrückt: Der Täter war in den meisten Fällen emotional auf dem Entwicklungsstand eines Heranwachsenden, der die Gesellschaft und Zuneigung eines altersgemäß wirklich noch Heranwachsenden bevorzugte."

Vor dem Hintergrund der beträchtlichen klinischen Beweise dafür, dass – im Unterschied zu der großen Mehrheit der Sexualstraftäter in der Gesellschaft im Allgemeinen – die große Mehrheit der Kleriker, die Minderjährige misshandelt haben, postpubertäre Jungen bevorzugten, lässt sich eine Diskussion über eine Beziehung zwischen sexuellem Missbrauch und sexueller Orientierung nicht vermeiden.[4] Psychotherapeuten finden allmählich heraus, dass viele, vielleicht sogar die Mehrheit der Kleriker, die Minderjährige misshandeln, eine homosexuelle Neigung haben. Auf der Basis dieser Beobachtung eine direkte kausale Verbindung zwischen einer homosexuellen Orientierung und sexuellen Kindesmisshandlungen zu vermuten ist wissenschaftlich unhaltbar. Auch Männer mit heterosexueller Orientierung misshandeln Minderjährige. Priester, die sexuelle Kindesmisshandlungen begehen, tun dies, weil es ihnen nicht gelungen ist, eine reife, erwachsene, zölibatäre Integration ihrer Sexualität zu entwickeln.

Die Wichtigkeit einer theologischen Reflexion und Perspektive

Die Bedenken, dass es eine rein innerkirchliche Untersuchung an Objektivität mangeln lassen und dazu neigen könnte, die Probleme bloß zuzudecken, sind verständlich. Da die Theologie ihrem Wesen nach eine kirchliche Angelegenheit ist, läuft eine theologische Reflexion von Anfang an Gefahr, sich verdächtig zu machen. Berücksichtigt man aber die Natur der Kirche als Glaubensgemeinschaft, so ermöglicht nur eine gründliche theologische Reflexion, die die Mission und den Dienst der Kirche als das Sakrament (wirkmächtiges Zeichen) der Gegenwart Christi in der Welt voll in Betracht zieht, zu einer umfassenden und vollständigen Diagnose der Krise zu kommen und Wege der Heilung vorzuschlagen.

In der katholischen Kirche Irlands gewährte man psychologischen und juristischen Expertisen unverhältnismäßig hohe Aufmerksamkeit, und die Kirchenführer verließen sich beim Umgang mit der Aufdeckung sexueller Kindesmisshandlungen zu wenig auf ihren seelsorglichen Instinkt und auf ihre theologische Ausbildung. Auch diese Beobachtung verdient eine theologische Betrachtung. Außerdem haben die Kirchenführer bis jetzt noch keine formale theologische Aufarbeitung in Auftrag gegeben. Dies behindert die Entwicklung einer gründlichen kritischen Bewertung der Krise. Eine solche formale theologische Aufarbeitung könnte über eine rein weltlichen Organisationsstrukturen verhaftete Reaktion hinausführen. Sie könnte zu einer auf dem Evangelium basierenden Gerechtigkeit für die Opfer und zu deren

Eamonn Conway

Heilung führen, zur Umkehr der Täter und ihrer Kollegen und Vorgesetzten, die nicht angemessen handelten, und zur Vergebung für sie sowie zu Erneuerung und Versöhnung in der gesamten Kirche.

Bei dem Versuch einer theologischen Reflexion muss man einen mittleren Kurs zwischen zwei Extremen steuern. Einerseits wäre es falsch, die Krise und ihre Folgen auszunutzen, um in der Kirche eine bereits vorgefasste Reformagenda voranzutreiben. Andererseits sind wir es jedoch den Opfern schuldig und im Interesse der Prävention verpflichtet, sicherzustellen, dass keine unnötigen „Stoppschilder" aufgestellt werden, die unsere Überlegungen zur notwendigen Strukturreform bremsen. Wir müssen unbedingt die wirklichen Ursachen der Probleme identifizieren, die zu sexuellen Kindesmisshandlungen durch Priester und zum fehlerhaften Umgang mit ihrer Enthüllung seitens der Kollegen und Vorgesetzten geführt haben.

Die Probleme, die der theologischen Reflexion bedürfen, entstehen sowohl durch die Natur der sexuellen Kindesmisshandlung durch Kleriker als auch durch die fehlerhaften Reaktionen darauf. Im Folgenden werden wir beide Faktoren nacheinander behandeln.

Durch klerikalen Missbrauch aufgeworfene theologische Fragen

Negatives Gottesbild und Neigung zur (Selbst-)Verurteilung trotz theologischer Ausbildung

Wie bereits festgestellt, sind sexuelle Kindesmisshandlungen traurigerweise in der Gesellschaft weit verbreitet. Obwohl wir wünschten, es wäre anders, sieht es so aus, als entspräche der Prozentsatz an Tätern in der Gesellschaft dem in der Priesterschaft, nicht mehr und nicht weniger. Wenn es jedoch bei den klerikalen Tätern Unterscheidungsmerkmale gibt, so bedürfen sie für die theologische Reflexion der besonderen Aufmerksamkeit. So sind z. B. klerikale Täter im Allgemeinen intelligenter als der Durchschnittstäter in der Gesellschaft. In den meisten Fällen haben sie eine Universitätsausbildung abgeschlossen und akademische und kirchliche Grade erworben. Doch es hat sich in Therapien gezeigt, dass klerikale Täter oft ein sehr primitives und negatives Bild von Gott haben. Sie verstehen Gott als hart und verurteilend, was in Zusammenhang steht mit einer rigiden, verurteilenden und autoritären Einstellung sich selbst und anderen gegenüber. Diese Widersprüche zum Kern der christlichen Botschaft werfen für die Theologie Fragen nicht nur zur Angemessenheit der Seminarausbildung, sondern auch zur Art und Effektivität der theologischen Ausbildung und zum Grad ihrer Integration in die menschliche und spirituelle Entwicklung auf.

Die Erfahrung von Ohnmacht und dominanter Gewaltausübung

Sexuelle Kindesmisshandlungen durch Kleriker werfen auch Fragen danach auf, in welcher Art und Weise Macht und Autorität ausgeübt werden. Es ist allgemein akzeptiert, dass sexuelle Kindesmisshandlungen ebenso viel mit unangemessener Ausübung von Kontrolle und Macht zu tun haben wie mit Sexualität. Die Überlegenheit, die Täter ihren Opfern gegenüber haben, ist eine Kompensation der Ohnmacht, die sie in der Beziehung zu anderen Erwachsenen erleben. Dies ist wohl besonders oft der Fall bei klerikalen Tätern, die in Therapien das Gefühl der Ohnmacht im Blick auf ihr eigenes Leben erkennen lassen. Es muss sichergestellt werden, dass Priester das Gefühl haben, hinreichende Kontrolle und Macht über ihr eigenes Leben zu haben. Und sie müssen

Eamonn Conway

sich in der Lage fühlen, in einer dem Evangelium entsprechenden Weise Macht und Autorität auszuüben. In diesem Zusammenhang kommt sowohl den kirchenamtlich gelehrten als auch den in der Praxis realisierten Theologien des Priesteramtes besondere Aufmerksamkeit zu. Zu berücksichtigen ist vor allem eine Theologie und Praxis des Priesterdienstes, die es Priestern ermöglicht, die spezifische Autorität Christi zu verstehen. Diese Autorität zu verkörpern, deren Wesen der Dienst am Anderen ist, sind sie aufgerufen (Conway 2004).

Die Rolle des Pflichtzölibats

Der Pflichtzölibat wird häufig, aber fälschlicherweise, als eine „Ursache" für sexuelle Kindesmisshandlungen durch Kleriker angesehen. Es gibt keine Basis für diese Schlussfolgerung, denn viele Männer, die sich an Kindern vergehen, sind verheiratet. Es hat sich aber gezeigt, dass die Mehrheit der Opfer klerikaler Übergriffe heranwachsende männliche Jugendliche sind. Ein zölibatäres männliches Priestertum kann durchaus attraktiv sein für psychosexuell unreife Männer, die im Pflichtzölibat einen Weg sehen, sich nicht mit ihrer Unfähigkeit auseinandersetzen zu müssen, eine an gleichwertigen Partnern orientierte und integrierte Sexualität zu entwickeln.[5] Es bleibt abzuwarten, ob das zölibatäre Priestertum des lateinischen Ritus in der Zukunft Bestand haben wird. Es besteht in jedem Fall ein dringendes Bedürfnis nach einer erneuerten Präsentation einer Theologie des Zölibats (besonders bezogen auf Diözesanpriester, die ja normalerweise nicht in Gemeinschaften wohnen), welche das zölibatäre Leben als Verpflichtung gegenüber der Gemeinschaft und nicht als Institution oder Ideal versteht. Eine solche theologische Erneuerung ist eine notwendige Ergänzung zu den Arbeiten im Bereich der menschlichen Entwicklung, die den Priestern helfen, stützende und begleitende zwischenmenschliche Beziehungen aufzubauen, die dem zölibatären Leben angemessen sind.

Durch fehlerhafte Reaktionen von Amtsinhabern auf Missbrauchsfälle aufgeworfene theologische Fragen

Sündige Menschen, sündige Kirche?

Es muss immer betont werden, dass Individuen für ihre Taten verantwortlich sind und zur Rechenschaft gezogen werden müssen, seien es die Täter, seien es die Kollegen oder Vorgesetzten, die fehlerhaft auf die Aufdeckung sexueller Übergriffe reagiert haben. Gleichzeitig ist die Frage, ob die Kirche als Institution für das Fehlverhalten ihrer Amtsträger verantwortlich gemacht werden kann und soll, ein wesentliches Problemfeld der theologischen Reflexion. Unsere Antwort auf diese Frage hat Einfluss darauf, ob wir nur eine Reform im individuellen Bereich für nötig halten, z. B. eine größere Sorgfalt bei der Auswahl und Ausbildung von Priestern und Bischöfen, oder ob wir es für notwendig halten, kulturellen Problemen in der Kirche und der Reform kirchlicher Strukturen mehr Aufmerksamkeit zu zollen.

Auf offizieller Ebene geht die Tendenz dahin, nur Individuen verantwortlich zu machen und jede Anerkennung einer institutionellen Verantwortung oder eines systemischen Fehlers zu vermeiden. Papst Johannes Paul II. bezeichnete das *mysterium iniquitatis*, das einzelne Priester betreffe, als die Wurzel des Übels.[6] In seinem vor Kurzem an die irische Kirche gerichteten Brief gab Papst Benedikt XVI. seinem Kummer über die Misshandlungen, die die Opfer erlitten haben, Ausdruck. Genau genommen war dies jedoch keine Entschuldigung, obwohl die Opfer eine Entschuldigung ver-

Eamonn Conway

langt hatten.[7] Es gab auch kein Eingeständnis, dass der Heilige Stuhl Fehler bei der Behandlung von Fällen gemacht haben könnte, und es gab auch keine Bitte an die Opfer, der Kirche zu vergeben.

Es mag sein, dass die Vermeidung eines Schuldbekenntnisses der Kirche als Institution sehr konkrete juristische Gründe hat. In den USA z. B. würden Rechtsanwälte ein entsprechendes Bekenntnis dazu ausnutzen, Verfahren gegen die katholische Kirche in einem bestimmten Land oder gegen den Heiligen Stuhl anzustreben. Diese Möglichkeit ist in Betracht zu ziehen. Gleichzeitig verlangt jedoch die Frage nach einer angemessenen Entschädigung der Opfer nicht nur juristische Überlegungen, sondern auch moralische.

Grundsätzlich scheint die kirchliche Position auf einer Kirchenlehre zu basieren, in der die Einzigartigkeit und die Heiligkeit der Kirche betont wird und die nur zögerlich von einem sündigen Aspekt in der Natur der Kirche spricht. Karl Rahner argumentierte, dass Sünder ein integraler Bestandteil des sichtbaren Charakters der Kirche selbst sind und dass es angemessen ist, von der Kirche als sündig zu sprechen (Rahner 1965a). Er sagte auch, dass die Sündhaftigkeit derer, die die Kirche leiten, sich nicht auf deren rein privates Leben beschränkt, sondern Handlungen beeinflusst, die zweifellos Handlungen der Kirche sind (Rahner 1965b).

Im Gegensatz dazu neigt die Kirchenlehre von Papst Benedikt XVI. dazu, das Wesen der Kirche als unvergängliche Gegenwart des Geheimnisses Gottes in der Welt zu betonen. Aus seiner Sicht werden mehr Sünden gegen die Kirche begangen, als dass sie selbst Sünden begeht. Tatsächlich sprach er erst kürzlich von der Kirche als „von unseren Sünden verletzt", womit er de facto die Kirche in der gegenwärtigen Krise in der Rolle des Mitopfers sieht.[8]

Papst Benedikt XVI. hat wiederholt rein soziologische Deutungen dessen, was das Zweite Vatikanische Konzil unter „Kirche als Volk Gottes" verstand, kritisiert. Er ist skeptisch gegenüber säkularen Konzeptionen, die nicht die einzigartige Herkunft und Mission der Kirche erfassen können (vgl. Ratzinger 2010).

Zumindest im irischen Kontext bestimmen jedoch paradoxerweise gerade diese säkularen Analysen dessen, was als Fehler der Kirche dargestellt und in staatlichen Untersuchungen – die die Kirche zwangsläufig als bloßes juristisches und gesellschaftliches Gebilde sehen – betont wird, den öffentlichen Diskurs über den Umgang der Kirche mit den Misshandlungsfällen. Ob die zögerliche kirchenoffizielle Haltung bei der Anerkennung systemischer, die Institution Kirche selbst betreffender Fehler oder gar bei der Anerkennung ihrer Sündhaftigkeit zu Recht die einzigartige Natur der Kirche schützt, oder ob diese Haltung nur ein weiteres Beispiel für institutionellen Selbstschutz ist, dessen die Kirche sowohl in Dublin als auch in Boston angeklagt wird, bleibt eine Kernfrage, die dringend der theologischen Betrachtung bedarf. Da eine ernsthafte theologische Debatte nicht stattfindet, wird die Öffentlichkeit schlussfolgern, dass Letzteres zutrifft.

Der kirchenoffizielle Fokus liegt also auf den Fehlern Einzelner, und man zögert, mögliche institutionelle oder korporative Schuld einzugestehen. Daraus entsteht im irischen Kontext eine Tendenz, in der Öffentlichkeit (gelegentlich auch in der Kirche) abwechselnd Opfer, Täter, die Medien und diejenigen Bischöfe, die fehlerhaft reagiert haben, zu Sündenböcken zu stempeln. Um diese Dynamik fruchtloser gegenseitiger Schuldzuweisungen zu durchbrechen, bedarf es einer theologischen Reflexion. Die Mitglieder der Kirche verstehen sich als Glieder am Leib Christi. Jesus Christus hat als eschatologischer (d. h. das schon heute gegenwärtige endgültige Heil am Weltende auf einmalige Weise besiegelnder) Sündenbock sein Leben eingesetzt. So hat er die Dynamik der nicht enden wollenden gegenseitigen Schuldzuweisung durchbrochen. Er tat dies nicht für eine begrenzte

Eamonn Conway

Gruppe, sondern aus der universellen Solidarität Gottes mit der gesamten Menschheit heraus. So ruft er uns auf einzigartige Weise auf und befähigt uns dazu, die Dynamik heilloser Schuldzuweisungen zu überwinden und Wege zu wirklicher Umkehr, Versöhnung und Heilung zu suchen. Die Arbeiten von James Alison (1998) und Raymund Schwager (1978), die sich auf Schriften von René Girard stützen, können in besonderer Weise dazu beitragen, dass es beim Umgang der Kirche mit Schuldigen nicht zu einer solchen Übertragung von Schuld auf Sündenböcke kommt. Das ist ausgesprochen wichtig, wenn es um die angemessene Betreuung der Täter aus dem kirchlichen Bereich geht.

Wie kann die Kirche von Vergebung und Heilung sprechen?

Ein Durchbruch beim Heilungsprozess wird erreicht, wenn es Opfern schrecklichen sexuellen Missbrauchs gelingt, den Tätern zu vergeben. Psychologen sehen hierin auch einen notwendigen Schritt auf dem Weg zur Gesundung:

„Wut und fehlende Bereitschaft zu vergeben halten noch das erwachsene Opfer in einer zerstörerischen Beziehung zu dem Täter gefangen und erlauben diesem so weiterhin, das Leben des Opfers zu schädigen. Vergeben bedeutet nicht von Schuld freisprechen, aber es erlaubt dem Erwachsenen, sich zu befreien von selbstzerstörerischer Wut und dem Wunsch, den Täter zu bestrafen. Ein reiches spirituelles Leben kann erwachsenen Opfern die Kraft geben, den Schmerz des Erlittenen auszuhalten und ein neues Leben aufzubauen."[9]

Vielleicht ist es eine der schlimmsten Tragödien in diesen Fällen, dass viele Opfer wegen der Misshandlung durch einen Priester den Blick verloren haben für die einzigartige

Chance auf Vergebung und Heilung, die der christliche Glaube anbietet. Christus vermittelt genau jene Erfahrung, von Gott voraussetzungslos geliebt und akzeptiert zu werden, die die Opfer befähigen kann, aus dem Kreislauf des Hasses auszubrechen und der sich immer weiter drehenden Spirale der Gewalt zu entkommen.

Dem christlichen Glauben entspringt auch ein Aufruf an die Täter, ihre vergeblichen Versuche aufzugeben, sich dadurch stark zu fühlen, dass sie andere beherrschen. Ihm entspringt die Aufforderung, ihr leeres Bemühen zu beenden, sich die Zuneigung ihrer Opfer zu stehlen und sie zu zwingen, auf körperliche Weise zu zeigen, dass sie die Täter mögen. Im christlichen Glauben können die Täter (wenn sie denn nur den Mut und die Demut hätten, dies zu akzeptieren) die Botschaft finden, dass sie all das, was sie auf so unangebrachte und für sie selbst wie für andere schädliche Weise anstreben, eigentlich schon in Form des alles Verstehen übersteigenden und nichts im Gegenzug verlangenden Geschenkes der Liebe Gottes besitzen.

Der christliche Glaube hat noch weitere Botschaften für die Täter. Definiert werden wir durch Gottes Liebe und nur durch diese, nicht durch das, was wir tun, sei es gut oder böse. Wenn die Ungeheuerlichkeit der von uns verübten schändlichen Taten uns ganz bewusst wird, möchten wir vielleicht verzweifeln, weil wir nur noch Selbsthass statt Selbstachtung empfinden können. Aber gerade in diesem Moment bedürfen wir der heilenden und vergebenden Liebe, die wir nur in Christus finden können. Vergebung ist die Form, in der sich Gottes Liebe ausdrückt, wenn sie mit der Realität unserer Sündhaftigkeit konfrontiert wird. Letztere zerstört nicht nur unsere Beziehungen zu denjenigen, an denen wir schuldig geworden sind, sie zerstört auch unsere Beziehung zum Kern unserer eigenen Existenz. Durch die Sünde verlieren wir den Kontakt zu allem, was gut in uns ist. Wir sehen nur noch das Böse in uns und neigen dazu, uns von diesem definieren zu lassen. Aber Gottes Liebe ist ein Angebot an uns, wieder zu uns selbst zu finden und geheilt zu werden. Es ist, als ob Gott sagte: „Ich weiß, dass neben all dem Bösen auch anderes in dir steckt. Ich sehe das und ich möchte, dass du das auch siehst. Ich weiß, dass es in dir Gutes gibt, das viel eher als all deine bösen Taten das eigentliche Du ausmacht. Ich glaube an dieses Gute. Ich gebe es dir zurück. Lebe aus dieser Kraft!"

Für viele Opfer ist es wahrscheinlich zu früh, von Vergebung zu sprechen, und es muss gefühllos und selbstsüchtig erscheinen, wenn die Kirche Vergebung für Täter und Amtsinhaber fordert, ohne vorher durch eine Phase der Reue gegangen zu sein und ohne sichergestellt zu haben, dass den Opfern die angemessene Gerechtigkeit widerfahren ist. Irgendwann jedoch steht das Thema Vergebung auf der Tagesordnung. Theologisch gesehen ist es dann nötig, wiedergutmachende Modelle von Gerechtigkeit zu finden und vorzuschlagen, die wirklich dem entsprechen, was das eigentlich Christliche am Prozess des Heilens und Vergebens ist.

Weitere Aspekte der Krise, die einer theologischen Reflexion bedürfen

Wir können nur summarisch eine weitere Anzahl von Aspekten erwähnen, die der theologischen Reflexion bedürfen. Es besteht kein Anspruch, dass alle oder auch nur die wichtigsten Aspekte abgedeckt werden.

– Angenommen, dass die Sicherheit der Kinder gewährleistet ist: Kann man Personen, die schwere Irrtümer oder Sünden begangen haben und deren Schuld der Öffentlichkeit bekannt ist, vertrauen, und sie Führungspositionen in der christlichen Gemeinschaft ausüben lassen, und können sie diese glaubwürdig ausüben? Gibt es in der Kirche Platz in Führungspositionen für Personen, die manchmal „verwundete Heiler" genannt werden?[10] Was macht – in der Sprache des Evangeliums – Glaub- und Vertrauenswürdigkeit aus?

– Verständlicherweise wurde in Zusammenhang mit der Misshandlungskrise die Frage nach der Verantwortlichkeit und der Rechenschaftspflicht in der Kirche gestellt, so wie es in der bürgerlichen Gesellschaft im Rahmen des Missmanagements von globalen Finanzinstituten geschah. Ein entscheidendes Problem für die hierarchisch organisierte katholische Kirche ist die Frage nach einer angemessenen „horizontalen Verantwortlichkeit". Hiermit ist die Frage nach der Mitbestimmung der Laien bei Entscheidungsfindungen verbunden. Vor Kurzem haben die irischen Bischöfe anerkannt, dass die gläubigen Laien stärker in das kirchliche Leben eingebunden sein sollten. Aber kann und sollte dies auch Entscheidungsprozesse einschließen?

– Im irischen Kontext haben Normen zum Umgang mit Misshandlungsvorwürfen das Verhältnis zwischen Bischof und Diözesanpriester de facto verändert. Es ist nicht mehr gewährleistet, dass ein Priester mit seinem Bischof in völliger Vertraulichkeit reden kann. Aus dem Informationsinteresse weltlicher Kinderschutzeinrichtungen heraus sind Bischöfe zu Arbeitgebern der Priester geworden. So ist das traditionelle Vater-Sohn-Verhältnis in der Bischof-Priester-Beziehung praktisch verschwunden. Diese de facto Neubestimmung des Priester-Bischof-Verhältnisses muss theologisch reflektiert werden (vgl. Connolly 2006).

– Notwendig ist auch eine positive und ermutigende Reflexion zur Theologie der Kindheit und der kirchlichen Verantwortung für die Kinder. Dies ist umso nötiger, weil man befürchten muss, dass eine restriktive Kinderschutzpolitik, so nötig sie auch ist, den unbeabsichtigten Nebeneffekt einer Begrenzung, wenn nicht gar einer Beschädigung der pastoralen Arbeit mit Kindern und jungen Menschen hat.

– In ihrer Antwort auf die Veröffentlichung des Dublin-Reports erkannten die irischen Bischöfe an, dass „der (Dublin-)Report viele Fragen an die Kirche in Irland stellt, inklusive der Frage nach dem Funktionieren der Bischofskonferenz ..."[11]. In der Praxis heißt das, dass die katholische Kirche in Irland so schnell wie möglich mit einer Stimme reden und auch schnell als eine Körperschaft handeln muss. Der Kirchenlehre nach haben die Bischofskonferenzen jedoch keine wirkliche Autorität, was ein Hindernis zu sein scheint bei der Bewältigung der Krise. Es ist dringend notwendig, den Status und die Verantwortlichkeit der nationalen Bischofskonferenzen zu überdenken.

– In seinem Pastoralbrief an die irische Kirche brachte Papst Benedikt XVI. sexuelle Kindesmisshandlungen durch Kleriker in Verbindung mit der schnellen Umwandlung und Säkularisierung der irischen Gesellschaft. Dies habe zu einer Schwächung des Glaubens und zu einem allgemeinen Mangel an Respekt vor dem Menschen geführt. Opfergruppen haben jedoch dagegen argumentiert, dass es gerade der Niedergang der katholischen Kirche und die Entwicklung der weltlichen Medien den Opfern ermöglicht haben, über die erlittenen Misshandlungen zu reden. Auch dies ist ein Feld, das eine theologische Untersuchung verdient.

Schlussfolgerung

Es gibt verschiedene Lehren, die man aus den Erfahrungen der irischen Kirche in den vergangenen fünfzehn Jahren ziehen kann. Nur einige davon konnten hier erwähnt werden. Abschließend möchte ich zwei Dinge betonen:

Erstens brauchen wir einen theologisch geschulten, kenntnisreichen und gebildeten Laienstand, der gleichzeitig mit einer authentischen und reifen christlichen Spiritualität ausgestattet ist, welche ihn zu angemessener und voller Teilhabe an Sendung und Dienst der Kirche befähigt.

Zweitens brauchen wir einen starken Sinn für die Einheit der Kirche in dieser Zeit, eine Einheit, die nicht mit Uniformität zu verwechseln ist. Wir brauchen eine Einheit im Denken und Fühlen, die dennoch die Pluralität katholischer Perspektiven umfasst, die zur Bewältigung der Krise nötig ist und die sicherstellt, dass die Vielzahl von Gaben, über die unsere Kirche verfügt, auch genutzt werden kann. Jetzt ist nicht die Zeit für harte und schädliche Worte, für Beschuldigungen oder Schadenfreude.

Der tiefe und schmerzhafte Schaden, der den Wurzeln des Glaubens zugefügt wurde in einem Land, in dem der Katholizismus so lange Teil der nationalen Identität war und wo der Glaube oft auf dem Niveau einer unreflektierten, aber echten Treue zur Kirche blieb, darf nicht unterschätzt werden. Zumindest in Irland ist die Botschaft vom christlichen Glauben als einem gangbaren Lebensstil für zukünftige Generationen in Gefahr. Ob diese Gefahr überwunden werden kann, hängt davon ab, wie wir auf alle diejenigen reagieren, die durch den Skandal der sexuellen Kindesmisshandlungen verletzt wurden, in allererster Linie natürlich auf die Opfer.

Eamonn Conway

Überheblichkeit und Demut

Anmerkung zum gegenwärtigen Zustand der Kirche

Jon Sobrino

Der Kindesmissbrauch durch Priester innerhalb der katholischen Kirche hat für Aufsehen gesorgt – in erster Linie wegen der Tatsache als solcher und der Größenordnung des Problems. Und dann, als das Verhalten der Verantwortlichen in der Kirche zum Zeitpunkt der Taten bekannt wurde: Man reagierte verspätet und leichtfertig hinsichtlich der Bestrafung der Schuldigen, und vor allem rückte man die Opfer nicht in den Mittelpunkt. Nun, da das Thema in den Medien ein starkes Echo erfuhr und zu einem guten Teil auch aus diesem Grund, werden einige Dinge korrigiert.

Zuerst weiß man nun besser, was in der Vergangenheit passiert ist und wie die Kirche darauf reagiert hat. Man versuchte den des Missbrauchs schuldigen Priestern spirituelle Hilfe (Exerzitien, Zeiten der Einkehr) und psychologische Behandlung zuteil werden zu lassen. Als Beschwerden laut wurden, griff man zu juridischen und finanziellen Maßnahmen. Es bleibt der Eindruck bestehen, dass man – abgesehen vom verständlichen Wunsch, dass die Skandale nicht an der Kirche haften bleiben mögen – den schuldigen Priestern helfen wollte, und das mit gutem Grund. Doch was aus heutiger Sicht am meisten ins Auge fällt, ist, dass bei all dem die Perspektive des Evangeliums nicht den zentralen Stellenwert hatte: nämlich auf die Opfer zu blicken und vor allem anderen zu deren Gunsten zu handeln.

Nun, da alles zu einem gewaltigen Ausbruch gekommen ist, reagierte die Hierarchie in unterschiedlicher und vielschichtiger Weise. Einige Angehörige der kirchlichen Hierarchie haben aufrichtig reagiert und um Vergebung gebeten; sie zeigten Mitleid gegenüber den Opfern und verurteilten die Täter. Andere haben zu spät und unzureichend reagiert. Und einige vermitteln den Eindruck, dass es ihnen letztlich darauf ankommt, dass die Kirche aus all dem unversehrt hervorgehe.

Benedikt XVI. hat schonungslose Erklärungen zu den Vorfällen abgegeben (vgl. auch Benedikt XVI., Licht der Welt, 2010, S. 40–46) und Maßnahmen ergriffen, damit die darin verstrickten Mitglieder der kirchlichen Hierarchie ihrer Ämter entbunden werden. Und er hat auch die diesbezüglichen Bestimmungen des Kirchenrechts verschärft. Seine Reaktion im Fall Maciel war deutlich, wenn auch für manche unzureichend. Andererseits erinnern seine Kritiker daran, dass er viele Jahre hindurch von vielen Missbrauchsfällen eine detaillierte Kenntnis gehabt haben muss, denn die Glaubenskongregation war zwangsläufig damit befasst. Und sie fügen hinzu, dass man immer noch keine radikalen Veränderungen in der Kurie hinsichtlich des Umgangs mit denselben oder in ihrer Schwere vergleichbaren Problemen erkennen könne, wie zum Beispiel mit den Finanzskandalen der jüngsten Vergangenheit oder den Beziehungen einiger Angehöriger der Hierarchie und der Kurie zur Welt des Großkapitals.

Über die konkreten Probleme hinaus stehen hier zwei Dinge auf dem Spiel: zuerst die Sünde und Heiligkeit der Kirche. Dann die Demut und Überheblichkeit, ein Thema, das kaum zur Kenntnis genommen wird.

Bevor ich fortfahre, möchte ich zwei Dinge klarstellen: 1. In der Kirche gibt es Heiligkeit und Demut, doch wir richten unsere Aufmerksamkeit auf die Sünde und die Überheblichkeit, da diese Probleme von höchster Aktualität sind, die dringend behandelt werden müssen. 2. Wir sind zwar alle Kirche und nicht nur die Priester und die Angehörigen der Hierarchie, doch das aktuelle Übel – als solches beklagt es Benedikt XVI. – betrifft viel direkter die Priester und die Bischöfe. Deshalb konzentrieren wir uns auf diese beiden Stände.

Mangel an Aufrichtigkeit: die Kirche angesichts ihrer Sünde

Von Anfang an gibt es die Sünde in der Kirche, was Lukas nicht verschwiegen hat. Seit Ambrosius wurde der Ausdruck geprägt: *Ecclesia casta meretrix*. Diese Worte werden immer wieder gesprochen, manchmal gewohnheitsmäßig und manchmal ernsthaft, was darauf hindeutet, dass sie – was auch immer ihre ursprüngliche Bedeutung gewesen sein mag – den Finger in eine Wunde legen. Dass die Kirche *casta*, also heilig (wörtlich: keusch; d. Übers.) ist, gilt als selbstverständlich. Doch anzuerkennen, dass sie auch *meretrix*, Sünderin (wörtlich: Buhlerin; d. Übers.) ist, ist nur in einem schöpferischen Akt des Geistes möglich. Doch es ist nicht leicht, daran festzuhalten, und man kann dies auf vielfache Weise verdunkeln und verwässern.

Eine Möglichkeit besteht darin, dass man von den Sünden der *Sünder* innerhalb der Kirche spricht, ohne dass dies die *Kirche* als solche betrifft. Doch wenn man nicht ernst nimmt, dass *die Kirche selbst eine Sünderin* ist, dann wird man darauf beharren, dass es Getaufte, oder in Bezug auf unser Thema Priester und Bischöfe, gibt, die die Kirche „beflecken". Doch das allein veranlasst die Kirche noch nicht zur Gewissenserforschung hinsichtlich ihrer Sündhaftigkeit und wird auch nicht zum Umkehrruf, der auch ihrer umfassenden und strukturellen Wirklichkeit gälte. Stattdessen gerät dies regelmäßig zur Selbstverteidigung, denn das, was man am wirkungsvollsten verhindern will, ist, dass der Ruf *der Kirche als solcher* leidet.

In diesem Zusammenhang ist es wichtig, an Karl Rahner zu erinnern. Er verwies beharrlich darauf, dass die *Kirche*, und nicht nur ihre Glieder, eine Sünderin ist, ebenso wie die Kirche, und nicht nur ihre Glieder, heilig ist. Und er bestand darauf, dass – entsprechend dem *simul iustus et peccator* – die *heilige* Kirche nicht von der *sündigen* Kirche getrennt werde. Auf diese Weise ist es m. E. schwieriger, in die Überheblichkeit abzugleiten; wir werden darauf zurückkommen. Und es ist leichter, in einem realistischen Sinne zu verstehen, worin die Heiligkeit besteht, da es hierfür immer hilfreich ist, deren Gegenteil zu kennen. Eine heilige Kirche ist auch eine Kirche, die gegen ihre eigene Sünde ankämpft.

Wenn man den Ausdruck *casta meretrix* nicht in diesem Sinne auffasst, dann wird man des Grundproblems nicht in seiner Tiefe ansichtig. In Bezug auf die Missbrauchsfälle besteht dies darin, die *Kinder* im Blick zu haben, die zu *Opfern* geworden sind. Diese ernst zu nehmen bedeutet sich die Frage zu stellen, ob die Opfer im Zentrum der Sorge der Kirche standen, stehen und in Zukunft stehen werden – einer Kirche, die das größte Gebot erfüllen will, das Gebot nämlich, eine *Kirche des barmherzigen Samariters* zu sein. In diesem Falle wäre sie es trotz der Tatsache, dass sie auch zu den Räubern und zu denen gehört, die den Verletzten am Wegrand liegen lassen. Und es bedeutet, sich daran zu erinnern, dass es viele andere Opfer von Angehörigen der Kirche und kirchlichen Strukturen gegeben hat: die Opfer der Inquisition in der Vergangenheit und die Opfer des Männlichkeitswahns und des Kyriozentrismus heute, die innerhalb der Kirche für die Herabsetzung der Frau und Ungerechtigkeit ihr gegenüber sorgen.

Aus dieser Perspektive darf man sich über die Reaktionen auf den Missbrauch durch Kleriker auch nicht wundern.

Jon Sobrino

Man muss diese Reaktionen sorgfältig analysieren, aber man darf sich – ob nun ehrlich oder in heuchlerischer Manier – auch nicht darüber wundern, dass sie so explosionsartig ausgefallen sind. Die Opfer, die nun schon erwachsen sind, tragen viel Schmerz in sich, und dazu kommt noch die Empörung der Angehörigen, die sich hintergangen fühlten, da sie ihre Kinder der Kirche anvertraut haben. Und man darf nicht vergessen, dass der Missbrauch und die Überheblichkeit, die vom Heiligen ausgehen, an sehr tiefe Schichten rührt.

Einige zeigen Verständnis und Noblesse, ja sogar Liebe, wenn sie die Kirche angreifen. Andere mögen aus unterschiedlichen und in sich komplexen Gründen übertreiben. Manchmal tun sie dies, um das Morbide und die öffentliche und mediale Aufmerksamkeit weiter zu schüren, die sich bei allem einstellt, was mit Sex und Religion zu tun hat. In anderen Fällen geschieht dies aus egoistischeren und sogar heuchlerischen Gründen: um zu versuchen, die Bischöfe und den Papst als untauglich hinzustellen, ihnen den guten Ruf zu rauben, damit sie wichtige Dinge nicht ernst nehmen müssen, wie etwa Medellín, die Lehrschreiben der Bischöfe der USA in den Achtzigerjahren über die kapitalistische Wirtschaft und die Aufrüstung ... Der Versuch, das öffentliche Ansehen herabzuwürdigen, fand zum Beispiel statt, als die Enzyklika *Populorum progressio* von Papst Paul VI. veröffentlicht wurde. Der damalige Kontext war jedoch ein anderer als heute.

Es sei mir hier ein Einschub gestattet: So sehr die Kritik auch am Platz ist, ist es dennoch nicht richtig, die Kirche zum Sündenbock für die Übergriffe auf Kinder zu machen. Dabei lässt man nämlich tatsächlich viele andere Personen und Institutionen außer Acht, die für sexuellen Missbrauch verantwortlich sind: in den Familien, in nichtkirchlichen Erziehungseinrichtungen ... man kann nur hoffen, dass die aktuelle Empörung, die sich auf die Grenzen der Kirche be-

schränkt, zu einer allgemeinen Empörung gegen jede Art
von Übergriffen gegenüber Kindern wird: den Missbrauch
der Kinder als Soldaten, als Arbeitssklaven, gegen den Missbrauch der Kinder, die im Kongo Coltan abbauen, der Kinder, die unterernährt sind und hungern (Jean Ziegler zufolge
stirbt alle fünf Sekunden ein Kind an Hunger, und er fügt
hinzu, es wird *ermordet*, denn dieses Problem könnte leicht
gelöst werden), der Kinder, die eine schlechte oder miserable
Ausbildung erhalten ...

Wir kehren zum Thema Kindesmissbrauch und Kirche zurück, aber ohne dabei jede Art von Übergriffen auf Kinder zu
vergessen und ohne die demokratischen und die anderen
Gesellschaften zu vergessen, die dieser Übergriffe schuldig
sind. Wir sagen dies im Namen der Opfer.

Mangel an Demut: Die Kirche angesichts der Überheblichkeit

Die Sünde der Kirche liegt klar zutage. Doch darüber hinaus
gibt es in der Kirche noch eine Art Anmaßung, Überlegen-
heitsgefühl gegenüber allen anderen. Dies ist die Überheblichkeit oder Arroganz.

Sie kommt darin zum Ausdruck, dass man Wahrheit und
Lüge nicht ernst nimmt und sie nicht aufrichtig und ernst-
haft analysiert. Allzu leichtfertig sieht man über das impe-
riale Gehabe eines Gregor VII. oder Innozenz III., über die
Schrecken der Inquisition, die Segnung der Eroberung
Lateinamerikas und der Versklavung Afrikas, den Syllabus
Pius' IX., die Verurteilung der Aufklärung, der Demokratie,
des Sozialismus hinweg ... Selbst dann, wenn man sich zur
Anerkennung der eigenen Sünde oder des eigenen Irrtums
durchringt, kommt regelmäßig die Überheblichkeit zum
Vorschein. Galileo wird „rehabilitiert", als ob mit seiner Ver-
urteilung nichts Schlimmes vorgefallen wäre. Man vermit-

telt sogar so etwas wie eine Aura der Großherzigkeit der Kirche. Manchmal behaupten Sprecher des Vatikans, ohne beschämt zu verstummen, Dinge, die mit der Wahrheit sehr wenig zu tun haben: „Die Kirche war immer schon gegen die Gewalt", auch wenn dies in guter Absicht gesagt wurde, nämlich um glaubwürdig die Gewalt Israels gegen die Palästinenser verurteilen zu können. Und es liegt auch eine gewisse Überheblichkeit darin, wenn die Kirche auf eine solche Weise um Vergebung bittet, dass die Kirche als diejenige dasteht, die dies am besten tut.

Diese Überheblichkeit reicht weit über die Entscheidungen und das Verhalten von einzelnen Personen hinaus. Es ist eine Art ekklesiales, hierarchisches, kuriales Existenzial, das zur zweiten Natur geworden ist und die Kirche in ihrer Struktur bestimmt. Historisch gesehen ist diese Art von Arroganz viele Jahrhunderte wirksam, und letztlich ist ihr Fundament das Heilige. Aus beiden Gründen ist sie schwer auszurotten.

Sie kommt darin zum Ausdruck, dass die Kirche zu verstehen gibt, dass sie letztlich „immer recht hat" oder „eher recht hat als andere". Wenn sie um Vergebung bittet, dann tut sie dies besser als andere. Und dazu kommt noch die „Feierlichkeit", die Tendenz, alles, was die Kirche tut oder sagt, mit einer Feierlichkeit zu umgeben, auch wenn es dabei darum geht, Demut und Einfachheit zu predigen. Abgesehen von der Unfehlbarkeit in Fragen der Lehre meint sie das Vorrecht der Unangreifbarkeit zu genießen. Deshalb ist sie über die Maßen überrascht, wenn sie kritisiert wird, auch wenn dies aus guten Gründen und in Liebe geschieht.

Zusammengefasst kann man sagen: Die Kirche scheint sich selbst als Trägerin einer letzten Wirklichkeit zu verstehen, die niemand sonst besitzt und die außer für sie für niemanden sonst erreichbar ist. Sie meint in der Tat, dies sei sie durch Auserwählung und daraus leite sich ihre Überlegenheit über alle anderen ab. Die Exegeten des Alten Testaments

haben das Bewusstsein des Auserwähltseins entmythologi-
siert und machen uns darauf aufmerksam, dass Israel keine
Vorrechte genießt: „Seid ihr für mich mehr als die Kuschiter,
ihr Israeliten? ... Wohl habe ich Israel aus Ägypten herauf-
geführt, aber ebenso die Philister aus Kaftor und die Ara-
mäer aus Kir" (Am 9,7). Und im Neuen Testament wird die
Einbildung, Vorrechte zu besitzen, radikal zunichte gemacht. Dies ist zum Beispiel beim Gleichnis vom Barmherzigen Samariter der Fall. Und die Gerichtsrede in Mt 25 stellt
die Behauptung auf: „Dort war ich, und wer mich dort nicht
gefunden hat, der hat mich überhaupt nicht gefunden." Das
Wo für die Anbetung ist weder Garizim noch Jerusalem, es
wird durch ein *Wie* ersetzt: „im Geist und in der Wahrheit".

All das ist hinlänglich bekannt, auch innerhalb der Kirche. Doch das Bewusstsein der Überlegenheit, der *offensicht-
lichen Bestimmung* sowohl in Bezug auf das, was die Kirche
anderen gegenüber tun muss – ihre Sendung –, als auch in
Bezug auf das, was ihr andere schulden – der gebührende Respekt gegenüber einer höheren Wirklichkeit –, bleibt bestehen. Das erzeugt das, was wir ein Existenzial genannt haben, das heißt eine dauerhafte Seinsweise, ob man sich ihrer
bewusst ist oder nicht.

Ich glaube, dass die Wurzeln sowohl der Sünde als auch
der Überheblichkeit der Kirche letztlich in der Macht liegen,
und das umso mehr, als es sich um eine heilige Macht handelt. Daran erinnert u. a. Leonardo Boff (vgl. etwa dessen
Buch „Kirche: Charisma und Macht", Gütersloh 2009). Die
Institution Kirche erhält sich selbst durch zwei Formen der
Macht: eine weltliche, organisatorische, juridische und
hierarchische, die sie vom Römischen Reich als Erbe übernommen hat; und eine spirituelle, deren Grundlage die
politische Theologie ist, wie sie Augustinus im *Gottesstaat*
entwickelt, mit dem er die Institution Kirche identifiziert. In
ihrer konkreten Gestalt ist das, was zählt, nicht so sehr das
Evangelium oder der Glaube, sondern es sind diese Formen

der Macht, die als eine einzige „heilige Gewalt" (*potestas sacra*) betrachtet werden, als ein Ausdruck der Fülle (*plenitudo potestatis*) nach römisch-imperialer Art der absoluten Monarchie. Wie der Kaiser, so hat auch der Papst alle Macht inne: „die ordentliche, höchste, volle, unmittelbare und allgemeine" (CIC can. 331).

Die „bekehrte" und heilige Kirche

Es gibt die heilige Kirche, welche die Heiligkeit des Barmherzigen Samariters, des Märtyrers, des Gottesknechts auszeichnet. Und Gott allein weiß um ihre Größe. Nun, in einem Kontext der Sünde und der Überheblichkeit, richten wir unseren Blick auf eine Kirche, die genau insofern heilig ist, als sie sich „bekehrt" hat. Deshalb führen wir hier ohne weiteren Kommentar vier Zitate an; drei davon stammen von Bischöfen, die sich angesichts der Sünde und Sündhaftigkeit nicht nur persönlich gut verhalten haben, sondern auch den Mut hatten, über die Kirche in Aufrichtigkeit und Demut zu sprechen und entsprechend zu handeln. In diesem Sinne behaupten wir, dass sie eine „bekehrte" Kirche zukunftsweisend dargestellt haben.

Bischof Romero kritisierte eine Kirche, die für die Ungerechtigkeit mitverantwortlich war. Die Kirche orientierte sich an „einigen wirtschaftlichen Interessen, denen sie bedauerlicherweise gefügig war, doch es war eine Sünde der Kirche, dass sie hinters Licht geführt hat und die Wahrheit nicht gesagt hat, als sie sie sagen musste" (Homilie vom 31. Dezember 1978).

Bischof Leonidas Proaño bekannte im Jahr 1988 auf dem Totenbett etwas, das ihn stark beunruhigte: „Nidia, mir geht ein Gedanke durch den Kopf, es überkommt mich der Gedanke, dass die Kirche die alleinige Verantwortliche für die Situation der Unterdrückung der indigenen Völker ist ...

Welch ein Schmerz! Und ich trage dieses Last der Jahrhunderte auf meinen Schultern. Welch ein Schmerz! Welch ein Schmerz!"

Álvaro Ramazzini, der Bischof von San Marcos in Guatemala, sagte am 22. März, am 30. Todestag von Bischof Romero: „Ich glaube, dass die katholische Kirche niemals genug tun wird, um für all die Missbrauchsfälle an Kindern um Vergebung zu bitten. Das ist ein sehr schweres Erbe, das die Kirche nur wiedergutmachen und heilen können wird, wenn sie nicht nur um Vergebung bittet, sondern nach anderen Wegen sucht, um sicherzustellen, dass wir uns wirklich in einem Prozess der Umkehr und in einem Prozess befinden, in dem die Gerechtigkeit die Oberhand gewinnen muss."

Pater José Maria Díaz Alegría starb am 25. Juni 2010 im Alter von 98 Jahren. Bis zum Schluss blieb er ein Mann Gottes und ein Mann der Kirche. Einige Monate vor seinem Tod hat er einigen Freunden ein informelles Interview gewährt, das er mit folgenden Worten beschloss: „Letztlich glaube ich, dass die katholische Kirche insgesamt Jesus verraten hat. Diese Kirche ist nicht das, was Jesus wollte, sondern das, was im Lauf der Geschichte die Mächtigen der Welt wollten. Dies sind die Gedanken, die mir jetzt durch den Kopf gehen, da ich taub und halb blind bin und den Tod in starker Hoffnung und mit viel Humor erwarte."

Die Aufrichtigkeit und die Demut kommen für gewöhnlich nicht in so starken Worten zum Ausdruck, aber sie können dies zuweilen. Inmitten der Aufregung über den Kindesmissbrauch sagte jemand, das, was die Kirche nun tun müsse, sei einfach „das Haupt zu senken". Wenn dies ernsthaft geschieht, dann sagt es mehr als tausend Worte.

Diese Geste verhilft nach innen zur Umkehr und zu dem, was die Kirche zum Sakrament der Versöhnung hinführt: zum „im Herzen empfundenen Schmerz", zum „Bekenntnis durch den Mund", zum „Vorschlag zur Wiedergutmachung",

Jon Sobrino

zur „Erfüllung der Buße". Nach außen stärkt diese Geste die Sendung der Kirche. Man darf nicht vergessen, dass Bischof Romero nicht nur ein Prophet, sondern ein „Verteidiger der Unterdrückten" war. Und Bischof Proaño war nicht nur Hirte, sondern „Verteidiger der Indios".

Die vier zitierten Beispiele zeigen, dass die Kirche die *casta Ecclesia*, die heilige Kirche der Apostel und Märtyrer genau dann ist, wenn sie anerkennt, dass sie *meretrix*, die sündige Kirche ist.

Einfache Erklärungen bringen keine Lösungen

Die unmittelbaren Ursachen des Missbrauchs

Geoffrey Robinson

Drei Bereiche möchte ich aufzeigen, in denen sofortige Untersuchungen erforderlich sind, wobei die gesamte Kirche in die Untersuchungen einbezogen werden sollte.

Der Zölibat spielt eine Rolle – aber nicht die einzige

Der Zölibat ist nicht die einzige Ursache von sexuellem Missbrauch durch Priester und Ordensleute. Es wäre gut, wenn dem so wäre, denn dann könnte man durch die bloße Abschaffung des Zölibats jeden Missbrauch beseitigen. Doch auch wenn der Zölibat morgen abgeschafft würde, gäbe es allen Grund zu der Annahme, dass das Problem damit nicht verschwinden würde. Wie ich weiter unten aufzeigen möchte, spielt der Zölibat in einer Reihe von Missbrauchsfällen eine Rolle, aber er ist bei Weitem nicht die einzige Ursache allen Missbrauchs.

Geoffrey Robinson

Homosexuelle aus dem Priesterdienst entfernen – keine Lösung

Auch die Tatsache, dass es in den Reihen der Priester und Ordensleute etliche Personen mit homosexuellen Neigungen gibt, ist nicht die einzige und erst recht keine wesentliche Ursache. Homosexuelle Erwachsene fühlen sich zu anderen homosexuellen Erwachsenen hingezogen, während die Neigung zu Minderjährigen, ob männlich oder weiblich, ein völlig anderes Phänomen ist. Ein homosexueller Erwachsener vergeht sich nicht mit größerer Wahrscheinlichkeit an Minderjährigen als ein heterosexueller Erwachsener. Durch die Entfernung aller Homosexuellen aus Priesterdienst und Ordensleben lässt sich das Problem des Kindesmissbrauchs nicht beseitigen.

Täter sind keine Monster

Die Täter sind keine Monster, die auf den ersten Blick als Monster erkennbar wären. Im Gegenteil, sie müssen für ihre Vergehen in der Lage sein, bei den potenziellen Opfern ihren Charme spielen zu lassen und deren Vertrauen zu gewinnen. Weit davon entfernt, wie Monster auszusehen, erscheinen sie in der Regel wie sehr nette Verwandte oder Freunde, und sie können in allen anderen Bereichen ihres Lebens vorbildliche Priester oder Ordensleute sein. Darin liegt eine der Schwierigkeiten, sie zu entdecken.

Kurz gesagt, es gibt keine einfache, monokausale Erklärung für Kindesmissbrauch durch Priester oder Ordensleute. Wenn wir versuchen, uns auf irgendeine einzige Ursache festzulegen oder eine einzige einfache Erklärung zu liefern, weichen wir der Tiefe und Komplexität des Problems aus und werden es nicht lösen können.

Drei Faktoren erzeugen ein Klima

Die beste mir bekannte Erklärung der Ursachen von Missbrauch, die am ehesten verspricht, uns den Weg nach vorn zu zeigen, besagt Folgendes: Kindesmissbrauch durch Priester, Ordensleute oder auch durch beliebige andere Personen in der Gemeinde tritt am wahrscheinlichsten dann auf, wenn drei Faktoren zusammenkommen:

- Eine ungesunde psychische Verfassung.
- Ungesunde Vorstellungen von Macht und Sexualität.
- Eine ungesunde Umgebung oder Gemeinschaft, in der eine Person lebt.

Die drei genannten Faktoren können zusammen ein Klima erzeugen, eine undurchsichtige Welt, in der Missbrauch wahrscheinlicher wird. Die Kirche muss untersuchen, auf welche Art und Weise dieses Klima innerhalb ihrer Einrichtungen entstehen kann.

Eine persönliche Geschichte – auch ich wurde missbraucht

Ich gestehe, dass ich kein völlig objektiver Erforscher dieser Materie bin.

Die Jahre, die ich mit der Arbeit auf dem Gebiet des sexuellen Missbrauchs verbrachte, hinterließen bei mir tiefe Spuren, weil ich selbst in meiner Jugend sexuell missbraucht worden bin. Der Täter war weder Priester noch Ordensmann noch sonst jemand aus der katholischen Kirche, und er war auch nicht mit mir verwandt. Ich gehörte zu den fünf Prozent der Fälle, in denen der Täter ein Fremder war. Weder hinsichtlich meines Alters zum Zeitpunkt der Tat noch hinsichtlich der Dauer des Missbrauchs war das Geschehene so

Geoffrey Robinson

erheblich wie bei einem Großteil der Missbrauchsfälle, mit denen ich bei anderen konfrontiert wurde. Dennoch wäre der Mann ins Gefängnis gekommen, wenn er bei irgendeinem seiner Vergehen an mir gefasst worden wäre. Ich hatte die Erinnerung daran nie verdrängt, sondern sie fast mein ganzes Leben lang irgendwie im Hinterkopf abgelegt. Das heißt, ich wusste immer, dass sie dort war, aber ich holte sie nie hervor, um sie mir anzuschauen.

Als ich 1994 in eine offizielle Position berufen wurde, in der ich mit der Reaktion der Kirche auf den Missbrauch betraut war, durchlebte ich drei Phasen. In der ersten Phase versuchte ich, als guter Mensch, guter Christ und guter Priester zu handeln. Mir wurde bald klar, dass dies nicht reichte. So gelangte ich bald in eine zweite Phase, in der ich so vielen Opfern wie möglich zuhörte, um von ihnen zu lernen. Irgendwann in diesem Prozess kam ich in die dritte Phase, in der das, was die Opfer fühlten und sagten, auch in mir selbst eine heftige Reaktion auslöste. Erst jetzt – etwa zwei Jahre nach meiner Ernennung und etwa ein halbes Jahrhundert nach dem Geschehen – holte ich endlich meine eigene Geschichte aus dem Hinterkopf hervor, betrachtete sie erneut und bezeichnete sie zum ersten Mal in meinem Leben als sexuellen Missbrauch. Mit der Hilfe von Beratern wurden mir einige der Auswirkungen bewusst, die diese Tat für mich und mein Leben gehabt hatte.

Unmöglichkeit, den kirchlichen Erwartungen zu entsprechen

In der Konsequenz hatte ich tiefgreifende Probleme mit der defizitären Reaktion der Kirche auf die Enthüllungen sexuellen Missbrauchs. Mein Problembewusstsein betraf alle – bis hin zur obersten Ebene der Kirchenleitung. Denn ich war einer von vielen Menschen, die nach einer starken und mitfühlenden Führung bei diesem Thema riefen. Als diese ausblieb, versuchte ich ohne die Unterstützung der Führung mein Bestes zu tun. Ich spürte, dass sich dem Papsttum hier die perfekte Gelegenheit bot, seiner fundamentalsten Rolle als der Fels, der die Kirche zusammenhält, gerecht zu werden. Dies geschah jedoch nicht – und die Kirche zerbrach. Ich konnte unmöglich hinnehmen, dass ich den meisten Worten aus der Feder des Papstes meinen „Geist und Willen" unterwerfen sollte, während der Führungsmangel in dieser Krise nicht zu zählen schien. Der Erwartung, mich dem Schweigegebot zu diesem Defizit ebenso zu unterwerfen wie den päpstlichen Worten, konnte ich nicht entsprechen.

Als ich bei einer öffentlichen Konferenz vor mehreren Journalisten auf die Frage eines Opfers mit den Worten antwortete, dass ich mit dem Maß der Unterstützung aus Rom nicht glücklich sei, erhielt ich ein offizielles Schreiben (7. August 1996), in dem „die anhaltende Sorge der Kongregation für die Bischöfe darüber, dass Sie in den letzten Monaten Ansichten geäußert haben, die für die maßgebliche Lehre und Disziplin der Kirche hochkritisch sind" zum Ausdruck kam. Mir wurde gesagt, dass „der Heilige Vater in einer kürzlich abgehaltenen Audienz von Ihrer öffentlichen Haltung zu diesen Fragen vollständig in Kenntnis gesetzt" worden sei, und er habe „Ihretwegen ernste Besorgnis gezeigt". Zwei Monate später (16. Oktober 1996) erhielt ich ein weiteres Schreiben mit dem Inhalt, dass „die entsprechenden Unterlagen zur Kenntnisnahme und Überprüfung an die Kongregation für die Glaubenslehre weitergeleitet" worden seien. Dieser Wechsel der Zuständigkeit bedeutete, dass ich einer Form von Ketzerei verdächtigt wurde.

Ich gebe zu, dass ich mich persönlich verletzt fühlte von dieser Kritik an der einzigen wahrhaftigen Antwort, die ich vor einem Raum voller Opfer geben konnte. Aber ich kam auch zu dem Schluss, dass eine Autorität, die es nötig hatte,

Geoffrey Robinson

sich auf so plumpe Weise zu verteidigen, an ihrer eigenen Reaktion auf den Missbrauch wohl ernsthafte Zweifel hegen musste.

Eine perfekte Kirche fordern, führt zu Heuchelei

Es hat nie eine vollkommene Kirche gegeben, und es wird nie eine solche geben. Ich muss immer in einer unvollkommenen Kirche tätig sein und darf niemals vergessen, dass ich selbst ein unvollkommenes Mitglied dieser unvollkommenen Kirche bin, das seine Probleme und Fehler ebenso wie seine Hilfe einbringt. Unter manchen Umständen jedoch verläuft nur ein ganz schmaler Grat zwischen der Anerkennung der Tatsache, dass ich in einer unvollkommenen Kirche tätig sein muss, und meiner Mitschuld an dem Schaden, den diese Unvollkommenheiten den Menschen zufügen.

Ich kam schließlich zu dem Punkt, an dem ich spürte, dass ich mit den Gedanken, die mir durch den Kopf gingen, nicht länger Bischof einer Kirche sein konnte, der gegenüber ich so tiefgreifende Vorbehalte hatte. Ich gab mein Amt als Weihbischof in Sydney auf und begann, über die wirklichen Grundlagen des Umgangs der Kirche mit Macht und Sexualität zu schreiben.

Umkehr wagen

Vom Herrschen und Dienen

Da rief Jesus sie zu sich und sagte:
Ihr wisst, dass die Herrscher ihre Völker unterjochen und die
Mächtigen ihre Macht über die Menschen missbrauchen. Bei euch
soll es nicht so sein, sondern wer bei euch groß sein will, sei euer
Diener, und wer bei euch der Erste sein will, sei euer Sklave. Denn
auch der Menschensohn ist nicht gekommen, um sich dienen zu
lassen, sondern um zu dienen ...
(Mt 20,25–28)

„Bei euch soll es nicht so sein"

Ursachen und Konsequenzen einer Kirchenkatastrophe

Michael Albus

Vor nicht allzu langer Zeit wurden jede und jeder, vor allem Journalistinnen und Journalisten, die öffentlich Kritik an der Institution „katholische Kirche" übten, als Nestbeschmutzer bezeichnet. Kritik am Papst, an den Bischöfen, den Klerikern, an kirchlichen Institutionen kam einem Sakrileg gleich und wurde entsprechend geahndet. Subtile und brutale Sanktionen wurden – oft stillschweigend – verhängt. Ich kenne solche „Verhängnisse", habe sie am eigenen Leib und an der eigenen Seele erfahren – als Konsequenz journalistischer Arbeit. Wenn heute solche Verhängnisse verhängt werden, dann ist das immer noch schlimm genug, aber sie wirken nicht mehr oder kaum noch. Die sozialen Stützstrukturen für solche Kirchenverhängnisse sind weggebrochen. Insofern hat „die Kirche" kaum oder gar keine Macht mehr. Grund zum Aufatmen für viele. Gott sei Dank! Aber noch ist nicht aller Tage Abend.

Parallelwelt Kirche

Immerhin wird nun offenbar, welche Parallelwelt von Kirche sich innerhalb einer „modern" anmutenden Gesellschaft da breitgemacht hat. Das biblische Wort vom Sauerteig bekommt einen ganz anderen Geschmack. Männer der Kirche haben nicht nur Herrschaft über die Seelen, sondern mit aller Macht auch über die Körper von Menschen, von Kindern vor allem, ausgeübt. Sie haben dabei massiv Vertrauen missbraucht, schamlos, übergriffig, arrogant und zynisch. Warum soll man angesichts dieser ungeheuerlichen Tat-Sachen noch vornehme Zurückhaltung üben? Vor allem, wenn manche Täter sich nun als Opfer stilisieren wollen, als Opfer von medialen Kampagnen, von Kirchenhass und Kritiksucht. Ein Beispiel nur: Der Bischof von Regensburg, Gerhard Ludwig Müller, sah in einer Predigt im März 2010 die katholische Kirche in Deutschland in einer Situation, die der des Jahres 1941, unter dem Naziregime, vergleichbar ist. „So viele Medien" seien bestrebt, „durch zurechtgestutzte und verkürzte Berichte, durch ständige Wiederholungen aus alter Zeit" die Öffentlichkeit zu manipulieren.

Darf man einen solchen Vergleich durchgehen lassen? Nein, man darf nicht! Die Ursachen sollen klar benannt werden. Das ist in den Beiträgen dieses Buches versucht worden. Und auch die wichtigsten notwendigen Folgen sind bedacht worden.

Kurzer Blick zurück im Zorn

Im Blick auf die Konsequenzen ist es jedoch sinnvoll, noch einmal einen kurzen, schlaglichtartigen Blick zurückzuwerfen – im Zorn. Im Zorn über das, was sich da eingenistet hat in einer Kirche, deren erste und vornehmste Aufgabe es eigentlich ist, die Botschaft von der Güte und Menschenfreundlichkeit Gottes vor allem durch persönliche Glaubwürdigkeit in dieser Welt zu bezeugen.

Der Zorn kann den klaren Blick verstellen. Es ist deshalb nur ehrlich, auch zu sagen, dass eine pauschale Verurteilung

Michael Albus

nicht angebracht ist. Ich kenne viele Menschen der Kirche, die ein beispielhaftes Leben führen für andere, die sich nichts zu Schulden haben kommen lassen. An sie muss ich denken, wenn mich der Zorn packt über die Sesshaften und Hochsitzinhaber in der Kirche, deren Gott der Bauch und deren achtes Sakrament das Geld ist. Aber diese Stillen im Lande haben den Oberen, den Kirchenführern, wie man sie landläufig nennt – was ist das: ein Kirchenführer? Ich habe immer gemeint, Jesus sei der Kirchenführer – noch nie viel gegolten. Sie belohnten sie allenfalls mit ein paar warmen Worten, die sie nichts kosteten, bei Gelegenheiten, an denen es sich gut machte. Diese Stillen im Kirchenland dürfen nicht untergebuttert werden, haben ein Denkmal verdient, ein Denkmal für die „Unbekannten Gläubigen", die nicht offiziell heiliggesprochen wurden und werden.

Die Täter drinnen suchen nun nach Schuldigen draußen für das schwere Los, das sie nun ertragen müssen, für die Verletzungen, die ihnen zugefügt wurden und werden. Sie machen den „alten bösen Feind" der Kirche überall aus, nur nicht im Raum der Kirche selber. Es können einem die Tränen kommen angesichts manchen öffentlich geäußerten und privat praktizierten Selbstmitleids. Dabei hat Papst Benedikt XVI. selber vor Kurzem gesagt: „Die Feinde der Kirche sind im Inneren." Aber wer will das schon hören? Da muss der Papst sich geirrt haben. Das hätte ja Folgen!

Überhaupt hat der Papst in zahlreichen seiner Äußerungen zum Thema tiefe Betroffenheit zum Ausdruck gebracht und erkennbar strenge Maßstäbe angelegt. Man muss sich schon wundern, wie zögerlich ihm das verantwortliche Kirchenpersonal folgt. Ein Nachlassen der päpstlichen Autorität? Konsequenzen sind etwas anderes als Lippenbekenntnisse.

Ein geschichtlicher Rückblick ist im Blick auf die Beiträge dieses Buches nicht notwendig. Das Thema hat eine lange Tradition, auch eine nichtkirchliche. Aber der andauernde kirchliche Verweis auf dieses Faktum hilft nicht viel. Die

Verantwortlichen in der Kirche müssen sich mit den hohen Maßstäben messen lassen, die sie selbst für „die Gläubigen", „die Seelen" verbindlich machen. Doppelte Moral gilt nicht! Wes kirchlichen Geistes Kind da schon lange am Werke war und ist, mag ein kurzer Blick auf ein Geheimdokument des Vatikans aus dem Jahr 1962 zeigen, das hier zum ersten Mal in Ausschnitten und in deutscher Sprache veröffentlicht wird. Vor allem deswegen, weil es, neben bürokratischen und juristischen Floskeln, die eisige Kälte und die Arroganz sichtbar macht, mit denen die „Führung" der Kirche seit langer Zeit dieses Thema „behandelt" hat. Das Dokument ist ja nicht vom Himmel gefallen, es hat seine Vorgeschichte. Und es hat bis in die jüngste Zeit hinein Auswirkungen gehabt.

Man lasse die Sprache auf sich wirken. Sie ist das Kleid der Gedanken. Sie ist eine Offenbarung. Es geht in diesem Dokument vor allem um die Täter und ihren Schutz, genauer gesagt darum, dass der gute Ruf der Kirche gewahrt bleibt, dass die „makellose Braut Christi" und der „Leib des Herrn", als den man früher die Kirche bezeichnet hat, nicht beschmutzt werden. Von den Opfern ist so gut wie nicht die Rede. Sie sind allenfalls „Pönitenten", solche, die zu den Klerikern kommen und beichten wollen, sich eine Strafe oder Buße für und die Lossprechung von ihren Sünden erbitten dürfen oder müssen.

Das Dokument *De modo procedendi in causis sollicitationis*, „Über die Weise des Vorgehens in Fällen von Verführung", vom 16.3.1962 ist der Ausweis, die Verschriftlichung einer menschlichen und kirchlichen Katastrophe. Es ist verständlich, warum strenge Geheimhaltung, „ewige Schweigepflicht", bei strenger Strafe angeordnet war. Dieses Dokument war übrigens auch die Grundlage für ein *Motu proprio* von Papst Johannes Paul II. 2001 und ein Schreiben des Kardinals Ratzinger im Jahre 2001 zum selben Thema.

Michael Albus

In diesen Schreiben geht es nur um den Schutz des Sakramentes und der Hierarchie. Die Opfer werden nur im Bezug auf die Kleriker kurz erwähnt. Es eröffnet, bei genauerem Hinsehen und Bedenken, den Blick in einen Abgrund, der Täter und Opfer verschlingt. Dahinter verbirgt sich ein Denken, das der Botschaft des Evangeliums ins Gesicht schlägt, eine Beleidigung und Verletzung Gottes selber. Da gibt es nichts mehr zu rechtfertigen oder zu beschönigen. Sachliche Differenzierungen fallen schwer, weil das Ganze nicht stimmt.

Was Jesus wohl gesagt hätte, wenn ihm dieses Geheimdokument – und andere – unter die Augen gekommen wäre? Wahrscheinlich hätte er geschwiegen wie damals vor dem Richter in der Leidensgeschichte. Hier zeigt sich die Blindheit des Systems, in das sich die Kirchenchefs und Kirchenjuristen im Lauf der Zeit verstrickt haben. Das ist auch eine babylonische Gefangenschaft.

De modo procedendi in causis sollicitationis

Instruktion des heiligen Offiziums [heute Glaubenskongregation] an alle Patriarchen, Erzbischöfe, Bischöfe und andere Ortsordinarien, auch des orientalischen Ritus

Die Instruktion über das Vorgehen bei Verfahren zu Verbrechen der sexuellen Verführung ist sorgfältig im Geheimarchiv der Bischöflichen Behörde aufzubewahren. Diese interne Weisung darf nicht veröffentlicht oder mit Kommentaren versehen werden.

1. Das Verbrechen der sexuellen Verführung liegt vor, wenn ein Priester versucht, einen Pönitenten zu unsittlichen oder schändlichen Handlungen zu verführen oder zu provozieren, sei es durch Worte oder Zeichen, durch einen Wink, eine

Berührung oder ein Schriftstück, das er sofort oder später lesen soll, ferner wenn er schändlicherweise gewagt hat, mit ihm unerlaubte, unsittliche Gespräche zu führen oder derartige Broschüren zu lesen. Dieses Verbrechen kann geschehen in einer sakramentalen Beichte oder vor oder unmittelbar nach ihr oder anlässlich einer Beichte oder unter deren Vorwand, auch außerhalb des Beichtstuhls an einem anderen Ort, der für die Abnahme von Beichten bestimmt ist oder dazu gewählt wird, um angeblich dort die Beichte zu hören. (Vgl. Constitutio Benedikts XIV. „Sacramentum Poenitentiae" vom 1.6.1741.)

2. Über dieses unsägliche Verbrechen muss in erster Instanz der Ortsbischof in Kenntnis gesetzt werden, in dessen Diözese der Schuldige seinen Wohnsitz hat ... Unter schwerer Gewissenspflicht sind die Ortsbischöfe gehalten, in solchen Fällen schnellstmöglich ein Gerichtsverfahren einzuleiten, durchzuführen und abzuschließen. Aus besonders schwerwiegenden Gründen können diese Verfahren ... auch dem Hl. Offizium übertragen oder von ihm übernommen werden ...
...

4. Der Ortsbischof ist in diesen Verfahren ebenfalls gerichtlich zuständig für Ordenspriester, auch wenn sie exempt sind [d. h. nicht dem Bischof, sondern direkt dem Heiligen Stuhl unterstehen]. Ihren Vorgesetzten ist strikt verboten, sich in Verfahren einzumischen, die in die Zuständigkeit des Hl. Offiziums fallen ... Die Zuständigkeit des Ortsbischofs hindert die Ordensoberen nicht daran, wenn sie einen Untergebenen bei einem Verstoß gegen die Verwaltung des Bußsakraments zufällig ertappt haben, dass sie ihn beobachten können und müssen, dass sie ihn unter Auflage heilsamer Bußen ermahnen und zurechtweisen, gegebenenfalls sogar aus dem priesterlichen Dienst ganz entfernen. Sie können ihn auch anderswohin versetzen, wenn nicht der Ortsbischof dies wegen der bereits erfolgten Anklage und der Einleitung der Untersuchung untersagt.

Michael Albus

5. Der Ortsbischof kann selbst den Vorsitz bei derartigen Verfahren wahrnehmen oder ihn einem anderen Kleriker fortgeschrittenen und reifen Alters übertragen ...

...

7. Der Kirchenanwalt, der Verteidiger des Angeklagten und der Notar müssen fortgeschrittenen, reifen Alters sein, in gutem Ruf stehen, als Doktor des Kirchenrechts oder auf andere Weise ausgewiesen und für ihr Streben nach Gerechtigkeit bekannt sein. Schriftlich sind sie vom Bischof für dieses Amt zu berufen.

...

11. Bei der Durchführung eines solchen Verfahrens ist vor allem zu beachten und zu befolgen, dass höchste Diskretion zu wahren ist, ferner nach Verkündigung und Vollstreckung des Urteils ewige Schweigepflicht ... Alle und jeder Einzelne, die irgendwie zum Gericht gehören oder wegen ihres Amtes Kenntnis davon erlangt haben, sind zu strengstem Schweigen in allen Dingen und gegenüber allen Personen verpflichtet; sonst verfallen sie unmittelbar der Tatstrafe der Exkommunikation, ... deren Erlass allein dem Papst vorbehalten ist ...

...

13. Auch die Ankläger, Informanten und Zeugen müssen die Schweigepflicht unter Eid versprechen ... Der Angeklagte ist strengstens zu ermahnen, dass er gegenüber allen – einzig ausgenommen gegenüber dem Verteidiger – Schweigen wahrt; andernfalls verfällt er der Suspension (= Dienstenthebung) von allen gottesdienstlichen Amtshandlungen, die mit dem Begehen der Tat eintritt.

...

15. Weil das Verbrechen der sexuellen Verführung meist ohne Augenzeugen geschieht, sodass es fast immer zum außerordentlich großen Schaden der Seelen verborgen und ungestraft bleibt, war es notwendig, den einzigen, der in der Regel davon weiß, nämlich den Pönitenten, der verführt

wurde, durch ein positives Gesetz zur Anzeige zu verpflich-
ten. Deshalb gilt:

16. „Gemäß der Konstitution Sacramentum Poenitentiae
... muss der Pönitent den Beichtvater im Fall einer sexuel-
len Verführung innerhalb eines Monats beim Ortsbischof
oder beim Hl. Offizium anzeigen. Und der Beichtvater ist
unter strenger Gewissensverpflichtung gehalten, den Pöni-
tenten an diese Anzeigepflicht zu erinnern" (can 904). [Pa-
ragraf des Kirchenrechtes]

17. Ferner kann im Sinne von can 1935 jeder Gläubige
jederzeit ein solches Vergehen melden, wenn er davon
verlässliche Kenntnis hat. Die Pflicht zur Anzeige ist so-
gar dringend geboten, wenn ... Gefahr für den Glauben
bzw. die Religion oder ein anderer öffentlicher Schaden
droht.

18. „Ein Gläubiger, der wissentlich die Anzeige innerhalb
eines Monats gegen den, der ihn sexuell verführt hat, unter-
lässt ..., verfällt der Tatstrafe der Exkommunikation, von
der er nicht eher losgesprochen werden kann, bis er diese
Pflicht erfüllt oder es ernsthaft versprochen hat" (can 2368
§ 2).

...

20. Anonyme Anzeigen sollen nicht beachtet werden ... es
sei denn sie enthalten Angaben, die eine Untersuchung na-
helegen.

21. Die Anzeigepflicht ... endet erst mit dem Tod des
Beichtvaters.

...

29. ... Man beachte: Wenn der angezeigte Priester ein Or-
densmann ist, kann der Ortsbischof verhindern, dass er vor
Beendigung des Prozesses an einen anderen Ort versetzt
wird.

Die Untersuchung muss drei Fragen nachgehen:
das bisherige Leben des Angeklagten;
die Glaubwürdigkeit der Anklage;

Michael Albus

ob andere Personen vom selben Beichtvater sexuell verführt worden sind oder ob die Informanten eventuelle Mitwisser des Verbrechens ... angeben können.

...

48. Einen geständigen Angeklagten ... soll der Richter väterlich und gütig zur Beichte auffordern und, wenn er einwilligt, ... seine Beichte entgegennehmen.

...

61. „Wer das Verbrechen der sexuellen Verführung ... begangen hat, soll von der Zelebration der Messe und vom Hören des Beichtsakraments suspendiert werden, und je nach Schwere des Verbrechens können ihm zudem alle Benefizien und Ämter genommen werden ...; in besonders schwerwiegenden Fällen kann er auch mit der Entlassung aus dem Klerikerstand bestraft werden" (can 2368).

...

63. Die Höchststrafe der Entlassung aus dem Klerikerstand ... soll nur dann verhängt werden, wenn nach gründlicher Prüfung als erwiesen gilt, dass der Angeklagte – in tiefe Bosheit verstrickt, durch den Missbrauch seines Amtes zu einem schweren Ärgernis für die Gläubigen und zu deren Seelenschaden geworden – so weit in seinem schändlichen Tun gelangt ist, dass nach menschlichem Ermessen keine oder fast keine Hoffnung auf seine Besserung mehr besteht.
64. Zu den Strafen im eigentlichen Sinn sind um ihrer besseren Wirksamkeit willen in folgenden Fällen zusätzliche Sanktionen aufzuerlegen:

...

d) Wenn immer es dem klugen Ermessen des Ortsbischofs notwendig erscheint zur Besserung des Straffälligen, zur Vermeidung der nächsten Gelegenheit oder zur Vermeidung oder Wiedergutmachung eines Ärgernisses, soll die Verpflichtung bzw. das Verbot auferlegt werden, an einem bestimmten Ort zu wohnen.

...

68. Wenn ein Priester, der wegen sexueller Verführung verurteilt oder auch nur deswegen ermahnt wurde, in ein anderes Bistum übersiedelt, muss der bisherige Ortsbischof den anderen Ortsbischof umgehend über dessen Vergangenheit und den rechtlichen Status des Priesters informieren.

...

70. Alle diese offiziellen Mitteilungen stehen für immer unter dem Schweigegebot des Hl. Offiziums. Da sie das Gemeinwohl der Kirche elementar betreffen, steht die Einhaltung dieses Gebotes unter schwerer Gewissenspflicht.

71. Das schlimmste Verbrechen in diesem Zusammenhang ist jede schwer sündhafte Tat, die von einem Kleriker vollzogen oder versucht wurde mit einer Person des gleichen Geschlechtes.

72. Alles, was über das Verbrechen der sexuellen Verführung festgelegt wurde, gilt entsprechend ... auch für das schlimmste Vergehen. ...

73. Dem schlimmsten Verbrechen ist im Blick auf die Straffolgen jede unsittliche, schwer sündhafte Tat gleichzusetzen, die ein Kleriker vollzogen oder versucht hat mit minderjährigen Jungen oder Mädchen oder mit Tieren (Bestialität).

Hier wird sie unverhüllt sichtbar: die Parallelwelt Kirche, in der nahezu alles unter Verschluss bleibt, was dem Ansehen der Kirche schaden könnte. Man fragt sich, mit welchem Recht eine Kirche, deren „Hirten" und „Ober-Hirten" für die Menschen bestellt sind, solche Eigen-Mächtigkeit, gar ein eigenes Recht beansprucht. Sie haben sich weit von den „Schafen" entfernt. Aber die Schafe wissen besser, wie das Gras schmeckt.

Die zahllosen Nachrichten zum Thema, die täglich zu lesen und zu hören sind, bereiten einem schon durch ihre Menge Überdruss. Es besteht die Gefahr der Abstumpfung. Dieser Gefahr ist entschieden zu begegnen.

Michael Albus

Zwei Auffälligkeiten

Auffällig war und ist das Faktum, dass nach wie vor verschleiert und vertuscht wird. Man gibt erst etwas zu, wenn man nachweislich überführt wurde, wenn einem „die Medien" oder die Ermittler von Rechts wegen auf die Schliche gekommen sind. Der „Fall" – in des Wortes doppeltem Sinn – des Augsburger Bischofs Walter Mixa in all seinen, auch mit unserem Thema verbundenen, unappetitlichen und verwerflichen Verästelungen belegt dies unwiderlegbar.

Auffällig ist auch der Zynismus, die Kälte, mit der den Opfern begegnet wurde und begegnet wird. Außer ein paar verbalen Beteuerungen, die in sich schon den Charakter der Lüge tragen, wird im Kern eine Haltung sichtbar, die auf tiefe innere Blockierungen und vor allem auf eine unsägliche Angst schließen lässt.

Diese beiden Auffälligkeiten sollen hier am Beispiel des gegenwärtigen Vorsitzenden der Deutschen Bischofskonferenz, des Freiburger Erzbischofs Robert Zollitsch, belegt werden.

Auffälligkeit 1: Verschleiern und Vertuschen

Die Frankfurter Allgemeine Zeitung (FAZ) berichtet in ihrer Ausgabe vom 10. Juli 2010, Nr. 157, Folgendes:

„Der Freiburger Erzbischof Zollitsch hat eingestanden, in den neunziger Jahren erheblich früher von sexuellen Übergriffen eines Geistlichen erfahren zu haben als bisher dargestellt. Im März hatte das Erzbischöfliche Ordinariat in Freiburg dargelegt, Zollitsch sei als Personalreferent im Jahr 1995 auf die Übergriffe des langjährigen Ortspfarrers von Oberharmersbach (Ortenau) aufmerksam gemacht worden.

Nach einem Gespräch mit dessen Opfern und Angehörigen hieß es ..., das Ordinariat sei schon 1992 und damit drei Jahre früher auf die Umtriebe des Geistlichen aufmerksam gemacht worden. Zollitsch hatte den Priester im Frühjahr 1991 mit der Auflage in den einstweiligen Ruhestand versetzt, sich von Kindern und Jugendlichen fernzuhalten. Nach Darstellung des Erzbistums vom vergangenen März gab es zu diesem Zeitpunkt ‚lediglich Gerüchte' über ‚unsittlichen Kontakt zu Kindern'. Dieser Verdacht habe ‚zunächst nicht konkretisiert werden können'. Der Pfarrer zog daraufhin in ein Altenheim und wurde – so das Erzbistum – 1995 nach Hinweisen eines Missbrauchsopfers zur Rede gestellt. Bald darauf nahm sich der Mann das Leben, vorgeblich, weil ihm klargemacht worden sei, dass das Erzbistum die Staatsanwaltschaft einschalten wolle. Gegenüber den Missbrauchsopfern stellte Zollitsch nach Darstellung seiner Pressestelle jetzt fest, rückblickend hätte er damals Hinweisen im Jahr 1992 mit ‚größerem Nachdruck nachgehen und intensiver nach weiteren Opfern und das Gespräch mit Zeugen suchen sollen'. Dafür bitte er ‚nochmals von ganzem Herzen um Verzeihung'."

Wenige Tage später wurde Robert Zollitsch in einem Interview der FAZ-Sonntagszeitung (18.7.2010, Nr. 28, S. 3) nochmals auf die Geschichte angesprochen. Auf die Frage, warum er in einer Stellungnahme vom März 2010 nicht erwähnt habe, dass 1992 die Aussage eines Opfers vorlag, antwortete Zollitsch:

„Die Stellungnahme im März mussten wir unter enormem Zeitdruck formulieren – ohne die Unterlagen und Schriftwechsel, mit denen sich die zeitlichen Abläufe genau rekonstruieren lassen. Die Vorgänge von 1992 und die von 1995, als sich der Pfarrer später das Leben nahm, hatten sich nach so vielen Jahren in meinem Gedächtnis ineinander verscho-

Michael Albus

ben: Denn das Gespräch mit Pfarrer B. im Jahr 1992 und das Gespräch im Jahr 1995, als er erneut zur Rede gestellt wurde, waren einander sehr ähnliche Situationen. Nach dem Studium der Dokumente und dem Gespräch mit den Opfern und Angehörigen haben wir das nun richtiggestellt. Und wir haben Vorkehrungen getroffen, dass ein solcher Fehler in Zukunft nach Möglichkeit nicht mehr passiert."

So in etwa sieht die von Erzbischof Zollitsch geforderte „Aufklärung, frei von falschen Rücksichtnahmen" aus. Da staunt der Laie.

Auffälligkeit 2: Zynismus und Kälte

In einem SWR2-Feature am 5.6.2010 von Marie-Dominique Wetzel mit dem Titel: „Zerstörte Kindheit – Das Schicksal der Heimkinder im Nachkriegsdeutschland" berichtet Helmut K., Jahrgang 1940, ein Opfer, über seine Kindheit, die von unglaublicher Erniedrigung und Entwürdigung durch Menschen der Kirche, Priester und Nonnen, geprägt war. Man verstummt, wenn man sich die Schilderung der Bestrafungen anhört, wie nicht nur die Knochen, sondern auch die Seelen gebrochen wurden, und man spürt, wie die Tränen in einem hochsteigen. Ein Archipel des Grauens und der Entwürdigung wird da hörbar und erahnbar. Man schlägt die Hände vors Gesicht.

Am 30. August 2009 wurde Helmut K. zusammen mit anderen Opfern von Erzbischof Zollitsch in Freiburg zu einem „Gespräch" empfangen. Wie dieses Gespräch ablief, erzählt Helmut K. so:

„Wir waren im Ordinariat in Freiburg. Es war der Sekretär mit dort. Es war also eine angemessene Atmosphäre. Wir haben, jeder, unsere Geschichte erzählt, im Kurzformat. Wir haben auch Schreiben, die wir aufgesetzt haben, ihm [Zollitsch] gegeben und so weiter. Mir saß der Erzbischof gegenüber. Ich hatte das Gefühl, also mein Gefühl war: Der sitzt da, hört sich das an, so in der Art: ,Das geht mir doch am Ding vorbei! Was interessiert mich, was die da erzählen!' So saß er da. Und die andern zwei haben am Schluss auch gesagt: ,Der Erzbischof saß da, wie wenn ihn das gar nichts angeht. Für mich war's zwar eine wichtige Sache, aber trotzdem war's eine Sache, wo ich gedacht habe: Du bist umsonst dahin gefahren, das ist unnötig, das brauchst du nicht. Zum Schluss hat er gesagt: ,Ja, Ihre Geschichte ist sehr tragisch, aber da hat Ihnen Gott eine Prüfung aufgelegt und ich werde für Sie beten.' Mehr hatte er leider nicht für mich."

Sicher ist der Einwand berechtigt, dass diese Schilderung einseitig ist. Entscheidend jedoch ist in diesem Fall die Wahrnehmung des Opfers. Es gibt noch andere Wahrnehmungen ähnlicher Art. Gegenüber solchen Wahrnehmungen werden die öffentlichen Entschuldigungen der Verantwortlichen, der Amtsinhaber, nach einigem Zögern und auf öffentlichen Druck hin ausgesprochen, zur Farce.

Zur Verdeutlichung der Situation der Heimkinder in den 50er- und 60er-Jahren des vorigen Jahrhunderts sei kurz noch auf die Daten aus einer nachrichtlich verbreiteten Zwischenbilanz der Heimkinder-Hotline der Deutschen Bischofskonferenz vom 28.7.2010, Nr. 119, hingewiesen. Danach haben sich bis zum Sommer 2010 exakt 372 ehemalige Heimkinder auf der Hotline gemeldet:

Als Gründe für erlittenes Unrecht in Heimen (Mehrfachnennungen waren möglich) gaben knapp 72% körperliche Strafen und Züchtigungen an, 56% sprachen von Abwertung ihrer Person, rund 45% äußerten sich über die rigide Disziplin und 42% gaben Demütigungen an. Fast 30% sprechen von einer Stigmatisierung als Heimkind. Rund 18% der Be-

Michael Albus

troffenen gaben an, von Erwachsenen im Heim sexuell missbraucht worden zu sein, knapp 13 % der Betroffenen berichteten von sexuellen Übergriffen durch andere Heimkinder.
25 % klagten über die Erfahrung von erzwungener religiöser
Praxis, und 31 % erlebten eine Diskrepanz von christlichen
Werten und der täglichen Erziehungspraxis. Knapp sieben
Prozent der Anrufer haben gute Erfahrungen in ihrer Heim-
kinderzeit geschildert.

Die beiden genannten Beispiele sprechen für sich. Ich
habe sie gewählt, weil der Freiburger Erzbischof Robert Zollitsch als amtierender Vorsitzender der Deutschen Bischofskonferenz eine herausgehobene Position hat und damit
auch eine besondere Verantwortung. Die auf ihn bezogenen
„Auffälligkeiten", Verschleiern und Vertuschen, Zynismus
und Kälte, sind allerdings nicht nur kirchlich festzustellen.
Sie sind Teil eines gesamtgesellschaftlichen Phänomens. Im
Falle der Kirche erhält dieses Phänomen jedoch ein anderes
Gewicht als bei einem Fußball- oder Schützenverein, denn
die Kirche tritt mit einem anderen Anspruch auf.

Wird Umkehr wirklich gewollt?

Zu den eindrücklichsten Bildern des Isenheimer Altars in
Colmar gehört das über die Versuchung des heiligen Anto-
nius. Am Bildrand, ganz rechts unten, hat der Künstler einen kleinen weißen Zettel aufgemalt und darauf mit eigener
Hand geschrieben, ins Deutsche übersetzt: „Wo warst du,
guter Jesus, als du meine Wunden heilen solltest?" Diesen
Satz höre ich aus den stummen Mündern der Opfer. Ich
höre ihn auch aus dem Schweigen der Täter. Sind sie nicht
auch Opfer?

Die Frage ist, ob die Verantwortlichen in der katholischen
Kirche, die angesichts der Katastrophe geforderte Umkehr
wirklich wollen, ja, ob sie wirklich dazu fähig sind. Dann

wären nämlich in vielen Fällen Änderungen in der Kirche fällig, die einem Systemwechsel gleichkämen. Machtverzicht, Verzicht auf Kontrolle wären angesagt. Wer will das wirklich? Wer will sich an Jesus von Nazaret messen lassen? Angesichts dieser Geschichte!?

Aber: Umkehr ist gefordert! Diese Forderung steht nicht erst im Neuen Testament, schon im Alten ist sie zu lesen und zu hören:

„Kehrt um zu ihm, Israels Söhne, zu ihm, von dem ihr euch so weit entfernt habt" (Jes 31,6).

Oder man legt auch noch die Heilige Schrift zu den Geheimakten des Heiligen Apostolischen Stuhles, weil ihre Verwirklichung nach bürgerlichem und kirchlichem Denken zu unhaltbaren Zuständen in der Kirche führen würde.

Die Frage bleibt: Wird Umkehr wirklich gewollt? Nach allen gemachten Erfahrungen bleibt Skepsis angebracht. Auf der Herbstvollversammlung der Deutschen Bischofskonferenz 2010 in Fulda hat Erzbischof Robert Zollitsch in seinem Eröffnungsreferat Sätze wie die folgenden gesagt, die aufhorchen ließen.

Am Ende aber frage ich mich, ob uns nicht mehr als dies alles ärgern muss, dass es nicht selten die Medien waren, die den Opfern eine Stimme gegeben haben – was eigentlich unsere Aufgabe gewesen wäre.

. . .

Wir werden ungeschminkt ausleuchten, wie wir als Kirche in Wort und Tat mit dem Vorwurf umgehen müssen, es gebe in ihr zu wenig Transparenz und zu viele Denk- und Diskussionsverbote. Gelingen kann das jedoch nur, wenn wir offen und angstfrei miteinander reden. Der neue Aufbruch, den wir suchen, beginnt bei uns selbst! Wir brauchen eine vertiefte Selbstvergewisserung über uns selbst, besonders darüber, was wir als Bischöfe zu tun haben: Wir

Michael Albus

haben diese Reflexion über uns selbst bislang selten ange-
stellt. Auch nicht über unser Kommunikationsverhalten.
(Der vollständige Text des Referates findet sich unter
www.dbk.de.)

Man wird solche Worte als Maßstab nehmen dürfen für das,
was nun zu tun ist. Eine Institution kann niemals persönlich
handeln. Das können nur Personen. Und in diesem Falle
nur Personen, die glaubwürdig sind.

Wird Umkehr wirklich gewollt? – Im Dezember 2010 veröf-
fentlichte das Erzbistum München und Freising als erste
deutsche Diözese die Ergebnisse der Untersuchung einer
Anwaltskanzlei über die Misshandlung von Kindern und Jugendlichen durch Priester und andere kirchliche Mitarbeiter
in den Jahren 1945(!) bis 2009. Festgestellt wurde auf einer
Pressekonferenz, bei der auch der Münchener Kardinal
Reinhard Marx zugegen war – er hatte die Untersuchung in
Auftrag gegeben –, dass die Misshandlungen „in großem
Ausmaß vertuscht" worden waren. Eine der Ursachen für
Aufklärungsdefizite sehen die Anwälte in einem „fehlinter-
pretierten klerikalen Selbstverständnis" mit einem „rück-
sichtslosen Schutz des eigenen Standes".

Nun wird allenthalben der mutige Schritt von Kardinal
Marx gelobt. Zu fragen ist, warum jetzt erst das belegt
wurde, was schon längst bekannt war und nicht nur vermutet wurde. Die Untersuchung ist eigentlich kein mutiger
Schritt, sondern eine bare Selbstverständlichkeit. Immer
wieder stellt sich ganz offen die Frage nach dem „System
Kirche".

Erwähnenswert ist in diesem Zusammenhang auch noch
der Fall Ettal. Auch dort hatte der Erzbischof von München
und Freising sehr schnell einen Sonderermittler eingesetzt.
Das war wirklich respektabel, weil das Kirchenrecht die Be-
nediktinerklöster nicht den Bischöfen, sondern unmittelbar

dem Papst unterstellt. Die Ergebnisse des Sonderermittlers waren eindeutig: Misshandlungen von Kindern und Jugendlichen massivster Art. Sie wurden auch relativ offen von der Ettaler Kloster- und Schulführung eingeräumt. Was geschah? Ein päpstlicher Ermittler stellte dann später, etwas salopp gesagt, fest: Alles nicht so schlimm! Und heute ist die alte Führungscrew in Ettal wieder in Amt und Würden. Papst Benedikt XVI. hat die Patres sogar in Privataudienz empfangen und ihnen für ihr weiteres Wirken Gottes Segen gewünscht.

Noch einmal: Es geht nicht um Aburteilung. Vielmehr geht es um die Benennung von Fakten, die ein „System" von Kirche zeigen, das Misshandlungen relativ leicht möglich gemacht hat – und immer noch möglich macht.

Was heißt Umkehr wagen?

Es gibt kein schlüssiges Konzept für das, was in einer solch katastrophalen Situation der Kirche zu tun ist, damit Umkehr möglich wird. Ein paar wenige von vielen Stichworten mögen genügen. Umkehr wagen in der katholischen Kirche heißt:

Sich nicht selbst an die Stelle Gottes setzen.

Schluss machen mit dem bürokratischen Machtgehabe.

Kein eigenes Kirchen-Recht beanspruchen.

Den Pflichtzölibat freigeben.

Die Priesterseminare in der jetzigen Gestalt abschaffen.

Frauen den Männern wirklich und vollständig gleichstellen.

Michael Albus

Die Mitglieder der Kirche demokratisch am Abstimmbaren teilhaben lassen. Es gibt auch Unabstimmbares.

Kirchenmitgliedschaft nicht an Kirchensteuer koppeln.

Auf seelische Kontrollen aller Art verzichten.

Die Menschen zur Freiheit – auch in der Sexualität – ermutigen und ihnen nicht Lasten auferlegen, unter denen sie zusammenbrechen.

Das Systemdenken beenden. Der Wirklichkeit und den Erfahrungen des Lebens Raum geben.

Nur das von den Menschen „draußen in der Welt" verlangen, was man „drinnen in der Kirche" glaubwürdig lebt und leben kann.

Im Grunde geht es für die katholische Kirche darum, wieder glaubwürdig und vertrauenswürdig zu werden. Glaubwürdigkeit und Vertrauen sind arrogant und zuweilen auch zynisch verspielt worden. Sie sind nicht leicht wiederzugewinnen. Das geht nicht von heute auf morgen. Dazu bedarf es der langen, geduldigen Arbeit Einzelner mit konkreten Menschen. Das tun seit Langem und immer noch viele Einzelne in der Kirche. Man sollte auf diese Menschen in der Kirche wieder hören und sie nicht missachten, weil sie manchmal nicht schnell konform sind, unbequem sein können. Große Programme und Papiere helfen nicht weiter. Davon gibt es genug in der Kirche der vielen Programme, in der Papiertigerkirche.

Dazu sind auch die im August 2010 vorgestellten überarbeiteten „Leitlinien für den Umgang mit sexuellem Missbrauch Minderjähriger durch Kleriker, Ordensangehörige und andere

Mitarbeiterinnen und Mitarbeiter im Bereich der Deutschen Bischofskonferenz" (erhältlich über pressestelle@dbk.de) zu rechnen. Sie zeigen neben einigen strukturellen und institutionellen Verbesserungen, die im Verfahren einen Unterschied machen zu den früheren Leitlinien, im Kern das alte Bild: Das letzte Wort hat immer noch und immer wieder der jeweilige Diözesanbischof. Er kann alles, alle Gutachten und Ratschläge, mit seinem Machtwort befördern oder verhindern. Im Klartext: Nur keine Macht aus den Händen geben, nur überall das Sagen haben! Die Frage der Sach- und Fachkompetenz der bischöflichen Entscheider in dieser weiß Gott schwierigen Frage wird offenbar gar nicht gestellt. Sie haben sie einfach – offenbar schon kraft ihres Amtes. Wie es in Wirklichkeit dabei aussieht, von vielleicht ein paar Ausnahmen abgesehen, hat der Regensburger Bischof Müller schon vor längerer Zeit gezeigt. Er hat gegen Warnungen und Gutachten entschieden, dass ein straffällig gewordener Priester doch wieder in der Seelsorge eingesetzt wurde – und sich wieder an Kindern vergangen hat. So macht man das, wenn man selbstherrlich regieren kann. Genau da liegt das Problem: Solange prinzipiell keine Abkehr vom alten Machtdenken und Herrschaftshandeln vollzogen wird, solange sind alle Verbesserungen im Verfahren nur die Hälfte oder weniger wert.

Aus der herrschenden Kirche muss wieder eine Gott und den Menschen dienende Kirche werden. Eine Kirche Jesu Christi.

Wie der Weg dahin aussieht, aussehen könnte, das wird auch sichtbar in dem, was Ludwig Brüggemann nach jahrelanger Arbeit als Arzt und Psychotherapeut an Erfahrungen gesammelt hat. Es ist ein Weg der Heilung. Es kann ein Weg der Heilung werden für Opfer und Täter der sexuellen – und anderen – Gewalt in der katholischen Kirche – aber auch außerhalb von ihr.

Michael Albus

Der Weg führt auf den ersten Blick weit ab von den öffentlichen Parolen und Erklärungen. Er wird mehr verlangen als die Umsetzung von ein paar wegen des Drucks der öffentlichen Kritik angeordneten kosmetischen Maßnahmen. Eine der wichtigsten Voraussetzungen dafür ist, dass auch die Verantwortlichen der Kirche auf allen Ebenen, vom Papst bis zu den Pfarrherren, sich darauf einlassen. Das hätte wirklich ernsthafte Konsequenzen.

Obwohl ich aus Erfahrung weiß, dass dies eine utopische Hoffnung ist, gebe ich sie nicht auf. Wo kämen wir hin, wenn wir keine – auch aussichtslose – Hoffnung mehr hätten? Hoffnung auf eine Verheißung, die sich am Ende aller guten und bösen Tage erfüllt.

Der Herr sprach zu Abram: Zieh weg aus deinem Land, von deiner Verwandtschaft und aus deinem Vaterhaus in das Land, das ich dir zeigen werde.
(Gen 12,1)

Anleitung zur Heilung

Ludwig Brüggemann

Jeder Mensch ist ein Würdenträger

Alle Menschen sind frei und gleich an Würde und Rechten geboren. Sie sind mit Vernunft und Gewissen begabt und sollen einander im Geiste der Brüderlichkeit begegnen (Allgemeine Erklärung der Menschenrechte, 10.12.1948).

Jeder Mensch ist demnach ein Würdenträger, mit Ehre, Geltung, Wert und Recht geboren. Wer Augen dafür hat, sieht es in jedem und kennt auch aus eigener Erfahrung die Verletzlichkeit der Würde und der Rechte. Selten werden Wege aufgezeigt, wie die Würde und die Rechte erlebt und gepflegt werden können. Das ist die Chance einer menschenwürdigenden Psychotherapie und Seelsorge. Wege dazu will ich beschreiben.

Bin ich richtig?

Immer wieder fragen mich Patienten bei der Begrüßung an der Tür: „Bin ich richtig?" Mit der Zeit habe ich gelernt, diese Frage sehr ernst zu nehmen, auch wenn sie leicht hingesagt erscheint. Gemeint wird damit: Bin ich zur richtigen Zeit hier, oder habe ich mich im Termin getäuscht? Häufig wird sie gestellt, wenn ich nicht wie üblich gleich nach dem Klingeln die Türe öffne. Ein schnelles „Ja, Sie sind richtig!"

würde den verborgenen Hintergrund der Frage übergehen. Mir ist aufgefallen, dass unsichere Menschen diese Frage eher stellen als Menschen, die selbstbestimmt leben. Wenn ich dann in der Sitzung die Frage „Bin ich richtig?", wiederhole, wird ihre tiefe Bedeutung in einer oft lebenslangen Verunsicherung offenbar. „Ich war nicht gewollt, hat mir meine Mutter gestanden ... Mutter wollte mich abtreiben ... Vor mir hatte Mutter eine Fehlgeburt und Angst vor Schwangerschaft ... ich bin im Krieg auf die Welt gekommen", erklären die Frage und zeigen das fehlende Daseinsberechtigungsgefühl der Betroffenen. Das Ungetüm von diesem Wort, Daseinsberechtigungsgefühl, wird dann häufig zu einer Kraft, das Recht auf Dasein in Anspruch zu nehmen.

Du hast ein Recht, da zu sein.

Wer bin ich?

Mensch, erkenne dich selbst, steht am Tempel in Delphi. Die Griechen hatten damit auf die Endlichkeit unseres Lebens hingewiesen und zu Selbsterkenntnis ermutigt. Sie führt zum Selbstbewusstsein. Das ist dann gegeben, wenn ich sehe oder denke und auch weiß, dass ich sehe, dass ich denke, rede oder handle. Meist wird selbstbewusstes Auftreten mit selbstsicherem Auftreten verwechselt. Auch wird die Suche nach Selbsterkenntnis oft als Egotrip verurteilt. Wer sich nicht sucht, wird sich nicht finden. Und wer sich nicht findet, wird sich nicht selbst erkennen, sich selbst vertrauen, sich selbst wertschätzen oder auch selbstkritisch in Frage stellen. Unser Leben ist ein Abenteuer der Selbstentfaltung, der Entwicklung unserer einmaligen und besonderen Identität: Du glaubst wohl, du bist etwas Besonderes! Ja, und du hast recht, du hast deine Persönlichkeit entdeckt. Selbstbewusstsein ist die Gewissheit, ein anderer zu sein. Wie wir diese Gewissheit entwickeln, wird kontrovers diskutiert. Lange Zeit war es fraglos, dass wir unsere Subjektivität und deren Erleben von Geburt an in uns tragen, und ich meine, dass eine Anlage zum Erleben der Würde angeboren ist. Neuere Forschungen zeigen durch die Entdeckung der Spiegelneuronen, dass Subjektivität sich in frühester Kindheit entwickelt, durch Entdecken der Subjektivität beim anderen. Wir lernen, dass wir andere verstehen können, wenn wir ihnen innere Zustände zuschreiben. Und dadurch verstehen wir uns selbst als Subjekt, als Einzelne, die so sind wie andere. Ich werde mir meines Ichs bewusst, wenn ich erlebe, dass ich ein anderer bin. Ohne anregende, wohlwollende soziale Umgebung verkümmert der Säugling, statt seine Potenziale zu entfalten, statt sich ein Leben lang zu suchen und immer wieder voll Glück zu finden.

Du hast ein Recht, dich selbst zu suchen und zu finden.

Wie bin ich? – Eigenlob stinkt oder wie pflege ich meine Würde

„Eigenlob stinkt" haben viele Menschen früh gelernt und damit verlernt, die eigene Würde zu pflegen. Überheblichkeit stinkt, Eigenlob stimmt. Hoch- oder Tiefstapeln sind Folgen der Ablehnung, der Entwertung von Eigenlob. Warum dürfen wir nicht stolz sein auf uns, auf unsere Existenz und auf unsere gelungenen Leistungen? „Dummheit und Stolz wachsen auf einem Holz", und ähnliche Sprüche haben tiefsitzende Minderwertigkeitsgefühle gepflegt.

Unser Würdegefühl ruht auf zwei „Säulen": dem Selbstwertgefühl und dem Fremdwertgefühl. Selbstwertgefühl ist das, was ich in mir trage, vom ersten Moment meines Lebens an. Durch den Glanz der Augen meiner Mutter und

Ludwig Brüggemann

meines Vaters wird mir meine Würde gespiegelt. Ich nenne dieses Erleben: Fremdwertgefühl. Anerkennung, Achtung, Würdigung sind wie die beiden Seiten eines lebendigen Blattes von innen und von außen zu erleben und zu pflegen. Wer sich selbst seiner Würde nicht bewusst ist oder sich seiner Persönlichkeit schämt, sucht süchtig nach Anerkennung von außen. Er wird dann trotz Applaus oder großer Anerkennung Lob nicht wirklich annehmen können. Letztlich ist es eine Frage der Selbstliebe, die mir Zugang zu meiner angeborenen Würde öffnet und mir ermöglicht, sie zu genießen. „Ja, ich bin stolz auf mich, auf meine Existenz!", passt als Ausdruck meiner Würde. Meine gelungenen „Leistungen" sind dann Grund eigener und fremder Wertschätzung. Und wenn ich dann eine Fehlleistung begehe, bin ich kein Fehler, sondern habe einen begangen und werde ihn einsehen und korrigieren. Ich halte es für schädlich, wenn von guten oder schlechten Schülern, guten oder schlechten Menschen gesprochen wird. Ein Schüler, der im Fach Deutsch mangelhafte Leistung bringt, ist ja auch kein schlechter Deutscher, auch kein schlechter Schüler, sondern ein Schüler mit mangelhafter Leistung im Schulfach Deutsch. Wie sehr die übliche Sprechweise kränkt und beschämt, kennt jeder von uns selbst. Jemand, der ein Verbrechen begangen hat, ist deshalb auch nicht als Verbrecher zu bezeichnen, sondern als Mensch, der verbrecherisch gehandelt hat.

Ein Verhalten, dessen man sich schämt, ist die ursprüngliche Bedeutung von Sünde. Ich nenne Scham die „große Schwester" der Angst, und Scham hat viele Gesichter. So wie natürliche Angst mich vor Fahrlässigkeit, vor Schaden bewahrt, so schützt mich die natürliche Scham davor, dass ich mein Intimstes, meine Würde beschädige; oder, dass ein anderer es tut. So versucht unser Schamempfinden uns vor Schaden zu bewahren. Das Erleben der Angst kann sich von der schützenden zur behindernden Funktion ausbreiten und krank machen. In Phobien, ängstlichem Verhalten bis zu total blockierenden Panikattacken, zeigt sich dann die Angst. So kann auch Schamerleben krankhaft werden. Frauen, die sich nur mit geschminktem Gesicht unter Menschen trauen, Männer, die nur mit Anzug und Krawatte auf die Straße können, mögen als Beispiele dienen.

Du hast ein Recht, deine Würde zu pflegen.

Was darf ich fühlen?

Gedanken sind frei, wer kann sie erraten ... Gefühle: Sind die auch frei? Früher sprach man von Gemütsbewegungen, Seelenbewegungen und Seelenregungen, wenn über Gefühle gesprochen wurde. Bewegung und Regung zeigen auf Lebendigkeit, Dynamik. Bei Säuglingen sind diese Bewegungen direkt zu sehen. Wenn sie z. B. weinen, kündigt sich diese Empfindung in einem eindeutig weinerlichen Gesichtsausdruck an; ebenso sieht man vor dem Lächeln die Heiterkeit im Gesicht. Wer wollte dabei sagen, das traurige Weinen ist schlecht und zu verbieten, nur das Lächeln darf sein: Gemütsbewegungen sind frei, und wenn sie eingeschränkt werden, führt es immer zu einer Verengung des Erlebens und des Verhaltens.

Eine Frau in mittlerem Alter wurde mir von ihrem Hausarzt überwiesen. Sie hatte ringförmige Schmerzen um die Brust. Zuerst wurde sie zum Chirurgen geschickt, da die Beschwerden mit zu großen Brüsten erklärt wurden. Nach Halbierung ihrer Brüste waren die Schmerzen tatsächlich einige Zeit verschwunden, kamen dann umso heftiger wieder. Dann blieb nur noch der „Psychodoktor". Die Frau erzählte mir anfangs emotionslos ihre Lebensgeschichte und fragte dann berührt nach einer halben Stunde: „Haben meine Schmerzen damit zu tun?" Ich nickte bestätigend. In der nächsten Sitzung berichtete sie, dass sie beschwerdefrei

Ludwig Brüggemann

sei, und blieb es dann auch. Ein seltener, schneller Erfolg. Die Patientin – die Leserin und der Leser werden es schon ahnen – wurde als Kind, Jugendliche und Erwachsene sexuell missbraucht und hat darüber geschwiegen. Sie hatte früh gelernt, ihre Gefühle zu unterdrücken, vor allem ihre Gefühle der Distanz: Enttäuschung, Ärger, Zorn, Wut, Hass waren für sie Fremdworte und nicht erlebbar. Nach den Gefühlen der Nähe, Zuneigung, Wärme, Geborgenheit, Liebe, Leidenschaft, hatte sie sich immer gesehnt und, wenn sie ihr angeboten wurden, diese ohne Bedenken und meist zu ihrem Schaden angenommen. Sie war verführbar geworden, weil ihre Sehnsucht nach Anerkennung, nach Würde minimal gestillt wurde. So hatte sie auch nicht gelernt, Widerstand zu spüren, wenn sie merkte, dass sie wieder nur gebraucht wurde. Sie hat durch die Psychotherapie schnell verstanden, dass die verbotenen Gefühle notwendig sind. Nur wenn ich meine Enttäuschung sofort erleben kann, wenn ich beleidigt, gekränkt, geschädigt werde, und meinen Groll oder Zorn dann spüre, habe ich auch die Kraft, Widerstand zu leisten, den Mut, nein zu sagen. Wenn ich mir dessen sicher bin, kann ich mich auch den Gefühlen der Nähe, der Liebe vorbehaltlos öffnen. Ich lasse mich streicheln, wenn ich mir sicher bin, dass ich mich sofort wehre, wenn der andere mir weh tut. Eine andere junge Frau konnte lange nicht unter die Dusche gehen. Erst als sie entdeckte, dass das warme fließende Wasser sie sanft streicheln kann, wurde ihr bewusst, dass sie selbst ihre Sehnsucht nach Zärtlichkeit narkotisiert hatte. Sie war ebenfalls Opfer von sexueller Gewalt und musste die Dusche meiden, um ihre Sehnsucht nicht wieder schmerzlich zu erleben.

Du hast ein Recht auf Gefühle der Nähe und der Distanz. Du hast ein Recht auf Widerstand.

Wenn ich jemandem schade

Eine junge Frau, die an Magersucht erkrankt war, kam zur vereinbarten Sitzung in meine Praxis. Ich hatte diese Stunde aus Versehen noch einmal vergeben, und der Platz war belegt. Ich sagte es ihr und entschuldigte mich. Sie meinte, das kann ja jedem passieren, und es ist nicht schlimm. Mir lag es im Magen. Als sie zur nächsten Sitzung kam, redete sie über alles Mögliche, nicht über meinen Fehler. Ich machte sie dann darauf aufmerksam und sagte: „Es tut mir wirklich leid, dass Sie umsonst hergefahren sind, und ich entschuldige mich und bitte um Verzeihung." Da fing sie bitterlich an zu weinen. Erst als sie nach einiger Zeit schluchzend sagte: „Sie sind der erste Erwachsene, der sich bei mir entschuldigt", verstand ich ihren Schmerz. Wie oft hatte sie vergeblich darauf gewartet, dass ein Erwachsener zu seinem Fehler steht. Ich erklärte ihr, dass es mir im Magen lag, als ich merkte, dass ich sie versetzt hatte. Ich würde mich erst dann wieder wohlfühlen können, wenn ich den Schaden, den ich ihr zugefügt habe, reparieren könne. Sie hätte keinen Schaden erlitten, meinte sie, und mit meiner Bitte um Verzeihung sei es jetzt in Ordnung. Ich bestand auf der Wiedergutmachung, sie habe ja mindestens Benzin verbraucht und bat sie, sich etwas zu überlegen, wie ich Wiedergutmachung leisten könnte. Es war mir wichtig, dass sie selbst entscheiden konnte. Noch wichtiger war, dass sie das Recht auf Wiedergutmachung in Anspruch nahm. Nach geraumer Zeit wünschte sie sich einen Blumenstrauß, den ich ihr gerne überreichte. Dann war mein Gewissen wieder in Ruhe.

Es ist in der Tat häufig, dass ein „Opfer" den erlittenen Schaden bagatellisiert oder gar nicht erkennt. In der Einleitung habe ich dafür plädiert, statt Schuldgefühle Schadensgefühle zu entwickeln. Es erfordert eine wachsame Achtung meiner Erlebnisse, ein hohes Maß an Einfühlung zu sich

Ludwig Brüggemann

selbst. Sonst übersehe ich Beschädigungen, die ich andern und auch mir selbst zufüge und die andere mir antun. Das erklärt auch, warum Opfer oft jahrelang schweigen. Sie halten still, weil sie nicht erlebt haben, dass Täter zu ihren Taten stehen, bereuen und wiedergutmachen.

Du hast ein Recht auf Wiedergutmachung eines erlittenen Schadens. Du hast ein Recht auf Wiedergutmachung eines Schadens, den du andern zugefügt hast.

Wenn Schuldner zahlungsunwillig sind

Wenn die Schuldner nicht mehr leben, wartet der Gläubiger vergeblich. Leider erleben dies viele Opfer und leiden auch noch daran und sollten um ihr Recht kämpfen.

In vielen gelungenen Analysen habe ich die Erfahrung gemacht, dass die unbewusste Identifikation mit dem Aggressor die „Rollen" ja vertauschte (der Täter wird Opfer, das sich zum Täter macht) und den berechtigten Anspruch des Opfers dazu noch verdrängte. Erst, wenn diese verborgenen seelischen Prozesse durch Bearbeitung von Träumen, Alltagserfahrungen entdeckt werden, wird dabei erlebbar, wie sie ein autonomes, souveränes, aktives und kreatives Leben behindern. „Ich weiß ja, wie ich gut leben könnte, aber irgendetwas hindert mich daran", ist ein deutlicher Hinweis für diese Dynamik. Dieses Irgendetwas ist oft der unbewusste, nicht einlösbare Schuldschein: „Ich habe ein Recht auf Wiedergutmachung und warte darauf." Wenn das – meist sehr schmerzlich – bewusst wird, kann der Patient auf den berechtigten Anspruch an Eltern, Geschwister, Lehrer, Priester u. a. verzichten, sich befreien vom lähmenden Warten auf Entschädigung und findet Wege, für sein Leben selbst zuständig zu sein. „Ich warte nicht mehr auf Entschädigung;

ich mache es mir selbst gut." Er kann sich dann sein Leben nehmen, sein Leben in die eigene Zuständigkeit nehmen.

Du hast auch ein Recht, auf Wiedergutmachung zu verzichten.

Wie finde ich Hilfe?

Der sicherste Weg, die seelische Not zu überwinden, ist die Entdeckung dieser Not im eigenen Herzen. Erst, wenn ich merke, dass mit mir „etwas nicht stimmt", bin ich bereit, Hilfe in Anspruch zu nehmen. Viele Menschen, vor allem Männer, finden es beschämend, zum Psychotherapeuten zu gehen. „Ich habe doch keinen Dachschaden! ... Ich bin doch nicht verrückt, um zum Psychiater zu gehen!" (Psychiater sind Fachärzte, die vorwiegend medikamentös behandeln. Psychotherapeuten sind Fachärzte oder Psychologen, die mit Zuhören und Reden arbeiten.) Seit den 1950er-Jahren finanzieren Krankenkassen Psychotherapie, und schon damals haben Kassen erforscht, dass es sich für sie ökonomisch lohnt. Es gibt so viele Erkrankungen, die nicht allein mit Medikamenten heilbar sind, weil die Krankheitsursachen im Seelischen liegen und deshalb psycho-logisch zu heilen sind. Psycho steht für Seele, -logisch für den Verstand. Es geht darum, Verstand und Herz, Herz und Verstand in Einklang zu bringen. Das Aufdecken und Reden über die vielen Geschichten von Machtmissbrauch sollte und könnte zu mehr Aufgeschlossenheit und Wertschätzung der „sprechenden Medizin", der Psychotherapie führen. Wie überall gibt es auch in diesem Bereich Fehlverhalten und Inkompetenz. Es bleibt ein Risiko, sich andern anzuvertrauen. Wie in allen Beziehungen ist es deshalb sinnvoll, sich vorsichtig und wachsam darauf einzulassen und bei Störungen sofort darüber zu reden. Es ist mir klar, dass dies meist am Ende einer

　　　　　　　　　　Ludwig Brüggemann

gelungenen Therapie möglich wird. Ich will Hilfesuchende ermutigen, mehr auf ihre Gefühle zu achten und sie ernst zu nehmen. Es ist in der Tat so, dass mein erster Eindruck über die Vertrauenswürdigkeit, über die Glaubwürdigkeit eines andern Wesentliches anzeigt. Diesem Eindruck ist zu vertrauen. Wenn ich Zweifel spüre, sollte ich jemand anderen aufsuchen.

Anhang

DANK

Dieses Buch wäre nicht ohne die tatkräftige und geduldige Initiative und Mitarbeit der Theologin Dr. Lioba Zodrow zustande gekommen. Sie hat einen wesentlichen Anteil daran. Dafür möchten sich die Herausgeber herzlich bedanken.

Ein herzlicher Dank gilt auch den beiden Übersetzern der im Original englischen Beiträge, Dr. Renate Menge und Dr. Jochen Menge.

ANMERKUNGEN UND LITERATURHINWEISE

Zu: Marie Keenan, Sie und wir – Das Täterbild des Opfers bei sexueller Kindesmisshandlung durch Kleriker

Literatur

Berger, Peter/Luckmann, Thomas, Die gesellschaftliche Konstruktion der Wirklichkeit. Eine Theorie der Wissenssoziologie, Frankfurt a. M. 2007.

Brenneis, M., Personality characteristics of clergy and of psychologically impaired clergy: A review of the literature, in: American Journal of Pastoral Counselling, 4/77 (2001), 7–13.

Camargo, R. J./Loftus, J. A., Child sexual abuse among troubled clergy: A descriptive study. Paper presented at the 100th Annual Convention of the American Psychological Association, Washington DC (unveröffentlicht), 1992.

Camargo, R. J./Loftus, J. A., Clergy sexual involvement with young people. Paper presented at the 101st Annual Convention of the American Psychological Association, Toronto, Canada (unveröffentlicht), 1993.

Codex Iuris Canonici (Codex des katholischen Kirchenrechtes) (1983)

Cozzens, D., The Changing Face of Priesthood, Collegeville 2000.

Cozzens, D., Sacred Silence. Denial and the Crisis in the Church, Sollegeville 2004.

The Ferns Report. Delivered to the Minister for Health and Children, Ireland, Dublin 2005.

Flakenhain, M. A., Cluster analysis of child sexual offenders: A validation with Roman Catholic priests and brothers. Sexual Addiction and Compulsivity, 6, 1999, 317–336.

Inglis, T., Moral Monopoly. The Rise and Fall of the Catholic Church in Modern Ireland, Dublin [2]1998.

Inglis, T., Origins and Legacies of Irish Prudery: Sexuality and Social Control in Modern Ireland, in: Eire-Ireland: An Interdisciplinary Journal of Irish Studies, 40/3–4 (Fall Winter 2005), 9–37.

Jenkins, P., Paedophiles and Priests. Anatomy of a Contemporary Crisis, New York 1996.

Jenkins, P., Moral Panic. Changing Concepts of the Child Molester in Modern America, New Haven 1998.

John Jay College, The Nature and Scope of Sexual Abuse of Minors by Catholic Priests and Deacons in the United States, 1950–2002, Washington DC 2005.

John Jay College, Supplementary Report. The Nature and Scope of Sexual Abuse of Minors by Catholic Priests and Deacons in the United States, 1950–2002, Washington DC 2006.

Johnson, J. M., Horror stories and the construction of child abuse, in: Best, J. (Hg.) Images of Issues. Typifying Contemporary Social Problems, New York 1995.

Keenan, Marie, The Institution and the Individual – Child Sexual Abuse by Clergy, in: The Furrow 57 (2006), 3–8.

Kincaid, J. R., Erotic Innocence. The Culture of Child Molesting, Durham/London 1998.

Kitzinger, J., The ultimate neighbour from hell: Media framing of paedophiles, in: Franklin, B. (Hg.), Social Policy, the Media and Misrepresentation, London 1999.

Kitzinger, J., Media Templates: Patterns of Association and the (Re)Construction of Meaning Over Time, in: Media, Culture and Society, 22/1 (2000), 61.

Küng, Hans, Kleine Geschichte der katholischen Kirche, Berlin 2005.

Loftus, J. A., Sexuality in Priesthood: Noli me tangere, in: Plante, T. G. (Hg.), Bless Me Father for I Have Sinned, London 1999, 7–19.

Loftus, J. A., What have we learned? Implications for future research and formation, in: Plante, T. G. (Hg.), Sin against the Innocents. Sexual Abuse by Priests and the Role of the Catholic Church, London 2004, 85–96.

McGee, H./Garavan, R./de Barra, M./Byrne, J./Conroy, R., The SAVI Report: Sexual Abuse and Violence in Ireland. A National Study of Irish Experiences, Beliefs and Attitudes Concerning Sexual Violence, Dublin 2002.

McGlone, G. J., Sexually offending and non-offending Roman Catholic priests: Characterization and analysis, unpublished PhD thesis. California School of Professional Psychology, San Diego 2001.

McGlone, G. J./Viglione, D. J./Geary, B., Data from one treatment centre in USA (N=150) who have sexually offended. Presented at the Annual Research and Treatment Conference of the Association for the Treatment of Sexual Abusers. Montreal, Ontario: Canada. October 2002, unveröffentlicht.

McGuiness, C., Report of the Kilkenny Incest Investigation, Dublin 1993.

Moore, Chris, Betrayal of Trust. The Father Brendan Smyth Affair and the Catholic Church, Dublin 1995.

Perrillo, A./Mercado, C./Terry, K., Repeat Offending, Victim Gender and Extent of Victim Relationship in Catholic Church Sexual Abusers. Implications for Risk Assessment, in: Criminal Justice and Behaviour, 35/5 (2008), 600–614.

Ranson, D., The climate of sexual abuse, in: The Furrow, 53/7, 8 (2002), 387–397.

Ranson, D., Priest: Public, personal and private, in: The Furrow, 53/4 (2002), 219–227.

Sipe, A. W. R., Sex, Priests and Power: Anatomy of a Crisis, London 1995.

Tallon, J./Terry, K., Analyzing Paraphilic Activity, Specializations and Generalizations in Priests who Sexually Abused Minors, in: Criminal Justice and Behaviour, 35/5 (2008) 615–628.

Terry, K., The Nature and Scope of Child Sexual Abuse in the Catholic Church, in: Criminal Justice and Behaviour, 35/5 (2008), 549–569.

Zu: Peter Bürger, Homophobie und Homosexualität in der römisch-katholischen Kirche

Literatur

Andres, Stefan, Die Versuchung des Synesios, München 1971.

Badde, Paul, Homosexueller Priester. Priestertum und Schwulsein ist kein Widerspruch (Interview), in: Welt Online, 13.5.2010.

Berger, David, Homosexualität in der Kirche. „Ich darf nicht länger schweigen", in: Frankfurter Rundschau online, 23.4.2010.

Bürger, Peter, Das Lied der Liebe kennt viele Melodien. Eine befreite Sicht der homosexuellen Liebe. 2. erweiterte Auflage, Oberursel 2005.

Bürger, Peter, Die fromme Revolte. Katholiken brechen auf, Oberursel 2009.

Drewermann, Eugen, Kleriker. Psychogramm eines Ideals, Olten/ Freiburg i. Br. [4]1989.

Katechismus der katholischen Kirche, München 1993.

Kiechle, Stefan, Zuversicht im Niedergang? Priesterliches Leben in winterlicher Zeit, in: HerKorr 63 (2009), 551–556.

Kirche feuert schwulen Theologen. Nach seinem Outing in der FR entlässt die Päpstliche Akademie den Dozenten David Berger, in: Frankfurter Rundschau online, 27.7.2010.

Langer, Annette, Ausbildung in der katholischen Kirche. „Vor lauter Angst habe ich den Mund gehalten", in: Spiegel online, 14.4.2010.

Migge, Thomas, Kann denn Liebe Sünde sein? Gespräche mit homosexuellen Geistlichen, Köln 1993.

Müller, Wunibald, Verschwiegene Wunden. Sexuellen Missbrauch in der katholischen Kirche erkennen und verhindern, München 2010.

Robinson, Geoffrey, Macht, Sexualität und die katholische Kirche, Oberursel 2010.

Zu: Hanspeter Heinz, Arroganz der Macht – Strukturelle Sünden der katholischen Kirche

Literatur

Berliner Bischofskonferenz/Deutsche Bischofskonferenz/Österreichische Bischofskonferenz, „Die Last der Geschichte annehmen". Wort der Bischöfe zum Verhältnis von Christen und Juden aus Anlass des 50. Jahrestages der Novemberpogrome 1938, Bonn 1988.

Kongregation für die Glaubenslehre, Instruktion über die kirchliche Berufung der Theologen (Verlautbarungen des Apostolischen Stuhls, 98), Bonn 1990.

Lill, Rudolf, Die Macht der Päpste, Kevelaer 2006.

Maier, Hans, Braucht Rom eine Regierung?, in: StdZ 219 (2001).

Müller, Wunibald, Verschwiegene Wunden. Sexuellen Missbrauch in der katholischen Kirche erkennen und verhindern, München 2010.

Vatikanische Kommission für die religiösen Beziehungen zum Judentum, Wir erinnern uns. Nachdenken über die Shoa, in: HerKorr 52 (1998), 189–193.

Zu: Werner Tzscheetzsch, Missbrauch von Menschen – Missbrauch der Rolle – Missbrauch der Institution – Fragen an die Organisationskultur der katholischen Kirche

Literatur

Blazek, Helmut, Männerbünde, Berlin 2001.

Schein, Edgar H., Unternehmenskultur, Frankfurt a. M./New York 1995.

Schockenhoff Eberhard, Zur Lüge verdammt? Freiburg/Basel/Wien 2000.

Stenger, Hermann M., Im Zeichen des Hirten und des Lammes, Innsbruck/Wien 2000.

Zulehner, Paul M., Priester im Modernisierungsstress, Ostfildern 2001.

Zulehner, Paul M./Hennersperger, Anna, „Sie gehen und werden nicht matt" – Jes 40,31, Ostfildern 2001.

Zu: Stefan Kiechle, Menschen zu Gott führen lernen – Anmerkungen zum Priesterbild und zur Priesterausbildung

Anmerkungen

[1] Codex Iuris Canonici can 241, 3.
[2] Hierzu vgl. Vechtel 2006.
[3] Zu den historischen und theologischen Aspekten vgl. ausführlicher: Greshake 2010, v. a. 65ff.
[4] FAZ vom 1.4.2010, 36.
[5] Das viel zitierte Wort stammt ursprünglich von Godehard Brüntrup SJ.
[6] Hierzu ausführlicher: Kiechle 2009.
[7] Kessler 2010, 120

Literatur

Greshake, Gisbert, Priester sein in dieser Zeit. Theologie – Pastorale Praxis – Spiritualität, Freiburg i. Br. 2000.

Kessler, Stephan Ch., Priesterausbildung und sexuelle Gewalt von Seelsorgern. Reflexionen eines Regens zu den Bereichen von sexueller Identität und Ehelosigkeit, in: Lebendige Seelsorge 61 (2010), 130–135.

Kiechle, Stefan, Zuversicht im Niedergang. Priesterliches Leben in winterlicher Zeit, in: HerKorr 11/2009, 551–556.

Vechtel, Klaus, Das Priesterbild bei Ignatius von Loyola, in: Gertler, Thomas/Kessler, Stephan Ch./Lambert, Willi (Hg.), Zur größeren Ehre Gottes. Ignatius von Loyola neu entdeckt für die Theologie der Gegenwart, Freiburg i. Br. 2006, 199–217.

Zu: Eamonn Conway, Die katholische Kirche Irlands und sexuelle Gewalt gegen Minderjährige – Beschreibung der Krise und Entwurf einer theologischen Agenda

Anmerkungen

[1] Gemäß dem Report *Sexual Abuse and Violence in Ireland* (SAVI) machen straffällig gewordene Kleriker oder Ordensleute in kirchlichen Ämtern oder Lehrer, die dem Klerus bzw. einem Orden angehören, 3,2 % der bekannten Kinderschänder aus. Dabei haben einige Kleriker und Ordensleute häufig mehr Opfer als andere in der Vergleichsgruppe.
[2] Vgl. www.washingtonpost.com/wp-dyn/content/article/2010/04/AR2010041202959.html, aufgerufen am 20. April 2010.

[3] Vgl. www.avvenire.it/Chiesa/intervista+pedofilia+scicluna_20100 3130801409170000.html, aufgerufen am 20. April 2010.

[4] Daten zu klerikalen Täterprofilen kommen aus zwei Quellen: Behandlungszentren für Täter sowie Therapien mit Opfern. Daten von Behandlungszentren für Täter in Irland (Marie Keenan, im Druck für 2010) stimmen überein mit Forschungsergebnissen in Southdown (Kanada) und im St. Luke's Insitute (Washington), die die sexuelle Misshandlung postpubertärer Jungen als am häufigsten vorkommend beschreiben.

[5] Der Zölibat als Lebensform mag für Pädophile attraktiv sein, weil sie ihre konfliktgeladene Sexualität hinter sich lassen und sich selbst von ihren sexuellen Impulsen befreien wollen.

[6] „In dieser Zeit erschüttern uns als Priester zutiefst die Sünden einiger unserer Mitbrüder, welche die Gnade des Weihesakramentes verraten haben, indem sie den schlimmsten Ausformungen des *mysterium iniquitatis* in der Welt nachgegeben haben. Auf diese Weise entstehen schwerwiegende Skandale, die zur Folge haben, dass ein dunkler Schatten des Verdachts auf alle anderen verdienstvollen Priester fällt, die ihren Dienst ehrlich, konsequent und bisweilen mit heroischer Liebe ausüben" (Johannes Paul II., Brief an die Priester, Gründonnerstag 2002, OR, 29. März 2002, Nr. 13/14, 11).

[7] Viele der Medienkommentare zu diesem Apostolischen Schreiben haben diese Diskrepanz leider nicht festgestellt. Vgl. Pastoal Letter of the Holy Father Pope Benedict XVI to the Catholics of Ireland, March 2010, 6.

[8] Benedikt XVI. im Gespräch mit Journalisten auf dem Flug nach Malta, 17. April 2010.

[9] Travers, Olive, Behind the Silhouettes, Belfast 1999, 105. Bei seinem Referat vor der *National Conference of Priests of Ireland* (Irische Priesterkonferenz) anlässlich der *Conference on Child Sexual Abuse* im Mai 1998 sagte Dr. Tom O'Malley (Juraprofessor aus Galway), dass „der Wunsch der Opfer nach Vergeltung möglicherweise nicht im Interesse der Opfer selbst ist und ihr Leiden nur noch verlängert".

[10] Vgl. Kardinal Seán Bradys Predigt am St. Patrick's Day, 17. März 2010: www.catholicbishops.ie/media-centre/press-release-archive/ 71-press-release-archive-2010/1795-17-march-2010

[11] Vgl. Statement from the Winter Meeting of the Irish Bishop's Conference, 9. Dezember 2009: www.catholicbishops.ie/media-centre/press-release-archive/64-press-release-archive-2009/1638-9-december-2009, aufgerufen am 20. April 2010.

Literatur

Alison, James, The Joy of Being Wrong. Original Sin through Easter Eyes, London 1998.

Arbuckle, Gerald, The Call to Today's Church to Grieve in Hope, in: The Australian Catholic Record, Oktober 1996, 387-393.

Child Sexual Abuse: Framework for a Church Response, Dublin 1996.

Collins, Marie, Das Schweigen brechen: Die Opfer, in: Concilium 40/3 (Juni 2004), 251-258.

Connolly, Patrick, Priest and Bishop – implications of the abuse crisis, in: The Furrow, März 2006, 131-144.

Connors, C., Psychological Perspectives on Priesthood. Address to the National Federation of Priests' Councils, März 1999: www.nfpc.org/COLLOQUIA/MARCH-1999/connors.html.

Conway, Eamonn, Theologien des Priesteramtes und ihr möglicher Einfluss auf sexuellen Missbrauch, in: Concilium 40/3 (Juni 2004), 308-322.

Conway, E./Connoly, P./Duffy, E./Lyons, E., Accused but Innocent – What Should a Priest Do?, in: The Furrow 57/4 (April 2006), 207-220.

Frawley-O'Dea, Mary Gail, The long-term impact of sexual trauma. Paper presented to the National Conference of Catholic Bishops, Dallas, 13. Juni 2002.

Goode, Helen/McGee, Hanah/O'Boyle, Ciaran, Time to Listen. Confronting Child Sexual Abuse by Clergy in Ireland, Dublin 2003.

Rahner, Karl, Kirche der Sünder, in: ders., Schriften zur Theologie, Bd. 6, Einsiedeln 1965 (a), 301-320.

Rahner, Karl, Sündige Kirche nach den Dekreten des Zweiten Vatikanischen Konzils, in: ders., Schriften zur Theologie, Bd. 6, Einsiedeln 1965 (b), 321-347.

Ratzinger, Joseph, Kirche, Zeichen unter den Völkern. Schriften zur Ekklesiologie, Freiburg i. Br. 2010.

Rossetti, Stephen J., A Tragic Grace: The Catholic Church and Child Sexual Abuse, Minnesota 1996.

Sexual Abuse and Violence in Ireland (The SAVI Report), Dublin 2002.

The National Review Board for the Protection of Children and Young People/US Catholic Conference of Bishops, A Report on the Crisis in the Catholic Church in the United States, 2004.

Schwager, Raymund, Brauchen wir einen Sündenbock? Gewalt und Erlösung in den biblischen Schriften, München 1978.

Waters, John, Has Christ no role in resolving this crisis?, in: The Irish Times, 26. März 2010.

DIE AUTOREN

Michael Albus ist Theologe und Journalist. Er lehrt an der Theologischen Fakultät der Albert-Ludwigs-Universität in Freiburg i. Br. im Rahmen einer Honorarprofessur „Religionsdidaktik der Medien". Autor zahlreicher Bücher, Reportagen und Fernsehdokumentationen zu Themen aus dem religiösen, interreligiösen und kulturellen Bereich.

Ludwig Brüggemann ist Facharzt für psychotherapeutische Medizin und Diplomtheologe. Nach seelsorglicher Tätigkeit als Vikar, Präfekt, Religionslehrer, Jugendpfarrer und Diözesanjugendseelsorger in der Erzdiözese Freiburg Laisierung. Studium der Medizin und Ausbildung zum Psychoanalytiker. Tätigkeit in einer psychosomatischen Klinik. Eigene Praxis mit Psychotherapie, Supervision und Lehranalysen.

Peter Bürger, Jg. 1961, röm.-kath. Diplom-Theologe, examinierter Krankenpfleger, seit 2003 freiberuflicher Publizist. Mitglied der Internationalen Katholischen Friedensbewegung pax christi (seit 1980). Langjährige Tätigkeit in psychosozialen Berufsfeldern. Seine Studien über „Krieg und Massenkultur" wurden 2006 mit dem Bertha-von-Suttner-Preis in der Kategorie „Film und Medien" ausgezeichnet.

Eamonn Conway ist Priester und Professor für systematische Theologie am Mary Immaculate College der University of Limerick/Irland sowie Co-Director des dortigen Center for Culture, Technolog & Values. Er verfügt über langjährige Erfahrung in der seelsorgerlichen Arbeit mit Opfern und Tätern sexueller Misshandlungen in der katholischen Kirche. Er ist gegenwärtig Vorsitzender der Europäischen Konferenz für katholische Theologie.

Seán Fagan ist Marist und Priester in Dublin. Von 1983 bis 1995 war er Generalsekretär der Maristen in Rom. Der international renommierte Moraltheologe lehrt und publiziert seit über fünfzig Jahren und war rund dreißig Jahre mit der Homosexuellenseelsorge betraut.

Tony Flannery ist Priester bei den Redemptoristen. Der bekannte irische Autor ist Initiator und Mitherausgeber einer interdisziplinären Aufsatzsammlung zum Ryan-Report, der über Irland hinaus auf großes Interesse nicht nur des Fachpublikums gestoßen ist.

Hanspeter Heinz, 1939 in Bonn geboren, Studium der Theologie während der Konzilszeit in Rom, danach in Bonn. 1965 Priesterweihe in Rom. Nach vierjähriger Gemeindearbeit in Köln zehn Jahre Rektor im Zentralkomitee der deutschen Katholiken (ZdK), u. a. zur Gestaltung von Katholikentagen. Seit 1974 Leiter des Gesprächskreises „Juden und Christen" beim ZdK. 1983–2005 Lehrstuhl für Pastoraltheologie an der Universität Augsburg. Seit 25 Jahren Seelsorger einer kleinen Landpfarrei, Bachern bei Friedberg/Bayern. Mitbegründer der Schwangerschaftsberatung Donum vitae.

Marie Keenan ist Psychotherapeutin und Dozentin an der School of Applied Social Science, UCD. Sie verfügt über umfangreiche Erfahrung in der psychotherapeutischen Arbeit mit Opfern und Tätern sexueller Misshandlungen.

Stefan Kiechle SJ, geb. 1960, Dr. theol.; war Hochschulseelsorger und Novizenmeister, Exerzitienleiter und Cityseelsorger. Seit September 2010 ist er Provinzial der Deutschen Provinz der Jesuiten mit Sitz in München.

Geoffrey Robinson ist emeritierter Weihbischof von Sydney/Australien. Nach seiner Priesterweihe 1960 wirkte der Theologe und Kirchenrechtler als Gemeindeseelsorger. Im Auftrag seiner Mitbischöfe arbeitet er die sexuellen Misshandlungsskandale in Australien auf. Der breiten Öffentlichkeit wurde er bekannt durch sein Buch „Macht, Sexualität und die katholische Kirche".

Jon Sobrino SJ, geb. 1938, ist Professor der Theologie und Direktor des Zentrums Monseñor Romero an der Zentralamerikanischen Universität (UCA) in San Salvador. Er zählt zu den führenden lateinamerikanischen Befreiungstheologen. Veröffentlichungen u. a.: Mysterium Liberationis. Grundbegriffe der Theologie der Befreiung (als Hg. zusammen mit I. Ellacuría, Luzern 1995); Der Preis der Gerechtigkeit. Briefe an einen ermordeten Freund (Würzburg 2007); Christologie der Befreiung (Ostfildern 2008); Der Glaube an Jesus Christus (Ostfildern 2008).

Werner Tzscheetzsch ist Professor an der Universität Freiburg i. Br. Er studierte Theologie und Erziehungswissenschaften und arbeitete seit 1995 als Hochschullehrer für Pädagogik und Katechetik in Freiburg. 2009 entzog der Freiburger Erzbischof Robert Zollitsch ihm die kirchliche Lehrbefugnis, nachdem Tzscheetzsch ihm mitgeteilt hatte, dass er „den kirchlichen Erwartungen an einen Hochschullehrer der katholischen Theologie" nicht mehr entsprechen könne und wolle. Er arbeitet jetzt als Professor für Schul- und Sozialpädagogik an der Universität in Freiburg i. Br.

QUELLEN

Seán Fagan, Eine Ursache sexueller Gewalt: unsere schlechte Theologie

Der Aufsatz ist in englischer Sprache erschienen: The Abuse and Our Bad Theology, in: Tony Flannery (Ed.): Responding to the Ryan Report, Dublin 2009, S. 14–24.

Marie Keenan, Sie und wir – Das Täterbild des Opfers bei sexueller Kindesmisshandlung durch Kleriker

Gekürzte Fassung. Engl. Original: „Them and us": The Clergy Child Sexual Offender as „Other", in: Tony Flannery (Hg.): Responding to the Ryan Report, Columba Dublin 2009, S. 180–231.
Der vollständige Artikel mit allen genauen Quellenangaben ist auffindbar unter folgender Internetadresse: www.wir-sind-kirche.de.

Tony Flannery, Die katholische Sexuallehre – einige Ideen für einen neuen Denkansatz

Der Aufsatz ist in englischer Sprache erschienen: Some Ideas on a New Approach to Catholic Sexual Teaching, in: Tony Flannery (Ed.): Responding to the Ryan Report, Dublin 2009, S. 162–179.
Die Abdrucke aus Responding to the Ryan Report – Keenan, Fagan, Flannery – sind freundlich genehmigt vom Herausgeber Tony Flannery.

Hanspeter Heinz, Arroganz der Macht – Strukturelle Sünden der katholischen Kirche

Der Aufsatz ist erschienen in der Zeitschrift „Hirschberg", Jg. 63, Nr. 10/2010. Abdruck mit freundlicher Genehmigung der Redaktion.

Werner Tzscheetzsch, Missbrauch von Menschen – Miss-brauch der Rolle – Missbrauch der Institution – Fragen an die Organisationskultur der katholischen Kirche

Der Beitrag ist erschienen in: Herbert Ulonska, Michael Rainer (Hg.), Sexualisierte Gewalt im Schutz von Kirchenmauern. Anstöße zur differenzierten (Selbst-)Wahrnehmung, LIT Verlag Berlin-Müns-ter-Wien-Zürich-London, Reihe: Theologie: Forschung und Wissen-schaft, Bd. 6, 2. Auflage, 2007. Abdruck mit freundlicher Genehmi-gung des Autors.

Eamonn Conway, Die Katholische Kirche Irlands und se-xuelle Gewalt gegen Minderjährige – Beschreibung der Krise und Entwurf einer theologischen Agenda

Engl. Original: „The Irish Church and sexual violence against minors. Mapping the crisis and sketching the theological agenda", Erstver-öffentlichung in anderer Übersetzung in: Goertz, Stephan/Ulonska, Herbert (Hg.), Sexuelle Gewalt. Fragen an Kirche und Theologie, Münster 2010. Abdruck mit freundlicher Genehmigung des Autors.

Jon Sobrino, Überheblichkeit und Demut – Anmerkung zum gegenwärtigen Zustand der Kirche

Der Aufsatz ist erschienen in: Concilium 46/4 (Oktober 2010), S. 478–484. Die Abdruckgenehmigung erteilte freundlicherweise der Verlag der deutschen Ausgabe von Concilium: Matthias-Grüne-wald-Verlag der Schwabenverlag AG, Ostfildern. Der Beitrag wurde aus dem Spanischen übersetzt von Dr. Bruno Kern.

Geoffrey Robinson, Einfache Erklärungen bringen keine Lösungen – Die unmittelbaren Ursachen des Missbrauchs

Gekürzte Fassung der Einführung in: Bischof Geoffrey Robinson, Macht, Sexualität und die katholische Kirche, Eine notwendige Kon-frontation, Oberursel 2010, Einführung, 9–28. Abdruck mit freundli-cher Genehmigung der Publik-Forum Verlagsgesellschaft mbH.

ADRESSEN:
HILFE UND INFORMATION

Wir sind Kirche-Not-Telefon:
www.wir-sind-kirche.de/?id=24,
Telefon: 0180-3000862 (9 ct. pro Min.)

Hotline der Deutschen Bischofskonferenz:
www.hilfe-missbrauch.de/, Telefon: 0800-1201000

*Internetplattform der Deutschen Bischofskonferenz mit Informationen,
Materialien und Hinweisen:*
www.praevention-bildung.dbk.de

Beauftragte der Bistümer:
www.dbk.de/fileadmin/redaktion/diverse_downloads/Dossiers/
BeauftragteBistuemer-Missbrauch.pdf

AnsprechpartnerInnen der Orden:
www.orden.de/dokumente/ordensbeauftragte_missbrauch.pdf

AnsprechpartnerInnen der Evangelischen Kirche:
www.ekd.de/missbrauch/

Initiative gegen Gewalt und sexuellen Missbrauch:
www.initiative-gegen-gewalt.de/

Unabhängige Beauftragte der Bundesregierung:
http://beauftragte-missbrauch.de/course/view.php?id=8,
Telefon: 0800-2255530

Der Verein Zartbitter e. V.:
www.zartbitter.de

Gegen Missbrauch e. V.:
www.gegen-missbrauch.de/new.php?link=Berichte/erf_00.htm

Kinderschutzbund:
www.Kinderschutzbund.de/front_content.php

Polizei:
www.polizei-beratung.de/vorbeugung/sexualdelikte/sexueller_
missbrauch_von_Kindern

In derselben Reihe ebenfalls erschienen:

Klaus Müller

Endlich unsterblich

Zwischen Körperkult und Cyberworld

192 Seiten
Format: 14,5 x 22 cm
Gebunden mit Schutzumschlag
und Lesebändchen

ISBN 978-3-7666-1479-7

Die Medien suggerieren es Tag für Tag: Nur wer ihrem körperlichen Ideal nachstrebt, kann Erfolg haben – Botox, Bodystyling und Schönheitsoperationen versprechen ewige Jugend. Auf der anderen Seite verliert die Körperlichkeit an Bedeutung: Immer mehr Menschen entdecken die unbegrenzten Möglichkeiten virtueller Welten in Internet und Cyberworld. Diesen Phänomenen geht Klaus Müller auf den Grund und beleuchtet sie aus philosophischer und theologischer Perspektive. Er enttarnt ihre scheinbare Oberflächlichkeit als tiefe Sehnsucht des Menschen nach Unsterblichkeit und kommt so zurück zu einem christlichen Menschenbild, das tragfähiger ist, als viele glauben möchten.

BUTZON ■■ BERCKER
www.religioeses-sachbuch.de
www.bube.de

Leonardo Boff

Sehnsucht nach dem Unendlichen

Spirituell leben

136 Seiten
Format: 14,5 x 22 cm
Gebunden mit Schutzumschlag
und Lesebändchen

ISBN 978-3-7666-1478-0

Krisenzeiten werfen uns Menschen zurück auf die Frage nach dem Sinn – tief in uns spüren wir die Sehnsucht nach dem Unendlichen. Beispiele dafür findet Leonardo Boff in der gesamten Menschheitsgeschichte: in der Mythologie, in Literatur und Poesie und auch in den modernen Naturwissenschaften. Daraus zieht er seine Überzeugung, dass Spiritualität mehr ist als Religion: Sie ist „der innerste Glutkern jeder Religion". Sein Streifzug durch die Religionen der Menschheit zeigt, dass Spiritualität durchaus alltagstauglich ist. Mit konkreten Tipps, wie wir die spirituelle Dimension unseres Daseins füllen können, ist dieses Buch Anregung für alle, die ihrem Leben eine andere Richtung geben wollen.

www.religioeses-sachbuch.de
www.bube.de

Sachbücher bei Butzon & Bercker in Auswahl:

INGE DEUTSCHKRON
Überleben als Verpflichtung
Den Nazi-Mördern entkommen
240 Seiten, ISBN 978-3-7666-1398-1

HANS KESSLER
Evolution und Schöpfung in neuer Sicht
221 Seiten, ISBN 978-3-7666-1287-8

FLORIAN KÜHRER
Vampire
Monster – Mythos – Medienstar
297 Seiten, ISBN 978-3-7666-1396-7

B. IDRIZ · S. LEIMGRUBER · S. J. WIMMER (HG.)
Islam mit europäischem Gesicht
Perspektiven und Impulse
275 Seiten, ISBN 978-3-7666-1397-4

HERMAN VAN ROMPUY
Christentum und Moderne
Werte für die Zukunft Europas
191 Seiten, ISBN 978-3-7666-1395-0

THOMAS RUSTER
Die neue Engelreligion
Lichtgestalten – dunkle Mächte
264 Seiten, ISBN 978-3-7666-1356-1

HANS-RÜDIGER SCHWAB (HG.)
Eigensinn und Bindung
Katholische deutsche Intellektuelle im 20. Jahrhundert
39 Porträts
812 Seiten, ISBN 978-3-7666-1315-8

FRANZ-PETER TEBARTZ-VAN ELST
Werte wahren – Gesellschaft gestalten
Plädoyer für eine Politik mit christlichem Profil
176 Seiten, ISBN 978-3-7666-1390-5